Eine Geschichte der großen Träume und der großen Trauer: Durchdringend und mit unverwechselbarer Stimme erzählt Zsuzsa Bánk von der ziellos-sehnsüchtigen Reise zweier Geschwister und ihres Vaters durch das Ungarn der 5oer und 6oer Jahre – von unmöglichem Glück, der Sprache der Dinge und einer Welt, die ihre Mitte verloren hat.

»Der Klang von Zsuzsa Bánks Roman ›Der Schwimmer‹ ist mit einem Wort nicht zu fassen. Er gleicht dem Wellenschlag am Seeufer in einer windstillen Nacht, so gleichmäßig und beruhigend, daß man Stunden lauschen möchte und darüber vergessen könnte, daß eine Tragödie ist, was hier geschieht.« ›Frankfurter Allgemeine Zeitung‹

»Ein makelloses literarisches Debüt, eine Kindheitsgeschichte, die an Inständigkeit und Intensität ihresgleichen sucht.« Sigrid Löffler, ›Literaturen‹

Zsuzsa Bánk, geboren 1965 in Frankfurt am Main, studierte in Mainz und Washington Publizistik, Politik und Literatur. Sie arbeitete als Buchhändlerin und lebt heute als Autorin in ihrer Heimatstadt. Für ihren ersten Roman ›Der Schwimmer‹ wurde sie mit dem Deutschen Bücherpreis, dem aspekte-Literaturpreis, dem Jürgen-Ponto-Preis und dem Mara-Cassens-Preis sowie dem Adelbert-von-Chamisso-Preis ausgezeichnet. Zuletzt erschien der Roman ›Die hellen Tage‹.

Unsere Adresse im Internet: www.fischerverlage.de

Zsuzsa Bánk

Der Schwimmer

Roman

Fischer Taschenbuch Verlag

14. Auflage: Juli 2013

Veröffentlicht im Fischer Taschenbuch Verlag,
einem Unternehmen der S. Fischer Verlag GmbH,
Frankfurt am Main, Januar 2004

Lizenzausgabe mit freundlicher Genehmigung
der S. Fischer Verlag GmbH, Frankfurt am Main
© 2002 S. Fischer Verlag GmbH, Frankfurt am Main
Satz: Fotosatz Otto Gutfreund GmbH, Darmstadt
Druck und Bindung: CPI books GmbH, Leck
Printed in Germany
ISBN 978-3-596-15248-3

Für Erzsébet und Lidia.

Wir.

Ich hatte wenige Erinnerungen an meine Mutter. Im Grunde kannte ich sie nur von Fotos, die mein Vater in einem kleinen Kasten aufbewahrte. Schwarzweißbilder waren es, mit dickem weißen Rand. Meine Mutter beim Tanz. Meine Mutter mit geflochtenen Zöpfen. Meine Mutter barfüßig. Meine Mutter, die ein Kissen auf dem Kopf balancierte. Ich schaute mir die Bilder häufig an. Es gab Zeiten, in denen ich nichts anderes tat.

Mit meinem Vater war es ähnlich. Er verbrachte ganze Tage damit, die Bilder auf dem Tischtuch auszubreiten und sie immer wieder neu zu mischen – wie bei einem Kartenspiel, vielleicht zehn Mal, vielleicht hundert Mal. Daß es Tage waren, wußte ich, obwohl ich damals sicher keinen Begriff von Zeit hatte. Für mich gab es nur Zeiten, die ich ertragen, und Zeiten, die ich kaum ertragen konnte.

Mein Vater hinterließ seine Fingerabdrücke, und ich wischte sie weg, wenn ich die Fotos aus der Kiste nahm. Ein Bild mochte er besonders. Es zeigte meine Mutter auf dem Feld. Sie hatte Essen in einer Blechkanne dabei. Ihr Kopftuch hatte sie unter dem Kinn zusammengeknotet, und ihre freie Hand hielt sie wie einen Schirm über die Augen. Sie trug Sandalen, deren Bänder sie um die Knöchel gebunden hatte. Niemand trug damals Sandalen, schon gar nicht auf dem Feld. Mein Vater gab dieses Bild nicht aus seinen Händen. Er lag damit auf der Küchenbank, starrte zur Decke und rauchte. Nicht einmal den Hund hörte er dann, der laut vor ihm bellte. Meinen Bruder Isti und mich schaute er an, als seien wir Fremde. Wir nannten es tauchen. Vater taucht. Vater ist zum Tauchen gegangen. Ist Vater zurück vom Tauchen?, fragten wir einander.

Ich glaube, wir haben unseren Vater nie ohne Zigarette gesehen. Seine Kleider rochen danach, seine Hände, seine Haare. Seine Zigaretten warf er auf den Boden, um die Glut auszutreten, und wenn er auf dem Sofa lag, entdeckten wir weiße Punkte aus Papier auf seinen Sohlen. Selbst draußen im Weinberg fanden wir die Reste zwischen den Reben und im Keller, unter den Weinfässern, neben den Körben. Manchmal schwamm etwas Tabak in einer Flasche, und wir bemerkten es erst, wenn wir den Wein schon in Gläser gegossen hatten.

Als es meine Mutter für mich noch gab, erzählte sie uns Märchen, die mein Bruder für die Wahrheit hielt. Er glaubte ihr, wenn sie sagte, unsere Großmutter sei in einer Nacht ergraut. Später erzählten uns andere diese Geschichte immer wieder – nur ein wenig anders. Die Geschichte meiner Mutter, die das Land ohne ein Wort verlassen hatte. Und die Geschichte ihrer Mutter, die in einer einzigen Nacht alt geworden war.

Meine Mutter hatte sich damals nicht von uns verabschiedet. Sie war zum Bahnhof gelaufen, wie an vielen anderen Tagen auch. Sie war in einen Zug gestiegen, Richtung Westen, Richtung Wien. Wie selten Züge von unserem Bahnhof aus in Richtung Wien fuhren, das wußte ich. Meine Mutter muß lange gewartet haben. Sie hatte genügend Zeit, es sich anders zu überlegen. Um zurückzukommen. Um uns Auf Wiedersehen zu sagen. Um uns noch einmal anzuschauen.

Als sie noch bei uns lebte, arbeitete meine Mutter in einer Fabrik in Pápa. Auf ihrem Fahrrad fuhr sie jeden Morgen durch den Nebel. Unser Hund lief kläffend neben ihr her, bis sie ihn an der großen Straße abhängte. Ich wachte auf, sobald ich sie in der Küche hörte. Wenn sie die Tür ins Schloß fallen ließ, stand ich auf, um ihr vom Fenster aus nachzusehen. Ich zog die Gardinen zur Seite und hob meine Hand, um ihr zu winken. Ich nannte sie heimlich Nebelspalterin. Meine Mutter haßte unser Dorf. Sie sagte, Kinder sterben hier, weil sie in Jauchegruben fallen. Sie ersticken. Wo gibt es das sonst?

Wenn Isti sich vor die Tür legte, weil er sie nicht gehen lassen wollte, kam unsere Mutter zu spät zur Arbeit. Nicht einmal zehn Minuten waren es, aber ihr Name stand länger als eine Woche auf einem Stück Schiefer hinter dem Fabrikeingang, damit jeder lesen konnte: Velencei Kálmáns Frau hat sich verspätet. Die Arbeit in der Fabrik hatte ihren Kehlkopf zerstört, wie meine Mutter sagte. Zwischen ihren Zähnen hatte sie Fäden aus Baumwolle festgehalten, während eine Maschine die Fäden säuberte. An einem Webstuhl hatte sie mit ihren Händen rotes Garn von rechts nach links und wieder zurück gejagt. Wenn der Faden riß, weil der Tag heiß war und die Luft trocken, hatte sie ihn an ihren Lippen befeuchtet und dann zusammengeknotet. War die Spule leer, hatte sie eine neue eingesetzt und dabei das Garn mit ihrem Mund durch ein kleines Loch gesogen, um ihn einzufädeln. Stückchen aus Baumwolle hatte meine Mutter in den Hals bekommen, über Jahre hatte sie kleine Abfälle geschluckt.

Wir lebten im Westen des Landes. Meine Großmutter wohnte ein paar Dörfer weiter. Sie hatte graues Haar, das sie im Nacken zu einem Knoten steckte, und die schönsten Lippen der Welt, wie alle sagten. Ihre Augen waren schwarz, wie die meiner Mutter, die als Kind versucht hatte, sie mit Seife heller zu waschen, weil irgendwer im Dorf *Zigeunermädchen* zu ihr gesagt hatte. Meine Großmutter wohnte in einem rostfarbenen Haus, umgeben von Feldern und Gärten. Jeden Sonntag lief sie länger als eine Stunde zur Kirche, zwischen Feldern, dem Geläut der Glocken entgegen, das lauter wurde, mit jedem Schritt. Kurz bevor die Kirche hinter einer Reihe von Bäumen auftauchte, kreuzte sie den Weg der anderen, die genau wie sie unter den Blicken des Pfarrers die Hände über ihrem Gesangbuch zusammenlegten. Nicht einen Sonntag ließ sie aus. Sie ging selbst dann, wenn sie so hustete, daß sie nicht mehr reden konnte. Sie glaubte, gerade jetzt müsse sie gehen, weil der Husten aufhöre, sobald sie in die Kirche kam, und es war wirklich so: Der Husten hörte auf, sobald sie die Kirche betrat.

Meine Großmutter deutete unsere Träume. Wenn wir schlecht träumten, sagte sie, es sei gut, und wenn wir Schönes träumten, sagte sie, wir hätten Grund zur Sorge. Vielleicht erfand sie diese Dinge auch, manchmal schien das Gesetz nicht zu stimmen. Ein geschnürtes Päckchen auf dem Rücken bedeutete langer Weg ohne Rückkehr. Tiefe, schmutzige Wasser sagten schwere Krankheit voraus.

Wenn ich bei ihr war, schmierte meine Großmutter Schmalzbrote, die ich schweigend am Küchentisch aß. Von der Lampe über mir hing ein Klebestreifen, der schwarz von Fliegen war. Ich fragte mich, wie sie starben, diese Fliegen, an was. Konnte man sterben, weil man festklebte? An Sommerabenden saßen wir im Hof und warteten, bis es um uns herum blau wurde, bis der Himmel näher kam und die ersten zwei, drei Sterne zeigte. Meine Großmutter stellte keine Fragen. Manchmal blieb ich ganze Tage, auch über Nacht. Ich mochte die Stille in ihrem Haus, die Schatten auf ihrem Hof. Nachts kam das einzige Geräusch von einem Hund, der an seiner Leine zerrte. Ich wußte, niemand sorgte sich, niemand vermißte mich. Nur Isti schaute mich an mit einem Blick voller Vorwürfe, wenn ich zurückkam und mich ankündigte mit der Fahrradklingel. Es dauerte Stunden, bis er wieder mit mir sprach.

Als meine Mutter noch bei uns war, fuhren wir oft mit dem Zug. Ich glaubte, wir ließen keinen Weg aus, der uns irgendwohin führte, keinen Ort, an dem wir irgendwen kannten, wenn auch noch so flüchtig. Wenn wir aus dem Zug stiegen, spuckte unsere Mutter auf einen Kamm, scheitelte unser Haar und zupfte an unseren Kleidern. Sie nutzte jede Gelegenheit, meinen Bruder und mich vorzuzeigen, obwohl wir niemals Kinder zum Vorzeigen waren. Isti sah so aus, daß man heimlich fragte, wie krank er sei. Und ich, ich sah aus wie ein Junge. Bevor meine Haare an die Schultern reichten, schnitt sie mein Vater wieder kurz. Später war ich davon überzeugt, diese Ausflüge gehörten zu ihrem Plan, uns zu verlassen. Fanden andere Gefallen an uns, konnte sich unsere Mutter leichter verabschieden. Ich mochte sie trotzdem. Meinen Bruder hat sie einmal geohrfeigt. Als er anfing zu weinen, weinte sie auch.

Unser Haus, das war eine Küche, eine Speis und ein Zimmer. Meine Eltern schliefen zusammen in einem Bett und Isti und ich auf zwei Liegen neben dem Bett meiner Eltern. Mein Vater schnarchte, meine Mutter atmete unruhig, und Isti sprach im Schlaf. Er redete mit unserem Hund, den wir heimlich Kovács nannten. Mein Vater hatte uns verboten, dem Hund einen Namen zu geben. Er sei nichts als ein dreckiger kleiner Köter, sagte er, mit allen Flöhen und Zecken, die man auf unserem Hof kriegen könne, unserem Hof, der jetzt, in meiner Erinnerung, nicht mehr ist als etwas Lehm und Kies hinter einem Zaun, dazu ein Taubenhaus und drei Akazien vor einem Graben.

Wir lebten allein, für uns. Besuch kam selten. An Ostern stürmten ein paar Jungen aus dem Dorf unser Haus und besprenkelten meine Mutter und mich mit Kölnisch Wasser. Frohe Osterfeiertage!, brüllten sie und ließen sich von meinem Vater ein Geldstück in die Hand drükken. Tagelang blieb der Geruch von Kölnisch Wasser an meinem Hals, an meinen Armen. Wofür die Spritzerei gut sein sollte, wußte ich nicht. Sie machen es, damit wir nicht verblühen, sagte meine Mutter. Wir hatten keine Wanne, nur eine Schüssel aus Blech, in der wir eingeseift wurden, bis es in den Augen brannte. Im Winter, wenn meine Mutter sich gewaschen hatte, setzte sie sich neben den Herd, um ihr Haar zu trocknen. Im Sommer ging sie dafür in den Hof, bis mein Vater sie entdeckte und es ihr verbot. Es gab niemanden, der meine Mutter hätte sehen können, aber die Wünsche meines Vaters waren Gesetz. Meine Mutter hat meinem Vater nie widersprochen. Sie hat ihn verlassen.

Nachdem meine Mutter gegangen war, schlief mein Vater in der Küche. Nachts öffnete er die Tür zum Zimmer, und ich wachte auf davon. Ich glaube, er wollte nachsehen, ob wir noch da waren, Isti und ich. Am Anfang erzählte er uns, meine Mutter sei bei Verwandten in Debrecen. Isti fragte, warum hat sie sich nicht verabschiedet, und mein Vater sagte, sie ist mit dem frühen Zug gefahren, ihr habt geschlafen. Ich wußte, es gab keinen so frühen Zug, und ich wußte, etwas war anders, etwas hatte sich verschoben, an diesem Morgen und in der Nacht davor. Vielleicht, weil mein Vater gezögert hatte, bevor er antwortete, vielleicht, weil er sich überhaupt die Mühe machte, uns zu antworten. Ich lief zu meiner Großmutter und blieb so lange bei ihr, bis ich anfing, die anderen zu vermissen. Obwohl es zu kalt war, ließ sie mich im Hof sitzen, auf einer Bank, die naß war vom letzten Regen. Ich wischte mit den Fingern übers Wasser, wartete auf den nächsten Regen, der meinen Mantel, meine Strümpfe, meine Stiefel durchweichte, und ich wünschte, er könnte mich genauso durchweichen, dieser Regen, vielleicht auflösen, und ich, ich könnte mit dem Wasser weggleiten – irgendwohin.

Als man sich dann, nach dem Gottesdienst erzählte, meine Mutter sei mit einer Freundin in den Zug gestiegen, ohne Koffer, ohne Tasche, ohne Abschied, als man sich auch erzählte, ich säße jetzt, im November, draußen im Regen, und keiner hindere mich daran – erst da verkaufte mein Vater Haus und Hof. Wir mußten Kovács zurücklassen. Isti schrie. Mit einer Schere schnitt er ein Büschel Haare aus seinem Fell und steckte es in die Hosentasche.

Für die erste Zeit sollten wir bei der Mutter meines Vaters unterkommen. Sie wohnte im Osten des Landes. Drei Tage lang fuhren wir mit dem Zug. Vielleicht, weil mein Vater nicht wußte wohin, mit sich, mit uns. Vielleicht, weil er aufschieben wollte, was jetzt beginnen würde. Wir fuhren eine Stunde, stiegen aus, stiegen um, fuhren wieder eine Stunde, schauten auf Ortsschilder, die langsam an uns vorbeizogen, warteten auf Bahnhöfen, sahen auf Gleise, übernachteten bei Menschen, die ich nie zuvor gesehen hatte, ließen uns umarmen, ließen uns küssen, stiegen in einen Bus, wieder in einen Zug, dann in den nächsten, der uns weiter weg brachte, weiter weg von uns und von allem, was wir kannten.

Isti hörte nicht auf zu weinen. In Budapest fing mein Vater an zu brüllen, Isti solle dieses Schluchzen lassen, und im Abteil schaute man erst zu ihm, weil er brüllte, dann zu Isti, weil er jetzt noch lauter weinte. Mein Vater stand auf, zerrte unser Gepäck aus dem Netz, und wir verließen den Zug und suchten nach einem Haus in der Högyes Endre utca, in der Nähe des Rings. Eine Tante meines Vaters wohnte hier. Es regnete. Seit wir in Vat in den Zug gestiegen waren, hatte mein Vater nur das Nötigste mit uns gesprochen: Setz dich hin, sei ruhig, hört auf, euch zu schlagen, ja, wir sind bald da. Jetzt trug er in beiden Händen große Koffer, schob uns vor sich durch den Regen, suchte nach Hausnummern und sagte irgendwann: Stop.

Wir waren vor einem dunklen Haus angelangt und schauten an seiner Fassade hoch. Hinter schmutzigen Scheiben flackerte Licht. Jemand schloß ein Fenster. Aus einem Radio tönte Musik. Mein Vater zündete ein Streichholz an und fuhr mit der Flamme über die Namensschilder. Neben den Türklingeln hingen lose Kabel. Putz hatte sich gelöst. Als mein Vater seinen Finger auf die Klingel drückte, rieselte etwas davon hinunter. Die Pforte öffnete sich schwer. Wir gingen ein paar Schritte durch die Dunkelheit, vorbei an einer Wand aus schwarzen Briefkästen aus Blech, und schauten auf einen großen Innenhof, in dessen Mitte der Regen fiel. Jemand hatte ein paar Pflanzen in Töpfen dort hingestellt. An den Wänden lief das Wasser hinunter und verteilte sich langsam auf dem Hof. Wir stiegen eine breite Treppe hoch und liefen über eine Galerie, vorbei an fremden Zimmern, in denen sich Schatten hinter den Vorhängen bewegten. Es war eine kleine, dunkle Wohnung im ersten Stock. Manci öffnete die Tür und umarmte uns unter Tränen. Im einzigen Zimmer bezog sie ein Bett, in dem Isti und ich Sekunden später einschliefen. Ich träumte von meiner Mutter. Sie saß im Innenhof und trocknete ihr Haar.

Jeden Morgen weckte uns Manci mit Hörnchen, die sie dick mit Butter bestrich. Wenn sie Geld hatte, brachte sie uns mittags in ein Restaurant, in dem wir uns selbst bedienten. Leuchtbuchstaben standen über dem Eingang, und wenn der Regen an die Fenster schlug, legte man die nassen Schirme in eine kleine Wanne. Isti und ich stellten uns mit großen Tabletts an und nahmen das Essen aus Vitrinen. Isti riß die Klappen hoch, ließ sie wieder fallen, bis die Teller hinter dem Glas tanzten und jemand in Haube und Kittel anfing, mit Manci zu schimpfen, ob sie nicht sehe, was dieses Kind anstelle?

Von Großmutter wußte ich, Manci war mit einem Zöllner verheiratet gewesen und hatte eine kleine Rente. Ihr Mann hatte immer das beste Stück Fleisch bekommen und Manci nur die Reste. Sie hatte weiße Locken, die sie unter einem Haarnetz zusammenband, und feines Porzellan in ihrer Kredenz. Wir nannten Manci Patentante – so wie unser Vater sie nannte. Bevor sie zu Bett ging, rieb Manci ihre Hände mit Glycerin ein und zog Handschuhe aus Plastik darüber, die sie aus einer Packung mit Haarfärbemittel hatte. Sie schlief auf dem Rücken und rührte sich die ganze Nacht nicht. Nur manchmal hörten wir das leise Knistern ihrer Handschuhe.

Tagsüber trug Manci Perlonstrümpfe, die sie abends in einer Schüssel wusch und an einer Leine in der Küche trocknen ließ. Das Wasser tropfte in schmutzige Töpfe und Teller und vermischte sich mit den Ölresten. Ich konnte dabei zusehen, wie sich farbige Pfützen bildeten, wie ein Tropfen noch einmal hochsprang, bevor er Kreise zeichnete, in grün und gelb und lila. Vor dem Küchenfenster stand eine Mauer, vielleicht einen halben Meter entfernt. Wenn es regnete, floß das Wasser hier hinunter, und Isti und ich, wir saßen auf der Liege und starrten auf das Mauerstück vor dieser Küche, vor diesem Haus, in dieser Stadt, von der Großmutter gesagt hatte, sie habe Fieber, wie der Junge aus Vat, der an Fieber gestorben war, im Sommer davor, genau so habe Pest dieses Fieber.

Mein Vater blieb nächtelang weg. Er verabschiedete sich nicht, ließ die Tür ins Schloß fallen und kehrte erst zurück, wenn es schon Mittag war. Dann legte er sich neben uns auf die Küchenliege, und wir beobachteten ihn beim Einschlafen. Erzsi, die Nachbarin, war oft bei uns, obwohl Manci sagte, Erzsi meckert wie eine Ziege. Sie brachte Zeitschriften mit, Zeitschriften mit Schlagzeilen wie *Die größte Torte Ungarns* oder *Ein Skoda für das ganze Dorf.* Wenn mein Vater neben uns eingeschlafen war, raunte Erzsi mir zu, weißt du, wo er war? Ich schüttelte den Kopf und schaute zu Boden. Wissen Sie es vielleicht?, fragte ich zurück, und Manci schimpfte, laß der Kleinen ihren Frieden. Seitdem schaute ich meinem Vater nach, wenn er die Wohnung verließ. Erzsi wußte, wohin er ging. Ich nicht.

Nachts wachte ich auf. Ich hatte die Stimme meiner Mutter gehört, ihr Gesicht gesehen und lief zur Tür, die Manci meiner Mutter soeben geöffnet hatte. Alles war still und dunkel. Ich schob die Sperre beiseite, ging vor zur Brüstung, blickte hinab in den Hof und wartete. Ich war mir sicher, jeden Moment würde sie auftauchen, dort unten, auf diesem großen Stück Asphalt. Und ich, ich würde die Tür schließen und gehen, so wie ich war, ohne Schuhe, im Hemd, über die Galerie laufen, die Treppe hinab. Isti und mein Vater sollten ruhig bleiben, ich würde sie gar nicht erst wecken. Ich stand lange dort. Erst als ich vor Kälte zitterte, ging ich zurück ins Bett.

Budapest war grau. Wo ich hinsah, sah ich nichts als Mauern, Türen, Wände. Auf der Straße schaute ich hoch in den Himmel, in diesen schmalen Streifen aus Blau. Ich wollte weg. Ich wünschte, meine Mutter würde uns abholen und zurückbringen. Ich wußte, es würde nicht geschehen. Es war, als habe jemand alle Uhren zum Stehen gebracht, als liefe die Zeit für uns nicht weiter. So, als habe man Isti und mich in Sirup fallen lassen und dort vergessen.

Isti und ich, wir durften hinaus, in den Hof, in die anderen Höfe und auf die Straße, aber nicht weiter als bis zum Ring. Wir hüpften die breite Treppe hinunter. Die Briefkästen waren leicht zu öffnen. Ich sah die fremde Post durch und suchte die schönsten Kuverts aus. Isti stand an der Tür, und wenn jemand kam, pfiff er durch die Zähne, so gut er konnte. Manchmal öffnete ich einen

Brief, trug ihn über die Straße und warf ihn an der nächsten Ecke weg. Wir taten so, als hätten wir Post bekommen, als würde uns, ausgerechnet uns, jemand schreiben.

Hin und wieder entwischte ich. Ich hängte Isti ab, der mir im Treppenhaus hinterherrief, Betrügerin, Verräterin. Ich lief zum Donauufer, obwohl Manci es verboten hatte, und versuchte, den Wind mit meiner Jacke einzufangen, die ich mit gestreckten Armen über den Kopf hielt, oder mit Plastiktüten, die Manci wie einen Schatz unter ihrem Sitzkissen aufbewahrte. Als wir noch in Vat gelebt hatten, war ich so mit unseren Laken über den Hof gelaufen, bis meine Mutter gerufen hatte, klemm sie endlich an die Leine.

Mein Vater unternahm nichts, um Budapest zu verlassen, und wir, Isti und ich, wir sagten, daß wir zurückwollten. Wohin?, fragte mein Vater, und als Isti erwiderte: nach Hause, klang es zum ersten Mal komisch. Wir blieben den ganzen langen Winter, in einer Stadt, die grau war, vom Ruß, vom Rauch, vom Regen. Wir feierten mit Manci Weihnachten, und wir küßten sie zur Neujahrsnacht, in der sie schon nach einem Glas Sekt, das sie mit meinem Vater um Mitternacht trank, auf der Liege in der Küche einschlief.

Im neuen Jahr schrieb uns Großmutter, sie habe Nachricht von meiner Mutter, die über das Rote Kreuz Grüße im Radio verschickt habe. Im Westen sei sie, im Westen Deutschlands. Ab sofort sah ich zu, daß niemand mehr das Radio abschaltete, und hörte auf fremde Stimmen, die von Dingen sprachen, die ich nicht verstand. Wenn die anderen gingen, blieb ich. Es kamen keine Grüße mehr übers Radio. Wenigstens nicht für uns.

Später schickte uns Großmutter Briefe meiner Mutter, dazu ein Kärtchen, auf dem stand, daß alle Briefe geöffnet und wieder zugeklebt worden seien. Meine Mutter schrieb, sie sei in einem Lager, in einer kleinen Stadt. Im Wirtshaus hätten zwei Ungarn Krawall geschlagen, und der Wirt habe ein Schild über den Eingang gehängt: Für Ungarn verboten. Der nächste Brief kam aus einer anderen Stadt, weiter im Norden, wo meine Mutter jetzt als Spülerin in einer Gaststätte arbeitete. Manci las uns die Briefe vor, wenn mein Vater nicht da war, auf unser Drängen immer wieder, obwohl wir jedes Wort, jeden Satz schon kannten. Wenn sie etwas übersprang, beschwerte sich Isti, daß sie das mit dem Lager oder das mit den Gläsern ausgelassen hatte, und dann las Manci weiter, und jedesmal sagte sie, da hatte es eure Mutter bei uns doch genauso gut.

Als es Sommer wurde, lief ich an den Nachmittagen zum Donauufer, legte mich ins Gras, schaute den Ruderern zu und wiegte mich in den Kommandos, die sie einander zuriefen, in ihren lauten, harten Stimmen, die so anders waren als die weichen, leisen Geräusche des Wassers. Ich stellte mir einen langsam in die Nacht fahrenden Zug vor und mich als einzigen Fahrgast. Pest entglitt ich auf diese Weise oft. Es gelang mir sogar, ohne die Augen schließen zu müssen. Ich floh vor Manci, wenn sie abends ihre Beine hochlegte, ich floh vor Isti, vor der Stadt, vor der Mauer, die ich vom Küchenfenster aus sah. Mein Zug fuhr einem hellen Mond entgegen. Er donnerte über Brücken aus Stahl. Ich schaute hinunter auf Flüsse, die ich in der Dunkelheit nur erahnen konnte.

Manchmal verbrachte mein Vater den ganzen Tag mit uns. Geld für das Freibad hatten wir nicht, aber mein Vater kannte am Palatinus eine Stelle, an der wir leicht über den Zaun klettern konnten. Er stemmte uns nach oben und zog sich dann selbst am Zaun hoch. Auf der anderen Seite sprang er hinab, und wir ließen uns kreischend in seine Arme fallen. Weder Isti noch ich konnten schwimmen. Niemand konnte schwimmen, wenigstens nicht dort, wo wir gelebt hatten. Nur mein Vater. Er schwamm seine Bahnen, und Isti und ich, wir schauten ihm vom Beckenrand aus zu. Ich verpaßte keine seiner Bewegungen. Er hob und senkte seinen Kopf, zog seine Lippen zu einem O, jedesmal, wenn er auftauchte, warf seine Arme nach vorne, und wenn er sie wieder eintauchen ließ, verdrängte er dabei soviel Wasser, daß es über den Beckenrand trat. Vor meinen Augen bildete sich eine kleine Pfütze, in die ich meine Zehen steckte. Isti legte sein Gesicht auf den warmen Asphalt. Wenn er den Kopf hob, klebten Steinchen an seiner Wange.

Im Wellenbad hielt uns mein Vater hoch, und Isti zappelte in seinen Armen wie ein Fisch, den man an Land geworfen hat. Wir schrien, wenn große Wellen auf uns zurollten und meinen Vater ohrfeigten, wir stiegen auf seine gefalteten Hände und sprangen rückwärts ins Wasser. Wir waren unermüdlich. Erst als unsere Zähne klapperten, schickte uns mein Vater ins Thermalbecken, wo wir auf dem Rücken lagen und die Zehen aus dem Wasser streckten. Abends vor dem Einschlafen sagte mir Isti, er wolle Schwimmer werden.

Wenn mein Vater uns tagelang allein ließ, ging ich mit Isti zum Ostbahnhof. Wir liefen über Gleise, standen an

Bahnsteigen und spuckten auf Straßenbahnen, die vorbeifuhren. Als wir besser wurden, spuckten wir auf Züge. Am liebsten auf Züge, die in unsere Richtung, in Richtung unseres Dorfes fuhren. Wir spuckten und brüllten, Küßt mir Vat! Grüßt mir Vat! Küßt Kovács von uns! Dann liefen wir erschöpft durch die Bahnhofshalle. Isti wiederholte Städtenamen, die sie über Lautsprecher ausriefen, auf unserem Weg zurück, viele Male hintereinander, und ich sagte, als wüßtest du, wo diese Orte liegen. Er sprach sie so aus, als seien es keine Städtenamen, sondern etwas anderes, ein Sprichwort, ein Gebet. Manchmal klang es so, als müßte man diese Namen genauso aussprechen, wie Isti es tat, wenn er sie schnell hintereinandersetzte: Hatvan-Hatvan-Hatvan, Gödöllő-Gödöllő-Gödöllő.

Isti träumte davon, Fische zu kaufen und sie in einem Aquarium schwimmen zu lassen. Ihnen zuschauen beim Schwimmen, das wollte er. Es gab diesen Fischladen in Pest, nur ein paar Straßen von der Högyes Endre utca entfernt. Isti und ich gingen oft dorthin. Wir standen vor dem Fenster und beobachteten die Fische in ihrem Bassin. Wie sie ihre Flossen bewegten. Wie sie zuckten, wenn man sie aus dem Becken nahm. Wie sie ihre Farbe dabei verloren. Isti leerte seine Blechbüchse vor den Augen des Fischverkäufers auf einem großen Tisch. Der Verkäufer goß Wasser in eine Plastiktüte und ließ sieben Fische hineingleiten, die sofort anfingen zu zappeln. Sieben Fische! Sieben Fische schwimmen für mich!, sang Isti auf dem Rückweg und sprang dabei so hoch, daß Wasser aus der Tüte schwappte. Vielleicht war er das letzte Mal so glücklich gewesen, als wir Kovács Kovács getauft hatten.

Drei Tage lang schwammen die Fische in Mancis Küche in einem alten Eimer. Morgens warfen Isti und ich Speisereste ins Wasser und sahen dabei zu, wie die Fische um Brotkrumen kämpften und dabei so heftig mit ihren Flossen schlugen, daß Wasser auf den Küchenboden spritzte. Einen kleinen schwarzen Fisch nannte Isti Königin. Warum glaubst du, daß er weiblich ist?, fragte Manci. Er ist der einzige, der glänzt, antwortete Isti.

Als mein Vater zurückkam und die Fische sah, wurde er furchtbar wütend. Er schickte uns aus der Küche und verschloß die Tür. Als wir kurz darauf zurückgerufen wurden, war der Eimer leer. Die Fische lagen auf dem Tisch, fein säuberlich nebeneinander. Mein Vater hatte ihnen die Köpfe abgeschnitten. Isti nahm die Überreste der Königin und verschwand. Er sprach drei Wochen lang nicht mit uns. Er versank in einen Dämmerzustand, der schlimmer war als Vaters Tauchen. Ich hatte Angst. Wenn mein Vater seine Hand auf Istis Schulter legte, schüttelte er sie ab. Wenn wir auf Isti einredeten, tat er so, als höre er uns nicht. Vielleicht hörte er uns wirklich nicht.

Éva.

Gegen Ende des Sommers sagte Manci, ich müsse zur Schule. Als mein Vater sich nicht rührte und Manci verkündete, sie selbst würde mich anmelden, packten wir unsere Sachen. Mein Vater nahm unsere Kleider aus dem Schrank, und ich legte sie ohne ein Wort zusammen, während Manci auf meinen Vater einredete. Wir trugen unsere Koffer nach unten. Über die Galerie, vorbei an den vielen Fenstern, die Treppen hinunter, den Briefkästen aus Blech entlang, genauso, wie wir gekommen waren. Erzsi folgte uns – Manci hatte an ihre Scheibe geklopft – und drückte Isti ein Päckchen Bitterschokolade in Stanniol in die Hände.

Jetzt erfuhren wir, wo mein Vater seine Budapester Nächte verbracht hatte: bei seiner Freundin Éva. Éva nahm uns in ihrem Wagen mit in Richtung Osten. Sie fuhr in ihre Zukunft, wie sie nicht müde wurde, Manci und Erzsi zu erklären. Sie habe einen Verlobten, Karcsi heiße er, und die Hochzeit sei in nur wenigen Wochen. Manci flüsterte Erzsi zu, gewiß sei er eine gute Partie, und deutete auf den Wagen.

Éva legte ihre Hände auf das Lenkrad. Ich konnte ihre lackierten Fingernägel sehen. Rosa waren sie. Isti und ich saßen auf der Rückbank, nie zuvor hatten wir in einem Auto gesessen, wir kannten nicht einmal jemanden, der ein Auto besaß. Éva schaltete den Motor ein, und Isti packte Erzsis Schokolade aus. Verschmiert mir bloß nicht die Sitze, mahnte Éva. Mein Vater steckte sich eine

Zigarette an, kurbelte das Fenster hinunter und ließ seinen Arm hinaushängen. Erzsi faßte ihn mit beiden Händen und sagte, paß auf diese Kinder auf. Manci fing an zu weinen, und als der Wagen sich in Bewegung setzte, winkten wir ihr durch das Rückfenster, bis sie kleiner wurde und schließlich verschwand.

Wir kehrten nicht mehr zurück nach Pest. Weder zu Manci, noch zu Erzsi, noch zu sonstwem. Aber überall im Land, wo immer wir waren, gingen Isti und ich an Bahnhöfe, um auf Abfahrtsplänen nach Zügen zu suchen, die nach Budapest fuhren. Wir gingen zu Fuß, wir fuhren mit dem Fahrrad, wenn es eins gab, wir ließen uns von Fremden auf ihrem Motorrad mitnehmen. Ich hatte Isti gezeigt, wie das Wort *Budapest* aussah. Es war das einzige Wort, das er lesen konnte, und für lange Zeit blieb es das auch. Nur wenige Züge fuhren nach Budapest. Wenn wir einen Zug entdeckten, merkten wir uns die Abfahrtszeit und sagten sie einander immer wieder auf. Isti vergaß nicht eine. Selbst wenn wir einen Ort längst schon verlassen hatten, behielt er die Abfahrtszeiten von dort im Gedächtnis. Wir machten es zu einem unserer Spiele. Isti forderte, frag mich was, ich nannte ihm einen Ort, und er sagte mir die Zeiten dazu. Für Abfahrt und Ankunft.

Was sieben Uhr fünfzehn oder siebzehn Uhr dreiundfünfzig bedeuteten, wußten wir nicht wirklich. Für uns waren die Zeitangaben nicht mehr als Zahlen, nebeneinanderstehende Zahlen. So, wie der Preis für ein Kilo Kartoffeln oder sonst etwas, das wir mit dem Geld meines Vaters kauften. Das Komische war: Unser Leben ging weiter, obwohl meine Mutter uns verlassen hatte. Der Morgen kam, es wurde Nacht, und daß es so war, überraschte mich nicht mehr. Wir standen auf, wir setzten uns in Bewegung, wir fluchten, wir beteten, wir aßen, wir stritten miteinander. Mir kam es so vor, als würden wir etwas Unrechtes tun, als dürfte die Zeit nicht vergehen. Nicht so.

Als Manci Jahre später starb, lebten wir wieder im Osten des Landes. Aus Erzsis Briefen, die uns hin und wieder erreichten, wußten wir, Manci hatte ihre Zunge nicht mehr bewegen, nicht mehr reden und kaum mehr schlucken können. Sie hatte sich nicht mehr gezeigt, sie schien auch das Haus nicht mehr verlassen zu haben. Wenn Erzsi bei ihr geklopft hatte, hatte sie nicht geöffnet, und Erzsi hatte Tüten mit Einkäufen vor Mancis Tür gestellt und war wieder gegangen.

Jahre nach Mancis Tod fuhr ich nach Budapest, um ihr Grab auf dem Kerepesi-Friedhof zu besuchen. Ich ging sonntags, wenn alle gehen, ihre Hände aus den Wagenfenstern strecken, vor der Einfahrt, und den Blumenverkäufern die Sträuße abkaufen. Ich lief über Kieswege, die mir endlos schienen, vorbei an Namen, die ich laut vor mir her sagte, Tóth Lajos, Vitányi Orsolya, Hajdu Péter, und blieb stehen an Gräbern, vielleicht bloß, um vorzugeben, jemand zu sein, der jemanden hatte. Ein Friedhofswärter hatte ein Kreuz in einen Plan gezeichnet, für die Reihe, in der ich Mancis Grab finden würde. Auf ihrem Grabstein stand nur der Name, kein: Wir trauern um unsere geliebte, kein: Hier ruht in Frieden. Davor welkten in einem Topf gelbe Blumen. Ich fragte mich, wer sie gebracht hatte. Außer Erzsi fiel mir niemand ein, der sich die Mühe gemacht hätte, hierher zu kommen.

Damals dauerte es lange, bis wir Budapest endlich verlassen hatten und die Stadt nicht mehr als ein dunkler Fleck im Rückspiegel war. Häuserfassaden zogen an uns vorbei, Straßen, Menschen, die liefen, die warteten, allein, in der Menge. Isti starrte aus dem Fenster, und ich dachte, irgendwo werden wir sie vielleicht entdecken. Mit ihrem Kopftuch, auf ihrem Fahrrad.

Wir fuhren einen Tag und eine Nacht lang Richtung Osten. Als wir unsere Sachen gepackt hatten und die Treppen hinuntergestiegen waren, hatte mein Vater uns eingeschärft, er wolle keine Klagen hören, keinen Laut. Nicht jetzt und erst recht nicht während der Reise. Wenn wir etwas brauchten, sollten wir auf seine Schulter tippen, aber nicht Éva fragen. Isti und ich blieben still, auf der ganzen Fahrt sagten wir nicht ein Wort. Ich saß hinter Éva und sah, wie sich kurz vor Hatvan ihr Nacken rot färbte, rot wie das Tuch, mit dem Éva ihr Haar hochgebunden hatte. Éva wischte sich kleine Schweißperlen von der Stirn, zupfte an ihrem Blusenkragen und fächerte sich mit einer Hand Luft zu, wenn wir anhielten, damit Éva ihre Schuhe ausziehen konnte. Auf irgendeine Weise bereitete es mir Freude, sie so zu sehen.

Als es Nacht wurde, kamen Tiere auf die Straße. Füchse liefen uns entgegen, blieben im Licht des Scheinwerfers stehen, Éva bremste und fluchte. Isti wachte auf und griff nach meiner Hand. Mein Vater schrie und winkte, Éva hupte. Später waren es Hasen, Unmengen von Hasen, die wir im Lichtkegel gefangen hielten. Am Morgen kreisten Schafe den Wagen ein, hüllten uns in eine Wolke aus Staub, und Isti und ich fingen an, hinter vorgehaltener Hand zu lachen. Éva herrschte meinen Vater an, er solle etwas tun. Auf einem Feld entdeckte Isti den Schäfer, ein Hund jagte bellend hinter der Herde her. Als die Schafe uns freigegeben hatten, stieg Éva aus und prüfte den Wagen. Sie schimpfte über den Schäfer, sie schimpfte über die Straße, die keine sei, über die Tiere, über den ganzen gottverdammten, verlassenen Osten.

Wir fuhren Richtung Szerencs, was soviel heißt wie Glück. Mein Vater hatte uns in der Gegend eine Bleibe bei seiner Kusine Zsófi besorgt. Éva setzte uns vor einem Gartentor ab, durch dessen grüne Farbe sich der Rost gefressen hatte. Ein paar Jungen mit nackten Füßen waren uns seit der Abzweigung vor dem Dorfschild gefolgt und starrten jetzt auf Évas Auto. Éva fuhr uns an, schaut nicht hin, es sind Zigeuner, und den Fremden rief sie zu, macht, daß ihr weiterkommt. Dabei zischte sie durch die Zähne, tsch-tsch-tsch, als würde sie eine Katze vertreiben.

Zsófi eilte uns entgegen, sagte, mein Gott, wie ist er blaß, und strich Isti über den Kopf. Gebt ihr ihm nichts zu essen? Sie legte ihre Hände um mein Gesicht, das ist also Kata, was ist sie gewachsen. In der Küche schrie ein Kind in seinem Gitterbett und trommelte gegen den bemalten Putz. Auf dem Herd kochte etwas in einem großen Topf, der Deckel tanzte. Jenő, Zsófis Sohn, trat auf uns zu und verschwand wieder hinter einem Vorhang aus Plastikstreifen, der in der Tür flatterte, um die Fliegen fernzuhalten. Jenő trug Gummistiefel, mit denen er kniehoch im Schlamm gestanden hatte. Eine blasse Narbe verband seinen Mund mit seiner Nase. Seine Haut war weiß und übersät mit kleinen schwarzen Kratern. Im Hof bellte ein Hund, der sich beißend und schnappend drehte und dabei seine Kette um sich wickelte.

Geht nicht in seine Nähe, warnte Zsófi und goß meinem Vater aus der Flasche mit dem Selbstgebrannten in ein kleines Glas. Mein Vater sagte, auf unsere Gesundheit, und leerte es in einem Zug. Zsófi hatte nur wenige Zähne. Es fiel mir schwer, sie zu verstehen. Auf ihrem Hals wackelte ein dicker Kropf, den man später wegschnitt, rechtzeitig vor Évas Hochzeit. Zurück blieb ein dicker roter Strich.

Zsófi überließ uns ein Zimmer. Von dem Bett aus, das ich mit Isti teilte, sah ich auf ein Fenster, in dem sich die Blätter eines Nußbaums spiegelten. Ich lag oft da und sah, wie sie im Wind zitterten. Nebenan spielte Jenő Klavier. Weggehen wolle er, sagte er mir, wenn wir allein waren und uns niemand hörte, vielleicht nach Pest, vielleicht weiter in Richtung Westen. Klavier spielen wolle er, sonst nichts. Was kümmere ihn der Hof, ausgerechnet ihn. Wenn Isti und ich unsere nackten Füße in den Hühnerkot stellten und dabei zusahen, wie sich unsere Zehen braun färbten, schnappte Jenő ein Huhn und steckte es in einen Eimer. Eine Weile schleuderte er den Eimer an seinem ausgestreckten Arm, zog das Huhn heraus und hielt sich den Bauch vor Lachen, wenn es vor unseren Augen versuchte weiterzulaufen. Besoffen ist es, schrie Jenő, und es klang so, als wolle er uns sagen, nur er dürfe auf diesem Hof Hühner in Eimer stecken, und nur er.

Wir wohnten außerhalb des Dorfes. Schickte man uns zum Brotholen, dauerte es, bis wir die ersten Häuser erreichten. Ein kurzes Stück der Dorfstraße war aus Asphalt, an heißen Tagen tat es weh, darauf zu gehen. Im Dorf gab es einen Hund, der Vögel jagte. Isti und ich verbrachten Tage damit, ihm dabei zuzuschauen, wie er nach Tauben schnappte und nicht eine von ihnen erwischte. Wir saßen auf dem Kirchplatz, im Schatten, den der Turm warf, sprangen hin und wieder auf und rannten dem Hund und den Vögeln hinterher. Kein Hund jagt Tauben, sagte mein Vater, als wir ihm davon erzählten.

Seit der Sache mit den Fischen waren wir anders. Wenn in der Küche ein Glas auf den Boden fiel und zersprang, glaubte ich, es sei passiert, weil ich es dort abgestellt hatte. Ich hatte angefangen, mir meine Träume zu merken, sie zu sammeln. Mindestens zehn konnte ich Isti erzählen. Ich setzte sie immer wieder neu zusammen, schmückte sie aus, spann sie in Geschichten ein, die ich mir ausdachte. Ich ging ins Bett, um zu träumen, um am nächsten Morgen mit einem Bild, mit einem Gefühl aufzuwachen, das ich ansonsten vergeblich suchte. Oft lag Isti auf dem Rücken, die Arme unter der Brust verschränkt, und war nicht ansprechbar. Er schien mit geöffneten Augen zu schlafen. Zsófi hatte ihn einmal so erlebt und ihn daraufhin zum Dorfarzt geschickt. Seitdem nahm Isti jeden Tag Tropfen aus einer kleinen Flasche. Vielleicht gab er sie auch dem Hund oder ließ sie vom Löffel in den Schmutz fallen, jedenfalls änderte sich nichts an Istis Art, sich zu benehmen, auch als die Flasche mit der Medizin längst schon leer war. Sobald es abends dämmerte, streunte Isti oft durch die nahen Wälder und kehrte erst tief in der Nacht oder am nächsten Morgen erschöpft zurück. Mein Vater verlor kein Wort darüber, und es war gut so. Wir wußten nicht, was Isti tat.

Zsófi hatte Arbeit an der Zugstation. Sie putzte dort Waggons. Manchmal nahm sie uns mit, und Isti und ich tobten durch die leeren Züge. Wir knallten Türen, rissen

Fenster auf, sprangen auf Sitze. Zsófis Mann Pista reparierte die Traktoren der Umgebung, fuhr morgens mit dem Fahrrad nach Szerencs und kehrte mit einem Traktor zurück, den er im Hof abstellte. Er hatte schwarze Fingernägel und nahm Schrauben und Schlüssel aus einer Tasche, die Zsófi auf seine Hose genäht hatte. Als Isti und ich Ratten im Schuppen entdeckten, erklärte Pista, wenn wir Fallen aufstellen, werden sie wiederkommen, wir müssen ihnen mit einer heißen Nadel in die Augen stechen. Er legte eine Nadel neben die Herdflamme, und als sie glühte, versteckten Isti und ich uns auf dem Heuboden.

Mein Vater arbeitete auf dem Hof. Manchmal ging er auch mit Pista und Jenő, und sie fanden Arbeit auf den nahen Feldern. Mit Pista und Zsófi trank er abends ein paar Flaschen leer, und ich hörte ihre Stimmen vom Bett aus. Du wirst eine andere Frau finden, du siehst gut aus, sagte Zsófi, und Pista fragte, was braucht er eine Frau, die ihm wegläuft? Später erfuhr ich, Pista hatte mit seiner Schwester kein Wort mehr gesprochen, nachdem sie sich hatte scheiden lassen, aber seinen Schwager hatte er weiterhin empfangen. Als Zsófi einen Mantel mit Pelzkragen erbte, sagte Pista zu ihr, jetzt kannst du dich auch raus auf die Straße stellen. Den Mantel hat sie nie getragen.

Sonntags beim Essen suchte man nach Worten. Zsófi teilte die Speisen aus, stellte sich neben den Tisch und schaute uns dabei zu, wenn wir schweigend die Teller leerten. Sie aß nie mit uns. Sie glaubte, wer kocht, kann nicht auch essen, nicht an dem Tisch, zu dem er das Essen trägt. Wenn sie den Kaffee aufsetzte und den Likör brachte, zog Pista Jenő am Ohr zum Klavier, forderte, spiel uns was, und Jenő stolperte hinter seinem Vater her, setzte sich ans Klavier, ließ den Deckel so fallen, daß wir erschraken, öffnete ihn wieder und fing an zu spielen. Dabei preßte er seine schmalen Lippen aufeinander, so sehr, daß sie nicht mal mehr als Strich zu sehen waren. Nach jedem Stück fuhr er mit den Fingern einer Hand durch sein klebendes schwarzes Haar, auf dem sich kleine weiße Punkte wie Sand verteilten.

Oft schickte uns Zsófi ins Dorf, um meinen Vater und Pista aus dem Wirtshaus zu holen. Wir brauchten lange. Wir kletterten auf Bäume, streunten durch fremde Gärten, bis uns ein Bellen verscheuchte, und nahmen Dinge mit, die uns nicht gehörten, nur um sie in den nächsten Graben zu werfen. Erst kurz bevor das Wirtshaus schloß, kamen wir an. Isti strich mit einer Hand über die schwarzen Rahmen der Fahrräder, die an der Mauer lehnten. Ich schnappte mir eins, drehte ein paar Runden auf dem Kirchplatz, und Isti versuchte unter einem Fenster, die Stimme unseres Vaters herauszuhören.

Dort saß er, im Qualm der Zigaretten, der nach oben stieg, zwischen anderen, in ihren immer gleichen blauen oder grauen Anzügen, zog an seiner Selbstgedrehten, stieß den Rauch durch die Nase und sah aus, als höre er niemandem zu, nicht Pista, nicht den Männern auf der Bank neben ihm, niemandem. Ich blieb mit Isti im Türrahmen stehen. Als mein Vater uns sah, stand er auf, kam auf uns zu, schob uns hinaus in die Nacht, setzte Isti auf den Gepäckträger und mich auf die Fahrradstange. Als wir losfuhren, atmete er schwer neben meinem Ohr und verströmte diesen Geruch, diese Mischung aus Zigaretten und Wein, die ich von ihm kannte, die ich von allen Männern kannte, die mich jemals auf dem Fahrrad mitgenommen hatten. Pista fuhr hinter uns und pfiff durch die Zähne. Er sagte, schaut hoch, Kinder, schaut euch diese Sterne an.

Morgens dauerte es lange, bis Pista aus dem Bett kam. Er wälzte sich, er fluchte, er raufte sich die Haare, er war rot im Gesicht. Seit es hell geworden war, saß ich mit Isti in der Küche, und wir hörten auf die Uhr, die zu jeder Viertelstunde schlug. Zsófi schrie, wer kümmert sich um die Tiere. Ich sagte, ich kann es doch tun, und Zsófi zischte, ach du.

Es war, als vermißten wir Manci. Manchmal dachte ich an die Töpfe, die sie auswischte, an ihre knisternden Handschuhe, nachts. Hin und wieder tröstete ich mich mit dem Gedanken, auf einen Zug zu springen und wegzufahren. Ich hätte Erzsis Zeitschriften in Kauf genommen, ihr Lachen, die grauen Wände, die Mauer vor dem Küchenfenster. Die Abfahrtszeiten kannte ich, die Uhr konnte ich lesen. Isti würde ich mitnehmen.

Als Éva heiratete, bekam ich ein neues Kleid. Éva brachte es am Vorabend der Hochzeit und legte es so, wie es war, in Papier gehüllt, aufs Bett. Mit meinem Vater stand sie noch eine Weile im Hof, während ich mein Kleid auspackte und mit meinen Fingern über den Stoff strich. Meinen Vater hörte ich kaum. Nur Évas aufgeregte Stimme und wenig später, wie sie mit ihrem Auto davonfuhr. Ich lehnte mich aus dem Fenster. Mein Vater stand auf der Straße, hatte die Hände tief in die Hosentaschen gesteckt und schaute dem Wagen so lange nach, bis er hinter ein paar Bäumen verschwand. Dann lief er los, trat Steine vor sich her und wirbelte dabei so viel Staub auf, daß ich ihn nicht mehr sehen konnte.

Am Morgen vor der Hochzeit machte Zsófi unsere Haare. Sie legte einen Lockenstab in den Ofen und nahm ihn dann mit einem dicken Tuch in die Hände. Rühr dich nicht, sagte sie, klappte den Lockenstab auf und klemmte Strähnen meiner kurzen Haare dazwischen. Ich saß regungslos, sah zu Boden, auf zwei Fliegen, die dort kreisten, und wagte nicht, mich zu beklagen, selbst als mir das Eisen am Kopf brannte. Auf dem Weg zur Kirche streute ich Blumen, große weiße Blüten. Fast das ganze Dorf schritt in einer langen Schlange hinter Braut und Brautvater her, vorbei an Pappeln, vorbei an den wenigen Kastanien. Wer nicht mit uns ging, stand am Gartenzaun und winkte. Andere folgten uns, als wir vorbeizogen, meinem Vater neben Isti, Jenő, Pista und den Männern aus dem Wirtshaus in einer der hinteren Reihen. Alle trugen dunkle Anzüge und weiße Hemden. Pista trug sogar einen Hut. Mein Vater hatte seit dem Morgen diesen Blick, mit dem er uns nicht mehr wahrnahm. Uns nicht, niemanden mehr.

Im Hof von Karcsis Eltern hatte man eine große Tafel gedeckt. Drei Schweine waren in der Woche zuvor geschlachtet worden, dreimal hatte man ihr Blut in großen Töpfen aufgefangen. Karcsis Mutter hatte es gekocht, und Vater und Sohn hatten sich gestritten, wer zuerst davon kosten dürfe. Während wir die Suppe aßen, sang Évas Vater mit hochroten Wangen und wischte sich zwei, drei Tränen weg. Sein Kinn zitterte, und wenn seine Stimme versagte, nahm er einen Schluck Wein und sang dann weiter. Er öffnete die Arme, er sah aus, als wolle er die Welt anflehen, als wolle er sie umarmen. Er schaute zu seiner Frau, zu seiner Tochter und immer wieder zu den Ästen der Kastanie über unseren Köpfen, die so dicht wuchsen, daß sie den Himmel verdeckten.

Ich fand, Éva war hübsch anzusehen. Ihre dunklen Haare hatte sie aufgesteckt, ein Schleier bedeckte ihre Schultern. Wenn sie sich setzte und dabei den Saum ihres Kleides hochzog, konnte ich ihre feinen weißen Schuhe sehen. Ihr Gesicht glänzte, und auf ihrem Nacken zeigte sich der erste rote Fleck wie der Abdruck eines Fingers. Karcsi neben ihr war bereits betrunken. Seine Lider hatten sich gesenkt. Zu sehen blieb das wäßrige, zerfließende Blau seiner Augen.

Ich stellte mir die Hochzeit meiner Eltern vor. In unserem Kästchen lag ein Foto, meine Mutter in weißer Spitze, ihre Locken zusammengebunden, mein Vater ohne Bart, seine Haut noch zart, fast wie die eines Kindes, ein bißchen wie Milch und Honig – beide. Meine Eltern hatten eine Liebesgeschichte, was selten war. Bei uns heiratete man niemanden, den man liebte. Eine Frau entschied sich für den ersten, der sie anlächelte, oder sie nahm den einen, den ihre Eltern beim Sonntagstanz für sie ausgesucht hatten. Die Blumen, die der junge Mann zum Tanz mitgebracht hatte, wurden im Garten eingepflanzt, und es galt als gutes Zeichen, wenn sie den Winter überlebten und im Frühling wieder blühten.

Gegen Abend waren die Tischtücher im Hof von Karcsis Eltern vom vergossenen Wein rosarot gefärbt. Das Licht tauchte Wiesen und Straßen aus Staub in ein tiefes Blau. Eine Kapelle spielte, drei Geiger in roten Westen. Ich schnappte mir einen Lampion und scheuchte Isti durch den Garten. Wir liefen so lange, bis wir die anderen kaum noch hörten und der Lampion das einzige Licht spendete. Wir tasteten uns durch die Dunkelheit. Isti rief, such mich, und verschwand hinter einer Reihe von Obstbäumen, deren Umrisse schwarz in die Nacht ragten. Ich folgte ihm ein paar Schritte und ließ ihn dann allein zurück.

Ich sprang von Stein zu Stein, versuchte, den Boden nicht mehr zu berühren, und kletterte auf eine Mauer, um zurück zum Fest zu schauen. Mein Blick fiel auf Éva in ihrem Brautkleid. Sie stand nur wenige Meter von mir entfernt und lehnte an einem Bretterverschlag. Ein Bein hatte sie angewinkelt, ihr Kleid hochgezogen. Ihr Schleier hatte die Schultern freigegeben. Vor ihr stand mein Vater und blies ihr den Rauch seiner Zigarette ins Gesicht. Die feinen Haare auf Évas Stirn bewegten sich wie bei einem Windstoß, der ein Fenster öffnet. Als Éva mich sah, stieß sie sich mit ihrem Fuß ab und richtete ihr Kleid. Mein Vater drehte sich um und schüttelte seine Hand so, als verscheuche er eine Fliege. Ich sollte gehen und kein Wort darüber verlieren.

Kurz vor Morgengrauen kehrte Éva mit schmutzigen Schuhen zurück zu ihrem Hochzeitsfest. Karcsi sang immer noch mit den Geigern, denen Évas Vater weitere fünfhundert Forint zugesteckt hatte. Das Futter hatte sich aus Évas Brautkleid gelöst. Karcsi nahm Évas Hand, führte sie zum Tanz und sagte etwas wie, bewundert meine Frau, schaut sie euch an, wie schön sie ist, schaut sie euch an. Er drückte Éva fest an sich, drehte sich mit ihr und ließ die Absätze seiner Stiefel auf den Boden schlagen. Er trat auf das Futter von Évas Kleid. Es glitt hinunter und kreiste Évas Füße ein. Évas Füße, die in dreckigen weißen Schuhen steckten. Wie ein Kranz aus geschlagener Sahne lag das Futter dort, weiß und glänzend. Alle Blicke richteten sich auf den Boden. Nur mein Vater, der am Gartenzaun lehnte und rauchte, schaute zum Himmel.

Wir besuchten Éva und Karcsi oft. Mein Vater warf uns etwas zum Anziehen aufs Bett und sagte, kämmt euch die Haare. Karcsi wurde nicht müde, uns das Haus zu zeigen, das er mit Freunden gebaut hatte. Er führte uns in den Keller, er schob uns durchs Schlafzimmer, zeigte uns die Garage, und er ließ uns im Wagen sitzen und auf die Hupe drücken. Éva servierte den Kaffee in der Küche, dann den Schnaps im Wohnzimmer. Mit einer großen Gabel aus Plastik legte sie rosafarbenen Kuchen auf unsere Teller. Als Isti sagte, er wolle keine roten Rosen essen, nahm Karcsi sie von der Torte und verschlang sie mit einer Grimasse. Wir wagten nicht, mehr als ein Stück zu essen, auch wenn Éva uns drängte, noch zu nehmen. Bei Éva und Karcsi blieb dreckiges Geschirr niemals über Nacht stehen. Nicht einmal das Tablett mit Sirup und Soda war verklebt, die Gläser hatten keine Wasserflecken. Trotzdem gab es diesen Geruch, von dem ich glaubte, er käme vom Lackieren der Fingernägel. Wenn Karcsi weg war, sprachen mein Vater und Éva anders miteinander, und Éva fand immer etwas für uns, was wir im Hof oder am Ende der Straße entdecken konnten.

Einmal, an einem Sonntag, als Pista zu sehr an Jenő zerrte und Zsófi uns nicht zu den Waggons mitnahm, zeigte uns mein Vater seinen Weg zum Fluß. Er setzte Isti auf seine Schultern und hielt ihn an den Armen fest, und ich lief hinter ihm über verlassene Wege, vorbei an Höfen, über Felder, immer etwas ängstlich, nicht Schritt halten zu können. Ein Unwetter hatte den Schlamm im Fluß aufgewühlt und nach oben gespült. Vor unseren Augen floß das Wasser träge und braun Richtung Dorf, Richtung Süden, vielleicht sogar irgendwann in Richtung Westen. Isti zerschnitt sich die Hände am Schilf, legte sich auf einen Steg aus Holz und tauchte seine Arme ins Wasser. Ich konnte unsere Gesichter sehen, die sich mit den Wellen langsam zu verschieben schienen.

Mein Vater schärfte uns ein, nicht in den Fluß zu springen. Ich kann euch nicht finden und herausziehen, man sieht nichts da unten, versteht ihr, es ist zu dunkel, erklärte er, zu dunkel. Er warf Hemd und Hose auf den Steg, sprang über unsere Köpfe ins Wasser, tauchte unter, und es dauerte lange, bis er schnaubend vor uns hochkam. Wasser perlte von seinen Wimpern und Brauen, die jetzt noch dunkler aussahen. Das sind Strudel, seht ihr, rief er und zeigte hinter sich auf Kreise, die sich drehten und in der Mitte tiefer wurden. Ertrinken kann man hier, ganz schnell. Sie ziehen euch hinab, versteht ihr?, fragte er, und Isti und ich nickten.

Vom Steg aus schauten wir unserem Vater dabei zu, wie er von der anderen Seite des Ufers immer wieder in den Fluß sprang, um dann an den Kreisen vorbeizuschwimmen, die das Wasser wie in einem Trichter hinabzogen. Wir hatten Angst, ihn aus den Augen zu verlieren. Wenn er weiterschwamm, liefen wir am Ufer entlang. Ich schlug das Schilf zur Seite, und Isti kam so schnell er konnte hinterher. Wenn unser Vater tauchte, wenn er sich mit den Wellen treiben ließ und hinter dem Schilf verschwand, begann ich zu zittern, und Isti schrie und griff nach meiner Hand. Erst als unser Vater tropfend neben uns stand, beruhigten wir uns.

An einer seichten Stelle ließ er uns ins kalte, trübe Wasser gleiten. Meine Füße versanken im Schlamm. Einen Moment lang glaubte ich, das Wasser würde mich fortreißen. Blutegel hefteten sich an Istis Beine. Wie Würmer sahen sie aus, wie dunkelrote Würmer. Mein Vater setzte Isti ans Ufer, zündete eine Zigarette an und löste die Egel mit der Glut. Isti weinte, und später, als er sich neben mich in den Sand legte, bemerkte ich zum ersten Mal, daß seine Augen ein bißchen aussahen wie meine. Er sagte, wenn du so auf der Seite liegst, fallen deine Lippen hinunter. Sie verziehen sich. Sie fallen nach unten. Die Augen sind das einzige, was unverändert bleibt, fuhr er fort, die Augen fallen nie. Am Abend waren wir krank von der Sonne. Isti hatte Fieber, und ich spuckte tagelang in einen Eimer, den mein Vater neben das Bett gestellt hatte.

In den letzten Tagen des Sommers kehrte ich oft zum Flußufer zurück. Am Anfang glaubte ich, unsere Abdrücke zu sehen, und wischte mit meiner Hand darüber. Ich legte mich auf den Rücken, steckte die Füße in den Sand und schaute in den blauen Himmel, in diesen flachen, nahen Himmel, bis es Abend wurde und die Wolken sich gelb färbten. Ich stellte mir meine Mutter und meinen Vater vor, wie sie hier, in meiner Nähe, im Fluß schwammen. Wie sie tauchten, sich mit Wasser bespritzten, wie meine Mutter sich treiben ließ und mein Vater sie einholte. Ich sah die Riemchensandalen am Wasser, darüber das Kopftuch, und wenn ich danach griff, ließ ich doch nur Sand durch meine Finger rieseln. Für einen Augenblick spielte ich mit dem Gedanken, Karcsi alles zu erzählen. Wie sich die Haare auf Évas Stirn bewegt hatten, wie das Futter ihres Kleides gerissen war. Ich dachte daran, ihn zu beschwören, meine Mutter zurückzuholen, um seine Éva für sich zu retten.

Isti fing an, diese Dinge zu sagen. Er sagte, dieser Ort wird nichts mehr von uns wissen. Daß es so war, davon war auch ich überzeugt. Sobald wir uns wieder in den Zug setzten oder in einen fremden Wagen stiegen, sobald uns jemand ein Stück mitnahm, hin zu unserem nächsten Ziel, hatte man uns hier vergessen. Ich wußte, was ich liegengelassen hatte, würde im nächsten Moment weggeräumt, eine schmutzige Tasse, ein Messer – lange bevor wir wieder aus einem Zug, aus einem Bus steigen würden. Von uns gab es keine Spuren. Wir hinterließen nichts. Jetzt verging die Zeit plötzlich, sie lief einfach weiter, auch wenn sich nichts bewegte, zumindest nicht so, wie wir es uns wünschten. Wenn die Uhr zur vollen Stunde schlug, hatte das fast etwas Spöttisches. Später fing ich an, Steine, Federn oder Geldstücke in den Häusern zu verstecken, in denen wir eine Zeitlang gelebt hatten und die wir wieder verließen. Ich versteckte sie in Schränken, über Türrahmen, hinter Fenstern und in Öfen. Ich vergaß nicht eines meiner Verstecke. Ich dachte an sie, Monate später. Jahre später.

Erst als wir den Herbst schon riechen konnten, wurden unsere Spaziergänge an den Fluß seltener. Der Herbst hatte sich angekündigt, jetzt würde er kommen. Mit welkem Laub, mit Vögeln, die davonzogen. Blätter verfärbten sich, segelten vor unseren Augen hinab und wurden vom nächsten Windstoß weggetragen. Ich fragte mich, wo, an welchem Ort meine Mutter jetzt saß, mit wem sie ihre Abende verbrachte. Nur noch manchmal streunten wir durch fremde Gärten, Isti und ich. Für Pista, meinen Vater und Jenő gab es keine Arbeit mehr auf den Feldern. Die Männer verbrachten die meiste Zeit im Wirtshaus, und Jenő saß am Klavier und spielte kurze, süße Melodien, mit einem Gesicht, vor dem Isti Angst hatte. Zsófi kochte alles ein, was wir aus dem Garten geholt hatten. Sie kochte Marmelade, sie kochte Kompott, sie legte Kraut ein und Gurken, und sie meinte, bis zum nächsten Sommer würden wir davon essen können, vielleicht sogar länger, vielleicht sogar über den Sommer hinaus. Bald wehte ein kalter Wind über den Hof, und die Tür blieb fortan geschlossen. Zsófi sagte, dieser Sturm, er kommt von Westen, und Pista ergänzte, nicht nur dieser Sturm, alles Schlechte kommt von Westen. Als der Hund bellte, fragte Isti, ob er auch im Winter draußen bleibe. Ja, auch im Winter bleibt er dort, antwortete Jenő scharf.

Isti und ich, wir liefen jetzt an den Nachmittagen zur Zugstation und von dort die Gleise entlang. Wir hielten unsere Ohren an die Schienen, bis wir glaubten, ein Klingen auf den Gleisen zu hören, das einen Zug ankündigte. Ich legte eine Münze auf die Schiene, und wir warteten, bis sie anfing zu zittern. Isti schreckte hoch, rannte in die Felder und blieb irgendwann stehen, regungslos, irgendwo unter diesem flachen, blassen Himmel. Er hätte alles sein können, ein Baum, ein Strauch oder ein Tier, das sich ausruht, bevor es weiterläuft.

Wenn wir zurückkehrten und uns niemand wirklich bemerkte, fiel Isti in seinen Dämmerzustand. Ich lag neben ihm und schaute auf die Blätter des Nußbaums, die im letzten Licht des Tages fast schwarz aussahen. Von Zeit zu Zeit hob Isti seine Arme und bewegte sie so, als winke er jemandem – ganz langsam. Einmal, als er nachts wieder zu sich kam, weckte er mich und flüsterte, er warte auf ein Wunder. Und ja, er glaube daran, ganz fest glaube er daran, daß es geschehe. Auf welches Wunder er wartete, mochte er mir nicht sagen, und ich ließ ihn.

Karcsi.

Der Winter war lang und dunkel. Selbst das Weiß des fallenden Schnees konnte dieser Dunkelheit nichts anhaben. Sie schien mir trüber, tiefer noch als zu Hause, vielleicht, weil der Himmel näher war, manchmal zum Anfassen nah, manchmal so, als wollte er uns zudecken, aufsaugen und verschwinden lassen.

Seit Jahren ist es der härteste Winter, das sagt auch das Radio, wiederholte Zsófi oft genug, wenn sie die Tür schloß und sich schüttelte wie ein Hund nach dem Regen, wenn sie den Schnee von ihren Stiefeln klopfte, wenn sie an Isti und mich Decken verteilte, weil der Ofen uns nicht genügend wärmte. Bevor der große Frost kam, lief ich jeden Tag zum Brunnen, um Wasser zu holen. Ich hörte auf das blecherne Geräusch, wenn der Eimer das Wasser berührte, wenn er an die glatte, spiegelnde Oberfläche stieß. In Gedanken sprang ich metertief hinab und schwamm durch geheime Gänge, die mich wegbrachten. Weg von hier. Weg von Pista, von Zsófi, weg von Szerencs, diesem Ort, dessen Name mich getäuscht hatte.

Monatelang liefen Isti und ich über gefrorenen Boden, über Eis, das den Staub eingesperrt hatte und ihn wie unter Glas zeigte. Wenn meine Ohren und Hände schmerzten vor Kälte, lief ich zurück zum Haus, wo Zsófi im Ofen Holz nachlegte. Isti kehrte erst nach Stunden wieder, blaugefroren, mit nassen Hosenbeinen. Er sagte, alles sei besser, als hier zu sitzen. Er hatte

Zweige vom Flußufer mitgebracht, an denen das Wasser festgefroren war. Wie Gichtfinger sehen sie aus, sagte Jenő, und es klang fast traurig.

Mein Vater hatte Arbeit in der Schokoladenfabrik. Er wartete Maschinen, sah dabei zu, wie Schokolade gerührt, geschlagen, in Formen gegossen wurde, und wies neue Arbeiter ein. Er zeigte ihnen, wie sie Hauben über ihr Haar zu ziehen, wie sie Schokolade auf Kühltischen auszubreiten, wie sie Zucker abzuwiegen hatten. Pralinés mit Weinbrandfüllung stapelten sich in Zsófis Küche, Schokoladentafeln, Trinkschokolade in Tüten und Kuvertüre in Folie. Wenn wir Éva und Karcsi besuchten, brachten wir Pralinés mit. Jenő saß oft schokoladenverschmiert am Klavier und brach nach jedem Lied Stücke von einer Tafel und steckte sie in den Mund. Zsófi versorgte die Leute im Dorf mit Trinkschokolade in Tüten. Manchmal standen Kinder vor unserem Zaun und warteten, bis wir Schokolade an sie verteilten.

Mein Vater arbeitete abends. Er arbeitete nachts. Wir sahen ihn selten. Wenn er da war, ließ er sich von Zsófi bedienen, wie vorher von seiner Mutter, seiner Frau und von Manci. So wie er es von allen Frauen gewohnt war. Tagsüber dämmerte er mit geöffneten Augen auf einer Liege und war nicht ansprechbar. Er tauchte. Zsófi rüttelte an seiner Schulter und reichte ihm ein kleines Glas mit schwarzem Kaffee, wenn es für ihn Zeit war loszugehen. Du mußt ihn wecken, obwohl er nicht schläft, sagte Jenő, und er sagte es so, damit es klang wie ein Vorwurf. Mein Vater stand auf, langsam, und als Zsófi ihm die Uhrzeit nannte, schaute er sie an, als könne er sie nicht verstehen. Er wirkte wie jemand, den ein Geräusch aus dem Schlaf geschreckt hat und der sich nun durch die Dunkelheit tastet, um nachzusehen, was es war.

An den Wochenenden gingen mein Vater und Pista ins Wirtshaus. Jenő durfte sie jetzt begleiten. Ich sah ihnen hinterher, wie sie nebeneinander liefen, mit meinem Vater in der Mitte, wie sie ihren Atem in die kalte Luft stießen, als weiße Wolke, wie sie sich entfernten und dabei kleiner wurden. Seit wir Vat verlassen hatten, wurde ich unruhig, sobald mein Vater aus dem Haus ging. Ich glaubte, er würde Isti und mich eines Tages zurücklassen. Er würde allein in einen Zug steigen, vergessen zurückzukommen, vergessen, uns abzuholen. Oder er würde uns abstellen, irgendwo auf unserem Weg, vielleicht an einem Wegrand, und es wäre unmöglich, ihn einzuholen.

Zsófi schickte uns nicht mehr zum Wirtshaus. Es war ihr gleich, wann Pista, Jenő und mein Vater zurückkamen. Mir schien es sogar, als gefiele ihr die Zeit, in der sie allein sein konnte, besser. Sie störte sich nicht an Isti und mir und führte Gespräche mit sich selbst. Sie sprach über das Wetter, über die Tiere, über die Arbeit auf dem Hof, über meine Mutter, ja, sie redete mit ihr, sie hörte auf das, was meine Mutter ihr sagte. Ich genoß diese Gespräche. Zsófi antwortete meiner Mutter nur mit Gegenfragen: Ach so?!, oder: Das war immer schon so, warum sollte es sich ändern? Wenn ich sie fragte, über was sie redeten, erwiderte Zsófi, über nichts Besonderes, es geht ihr gut. Einmal, sonntags, nach der Kirche, sagte Zsófi, das Holzkreuz über dem Altar habe zu ihr gesprochen, kurz bevor sie die Kirche verlassen habe. Was hat es gesagt?, fragte Isti, während die anderen schwiegen.

Sonntags schliefen Jenő, Pista und mein Vater ihren Rausch aus. Zsófi schimpfte, in den Hof haben sie gepinkelt, in den zugefrorenen Hof, in dem nichts mehr versickern kann, Schweine. Sie zog Jenő an den Haaren aus dem Bett und rief meinem Vater zu, wenigstens du, Kálmán, wenigstens du. Am Abend waren die gelben Pfützen auf dem Eis gefroren. Wenn jemand vorbeikam, sagte Zsófi, die Kuh war es, die Kuh. Bis Weihnachten waren die Stellen zu sehen, als meine Großmutter kam, Kuchen in Pappkartons brachte und über unseren Köpfen viele Tränen vergoß. Isti ließ sie nicht aus den Augen, er ließ sie nicht einen Augenblick allein. Er sagte, ich kann Ihnen alle Abfahrtszeiten der Züge nennen, und dann zählte er sie auch schon auf. Er stand vor meiner Großmutter, ging einen Schritt vor, wieder einen zurück, und ließ aus seinem Mund diese Zahlenreihen und Wochentage fließen, über die sich alle sehr wunderten. Mein Vater schaute mich so an, daß es mir plötzlich komisch vorkam, zu denken, er würde uns irgendwo am Wegrand zurücklassen.

Am Weihnachtsabend spielte Jenő freiwillig Klavier, wir hatten alle unsere besten Kleider angezogen und sangen *Vom Himmel, der Engel.* Zsófi weinte ein bißchen, und wir umarmten uns alle und wünschten einander Frohe Weihnachten. Nachts gingen wir in die Mette. Jeder sollte ein leises Gebet für sich selbst sprechen. Ich bat darum, Gott möge meine Mutter zurückbringen.

Als wir allein waren, gab mir Großmutter eine Postkarte, die meine Mutter geschickt hatte. *Fröhliche Weihnachten* stand darauf, in drei Sprachen, aber nicht in unserer Sprache, wie meine Großmutter sagte, und eine Frau und ein Mann schmückten einen Christbaum. Sie trug ein dunkles Abendkleid und er einen Anzug, dazu eine schmale Krawatte. Meine Mutter hatte das vorgedruckte *Fröhliche Weihnachten* mit einem blauen Stift unterstrichen, mit mehreren Ausrufezeichen versehen und ihren Namen daruntergesetzt, einfach nur ihren Namen. Sonst stand nichts auf der Karte. Warum kommt sie nicht zurück, fragte ich Großmutter, und sie antwortete, weil sie nicht kann, und ich wußte keinen Grund, warum sie nicht konnte, warum sie nicht einfach in einen Zug steigen und zu uns fahren konnte.

Großmutter blieb eine Weile bei uns, und mit ihr kehrten die Tage in Vat zurück. Ich erinnerte mich an die Stimmen meiner Eltern, an die Stille, die sich nach einem Streit über das Haus legte. Eine Zeitlang stritten meine Eltern fast jede Nacht. Kurz bevor meine Mutter uns verließ, taten sie das kaum noch. Daß es kein gutes Zeichen war, wußte ich erst, als meine Mutter nicht mehr bei uns war. Meist stritten meine Eltern, wenn sie glaubten, Isti und ich schliefen schon. Wenn ich aufstand, mich an die Küchentür lehnte und mein Ohr an das Holz preßte, schnappte ich Wortfetzen auf. Warum, fragte meine Mutter, hast du mich hochgehoben, bis zur Sonne? Sie hatte diese Art zu reden. Ich verstand nicht, über was sie sprach, was das heißen sollte: bis zur Sonne.

Als meine Großmutter im Januar mit dem Nachmittagszug abfuhr, blieben Isti und ich noch auf dem Bahnsteig stehen, lange, nachdem der Zug verschwunden war. Wir rührten uns nicht, und mein Vater ließ uns. Er spazierte auf und ab, rauchte und wartete, bis wir bereit waren zu gehen. Isti hatte sich zuerst geweigert mitzukommen, dann, auf dem Bahnsteig, hatte er um sich geschlagen, gebrüllt, geweint und schließlich gefleht, Großmutter solle ihn mitnehmen. Er war in den Zug geklettert, er hatte sich versteckt, mein Vater hatte ihn wieder herausgeholt, er hatte sich auf die Schienen geworfen, bis jemand von der Zugstation zu meinem Vater sagte, er müsse dieses Kind festhalten.

Wir nahmen den Bus zurück, fuhren an Pappelreihen entlang, über dieses flache Stück Land, auf dem ein dunkelblauer Himmel zu kleben schien. Isti und ich, wir knieten auf der Rückbank und schauten aus dem Fenster auf den Asphalt, den die Bremslichter in ein blasses Rot tauchten. Isti verbrachte die nächsten Tage in seinem Dämmerzustand. Wenn ich es nicht mehr ertrug, spritzte ich Wasser auf seine Stirn, in der Hoffnung, er möge davon aufwachen, hochschrecken und zu sich kommen. Das Wasser bahnte sich seinen Weg über Istis Stirn, über seine Nase, über seine Lippen. Isti bemerkte es nicht einmal.

Er bemerkte auch andere Dinge nicht. Ich glaube, er wußte nicht, wie lange wir bei Zsófi waren, wie lange wir dort blieben, und ich, ich wußte es auch nicht mehr. Sie gingen vorbei, diese Winter, ohne daß wir wußten, wann sie anfingen oder aufhörten. In jedem Fall blieben wir so lange, bis Zsófis Tochter Anikó draußen auf den Feldern mit uns spielen konnte. Vielleicht bringe ich die vielen Winter auch schon durcheinander.

In einem dieser Winter, an einem dieser langen, dunklen Abende fing Jenő an, Isti Lesen und Schreiben beizubringen. Warum er das tat, weiß ich nicht. Ich glaube nicht, daß er Isti und mich besonders mochte. Er machte sich einen Spaß daraus, Isti an den Hosenträgern hochzuhalten und dann fallen zu lassen. Trotzdem lehrte er ihn das Alphabet, jeden Tag fünf Buchstaben, die As und Ös, die kurzen, die langgezogenen, die S- und Z-Laute, weich und hart. Heute denke ich, Zsófi hatte Jenő darum gebeten, und er hat es ihr nicht ausgeschlagen.

Zsófi selbst hatte als Mädchen davon geträumt, eine Klasse zu haben, dort unten, neben der Kirche, wo die Schule ist, und davon, im Dorf mit gesenktem Blick begrüßt zu werden. Vom Bäcker, vom Metzger, vom Friseur und vom Pfarrer. Sie hatte davon geträumt, ihr Haar kurz zu tragen und Röcke aus gutem Stoff, die sie bei der Schneiderin würde nähen lassen, nach Schnittmustern auf Butterbrotpapier. Sie hatte davon geträumt, allein alt zu werden, vor einem Kamin zu sitzen, neben einem Glasschrank voller Bücher, und ihre Hände zu betrachten, die fein bleiben würden bis ins hohe Alter.

Dann lernte sie mit achtzehn Pista kennen, an einer Schießbude drei Dörfer weiter. Er schoß eine Rose für sie und steckte sie in ihr Haar, während sich ein Kettenkarussell drehte und Zsófis Freundinnen aufschrien. Zsófi heiratete Pista, als sie neunzehn wurde. Zur Hochzeit trug sie ein dunkelrotes Halsband aus Samt, und im selben Ton Handschuhe zum weißen Kleid. Sie habe ausgesehen wie ein Lämmlein, das weggeführt wird, erzählte man sich. Bald darauf kam Jenő zur Welt. Als ihr zweites Kind starb und ihr drittes geboren wurde, setzte Zsófi durch, daß Jenő auf einem geschenkten Klavier Stunden bekam. Einmal in der Woche lehrte die Frau des Pfarrers ihn spielen. Manchmal stand Zsófi dabei im Türrahmen und summte mit.

Während Isti Buchstaben auf Papier malte und sie laut vor sich hersagte, begann ich, Bücher zu lesen, deren Geschichten ich kaum verstand. Im Wohnzimmer standen auf einem einzigen Regal Petőfi, Jókai, Zilahy. Broschierte Bändchen, die sich anfühlten, als fielen sie bald auseinander. Ich griff wahllos nach einem und las laut daraus vor. An jedem Tag ein, zwei Seiten, nicht mehr. Manchmal hörte mir Isti zu und wiederholte langsam einzelne Worte, um sie sich einzuprägen: Unzüchtig. Findig. Anmutig. Ich zeigte ihm, wie sie auf dem Papier aussahen, wie es aussah, wenn man sie aufschrieb. Was soll das heißen: unzüchtig?, fragte Isti. Ich wußte es nicht.

Ich verbrachte viele Nachmittage in Évas Haus. Ich empfand nichts für Éva, aber in ihrem Haus beruhigte ich mich. Es gab kein Geschrei, keinen Dreck, keine Gummistiefel, die man neben der Küchentür zum Trocknen auf ein Gitter stellte. Ich half Éva, die Betten zu beziehen, und ich half ihr beim Bügeln. Ich hielt Laken und Tischtücher mit beiden Händen fest, wenn Éva das heiße Eisen über den Stoff gleiten ließ und sich dabei die feuchte, warme Luft wie ein Film auf meine Haut legte. Ich durfte Évas Haarbürsten benutzen, ihre Kleider anziehen und meine Lippen vor einem Wandspiegel mit ein, zwei Strichen rot anmalen. Éva gab mir kleine Geschenke. Haarspangen, die sie über meiner Stirn festklemmte, Strümpfe, die sie zu heiß gewaschen hatte, einen Teelöffel, dessen Griff unser Parlament zeigte. Éva hatte eine ganze Löffelsammlung. Nach dem Bügeln setzte sie Wasser auf, kochte Tee, und wir nahmen uns zwei Löffel aus ihrer Sammlung, mit denen wir den Kristallzucker langsam verrührten. Es war ruhig in Évas Haus, und mich umgab diese Stille wie ein weiches Laken.

Wenn Karcsi nicht da war, wenn der Wagen nicht vor der Einfahrt parkte, warf mein Vater Steinchen ans Fenster und stand so lange vor Évas Haustür, bis sie ihn hereinließ und er mich unter einem Vorwand wegschickte. Zsófi braucht deine Hilfe, Isti hat nach dir gesucht, geh und hilf Pista beim Ausladen. An einem dieser Tage sah ich Karcsis Vater aus der Ferne auf mich zukommen. Ich dachte daran, zurückzugehen und vom Gartentor aus zu rufen, daß er auf dem Weg sei. Aber wozu? Wir begrüßten uns, und ich sagte, ja, Éva ist da, mein Vater auch, ich allerdings muß zurück zum Hof, Zsófi wartet auf mich. Karcsis Vater trug eine Mütze aus Fell und hatte seinen Schal so umgebunden, daß nur seine Augen zu sehen waren. Sie hatten dasselbe wäßrige, durchsichtige Blau wie Karcsis Augen. Ich ging nur langsam weiter, so als würde ich etwas abwarten wollen, drehte mich an der nächsten Abzweigung um und sah, wie Karcsis Vater hinter dem Haus verschwand.

Am nächsten Morgen lagen Brotrinden, stinkende, faulende Reste, Kartoffelschalen, Knochen vor unserem Tor und im Graben. Jemand hatte sie nachts dorthin geworfen, jemand hatte seine Kübel hier geleert, hier, vor unseren Fenstern, während wir geschlafen hatten. Schweinefraß, über den sich jetzt eine dünne Schicht aus Eis legte. Wir standen am Gartentor, Isti hielt sich die Nase zu, und Pista rief, was steht ihr da und glotzt, holt was zum Aufsammeln, na, wird's bald. Jenő drückte uns Eimer in die Hände, stellte sich vor uns in den Graben und begann, den Dreck wegzuschaufeln. Ich trug die vollen Eimer zum Schweinestall und leerte sie dort aus. Wir brauchten Stunden. Als es hell wurde, kamen Nachbarn. Sie fragten nicht, was passiert war. Sie blieben auf der anderen Straßenseite stehen und schüttelten die

Köpfe. Wie ein Abdruck blieb eine feine braune Schicht zurück. Der Schnee wird es zudecken, sagte Zsófi und schaute zum Himmel, heute abend wird es schneien. Aber ein Rest blieb zu sehen, vor dem Tor, trotz des Schnees, der am Abend kam, ein Rest blieb den ganzen Winter lang und erinnerte uns jeden Morgen, wenn wir das Haus verließen, an etwas. Es war etwas mit Éva, das wußte ich. Noch an diesem Abend sagte Pista, es ist besser, wenn ihr geht, und Zsófi schimpfte, was gibst du plötzlich auf das Gerede.

Als wir zu Bett gehen wollten, hörten wir einen Wagen vor der Einfahrt, dann ein Hupen. Es ist Karcsi, sagte Zsófi, als sie zum Fenster hinausblickte. Isti und ich stellten uns hinter sie. Im Scheinwerferlicht sahen die Schneeflocken aus wie Fäden, die jemand nach unten zog. Karcsi stieg aus und knallte die Wagentür zu. Er trug einen Ölmantel, dessen Kapuze er über den Kopf gezogen hatte. Einen Augenblick lang stand er im fallenden Schnee vor dem Gartentor, dann wartete er vor der Haustür darauf, daß man ihn hereinließ. Ich konnte seinen Schatten vor dem Glas sehen. Willst du ihm nicht öffnen?, fragte Pista meinen Vater. Warum ich?, entgegnete mein Vater und rührte sich nicht.

Zsófi stellte für Karcsi Schokolade auf den Tisch und schob Isti und mich ins Zimmer nebenan. Wir saßen auf den Stühlen und schauten uns mit weit aufgerissenen Augen an. Karcsi schrie irgend etwas mit: wie Brüder!, er schluchzte, er wimmerte, er brüllte. Hin- und hergerissen sei er, aber was könne er tun? Er umarmte meinen Vater, er verfluchte ihn. Hin und wieder fiel Évas Name. Hin und wieder hörte ich die ruhige Stimme meines Vaters, der kaum etwas sagte. Karcsi packte ihn am

Hemdkragen, Pista ging dazwischen und fuhr Karcsi an, wenn du ihn schlagen willst, schlag ihn draußen im Hof.

Bevor Karcsi ging, gab er mir ein Päckchen, das mein Vater aus meinen Händen riß und draußen vor Karcsis Augen in den Graben warf. Dort lag es auf den Resten dieser braunen Schicht, die wir am Morgen weggekratzt hatten, und wurde durchweicht vom fallenden Schnee. Nachts holte Isti das Päckchen für mich zurück, ich versteckte es und öffnete es erst Tage später. Ein Armband mit einem Christophorus-Anhänger war darin. Auf seinen Schultern trug Christophorus ein Kind und watete durch einen Fluß. Ich wäre gerne zu Éva und Karcsi gegangen, um mich zu bedanken, aber ich wußte, auch mich würden sie nicht mehr sehen wollen.

Am Tag darauf sagte Pista, hier ist nur noch Platz für einen von euch, und Zsófi verdrehte die Augen. Ich ahnte, wir würden nicht mehr lange bleiben. Bald würde mein Vater die Koffer aufs Bett werfen und mich auffordern, unsere Sachen zu packen. Wir würden den Bus nehmen, wir würden in den Zug steigen und in irgendeine Richtung fahren. Éva würde uns dieses Mal nicht mitnehmen. Das Merkwürdige war, ich hatte mich an die anderen und unser Leben hier gewöhnt. An Jenős Gesicht mit den schwarzen Kratern, an die Melodien, die er auf dem Klavier spielte, an Pistas dunklen Blick, an Zsófis Gespräche mit sich selbst. An meine Lesestunden, an die Spaziergänge mit Isti, an den Fluß in unserer Nähe, selbst an das Bellen des Hundes. Es machte mir nichts mehr. Wenn wir nicht nach Vat zurückkehren konnten, wollte ich mich gar nicht mehr bewegen. Ich wollte nicht in andere Häuser, auf fremde Höfe, mit Gesichtern, die mir zuerst nichts bedeuteten und dann zuviel. Mein Vater sagte, er lasse sich nicht wegschicken, nicht von einem Karcsi. Aber den Sommer, den werde er anderswo verbringen, irgendwo am Wasser. Es sei Zeit für uns, das Schwimmen zu lernen.

Als der Frühling kam und die Tage länger wurden, atmeten wir auf, und wir vergaßen, was mein Vater gesagt hatte. Wir stellten die Stiefel in den Schrank, legten die Mützen weg und trennten das Futter aus den Mänteln. Ich sprang mit Isti über die Felder, als sich an den Bäumen das erste Grün zeigte. Das Braune war aus der Landschaft fast verschwunden, als hätte man es zur Seite geschoben, weg aus unserem Blickfeld, als habe es jemand weggegeben zum Aufbewahren. Als die Sonne uns zum ersten Mal wärmte, öffneten wir Türen und Fenster, und die Gardinen flatterten in den Hof und auf die Straße. Zsófi gab uns ihre Tochter Anikó an die Hand, und wir tollten über die nahen Wiesen, liefen hinunter zum Fluß, zogen Anikó in einem Karren hinter uns her, begrüßten die Gänse, die Schwäne, von denen Isti sagte, er kenne sie noch vom letzten Jahr. Wir zählten die Störche, die auf den Dächern und die auf den Schornsteinen. Isti gab ihnen Namen, und Anikó wiederholte sie. Auf einem unserer Wege entdeckten wir einen Unterschlupf, ein paar Bretter nur, die jemand wie ein kleines Dach über zwei Äste gelegt hatte. Manchmal saßen wir darunter, hörten auf den fallenden Regen und kümmerten uns nicht darum, wenn unsere Kleider naß wurden. Tagsüber schlugen wir uns die Knie wund, am Abend zog Zsófi Splitter aus unseren nackten Füßen, und nachts fiel aus unseren Haaren Gras und Schmutz auf die Kissen.

Wir verabschiedeten uns erst, als mein Vater eines Nachts mit blutiger Nase heimkehrte, Zsófi ihm Schuhe und Strümpfe auszog, ihn zu seinem Bett brachte, ein nasses Tuch in seinen Nacken legte und sein Gesicht abwischte. Mein Vater starrte an die Zimmerdecke, und Isti und ich starrten auf ihn. Zsófi tauchte den Waschlappen in eine Schüssel, und vor unseren Augen färbte sich das Wasser darin dunkel. Mein Vater sagte nichts, und Zsófi fragte nicht. Isti zog das Kästchen mit den Bildern unter der Liege hervor und stellte es neben den Kopf meines Vaters auf das Kissen. Er nahm ein Foto von meiner Mutter heraus und legte es auf die Brust meines Vaters. Unter der Nase meines Vaters trockneten zwei kleine rote Tropfen. Und dort, auf seiner Brust, lag meine Mutter, in Schwarzweiß, in einem Kleid aus lauter Karos.

In der Nacht vor unserer Abreise träumte ich von Fliegen, die einen ganzen See bedeckten. Wie ein Teppich lagen sie auf dem Wasser, mit der Bewegung der Wellen mal dichter, mal weniger dicht aneinander. Als ich aufwachte, standen Arbeiter aus der Schokoladenfabrik in der Küche und verabschiedeten meinen Vater, dessen Nase inzwischen blau geworden war. Sie legten Päckchen mit Pralinés und Trinkschokolade auf die Kredenz, tranken Schnaps, bedankten sich bei meinem Vater für die gute Arbeit und bedauerten, daß er die Fabrik verließ. Einer überreichte Isti und mir ein großes Stück Schokolade, das aussah wie eine gebundene Schleife.

Pista arbeitete im Hof. Sonst schlief er um diese Uhrzeit noch oder saß in der Küche und trank seinen Kaffee, den Zsófi für ihn auf den Küchentisch gestellt hatte. Als mein Vater seinen Namen rief, kroch Pista unter einem

Traktor hervor und wischte sich die Hände an einem Tuch ab. Ein letztes Mal schaute ich auf seine runden, schwarzen Fingernägel. Pista sagte nichts. Er hob und senkte die Schultern beim Atmen, streichelte Istis Kopf und schluckte. Meinen Vater schaute er lange an, bevor er sich überwand, ihn zu umarmen. Sie hielten sich so eine Weile, und Isti und ich, wir standen schweigend neben ihnen.

Zsófi hatte Briefe an die Verwandten am See geschrieben und dafür gesorgt, daß wir bei ihnen wohnen konnten. Sie und Jenő begleiteten uns zur Zugstation. Pista fuhr unsere Koffer mit einem Traktor zum Bus. Er sagte, abstellen würde er sie dort, warten wolle er nicht auf uns, nein, Zeit habe er keine, er müsse weiter, die Traktoren. Wir liefen nebeneinander, Zsófi schneuzte sich, und Jenő erzählte Witze, um uns zum Lachen zu bringen: Ein Russe, ein Amerikaner und ein Deutscher treffen sich vor der Himmelstür. Wir gingen an Karcsis Haus vorbei. Die Läden waren geschlossen. Im Wind schlug eine Tür gegen ihren Rahmen. Zsófi schaute zu meinem Vater, der seinen Blick fest auf die Straße heftete.

Wir waren die einzigen Fahrgäste im Bus, saßen auf der Rückbank und starrten auf Zsófis schmutziges Taschentuch, das sie zwischen ihren Fingern knetete. Am Kirchplatz klopften ein paar Männer aus dem Wirtshaus an die Scheibe, salutierten und lachten. Einer mahnte mit seinem Zeigefinger, und Jenő brüllte, er solle verschwinden. Die Frau des Bäckers trat aus ihrem Laden, kam ein paar Schritte auf uns zu und reichte meinem Vater etwas, das sie in Papier eingewickelt hatte. Es dauert, bis Sie ankommen, sagte sie. Als wir an der Zugstation ausstiegen, wünschte uns der Fahrer eine gute Reise. Im

Wartesaal bewegte sich der große Zeiger der Uhr so laut, daß ich die Minuten fast spüren konnte. Bevor wir in den Zug stiegen, drückte mein Vater Jenő einen Pakken Geldscheine in die Hand, um die er einen Gummi gebunden hatte. Jenő steckte den Packen ohne ein Wort ein.

Isti und ich legten unsere Hände auf das herabgelassene Fenster und streckten unsere Köpfe weit hinaus. Als der Zug sich in Bewegung setzte, lief Jenő ein paar Schritte neben uns her, und Isti griff noch einmal nach seinem Arm. Jenő rief etwas wie, wenn sie dort einen Pianisten brauchen. Zsófi wurde hinter ihm kleiner. Am Ende des Bahnsteigs, dort, wo die Felder begannen und das wenige Gras hell war, stand Éva. Sie hob ihre Hand ein wenig und machte eine Bewegung, als wolle sie den Zug zum Halten bringen. Als wolle sie dem Zugführer bedeuten: Halte an. Langsam fuhren wir an ihr vorbei, sie drehte ihren Kopf nach uns, zog ihre weiße Jacke aus und winkte uns damit. Kurz bevor wir sie aus den Augen verloren, war sie nicht mehr als etwas Weißes auf etwas Grünem. Es sah aus, als habe sie sich ins Gras gelegt.

Zoltán.

Der Zug fuhr nach Süden über Debrecen, dann nach Westen über Szolnok. Wir glitten langsam durch leere Landschaften, vorbei an den Häusern der Bahnwärter, an herabgelassenen Schranken, an wartenden Radfahrern, und brachen Stücke aus dem Brot, das man meinem Vater zugesteckt hatte. Mein Vater sprach kaum mit uns, er sah aus dem Fenster, hatte die roten Gardinen zur Seite gezogen und nicht mehr losgelassen, als müsse er sich an etwas festhalten. Er trug seinen blauen Arbeitsanzug, den er nicht an die Schokoladenfabrik zurückgegeben hatte, und dicke schwarze Schuhe mit einem Einsatz aus Stahl über den Zehen. Sein Haar hatte er in den vergangenen Monaten nicht mehr von Zsófi schneiden lassen, jetzt reichte es fast bis zu den Schultern. Als die Sonne ins Abteil schien, entdeckte ich zum ersten Mal graue Fäden darin.

Als wir die Theiß bei Szolnok überquerten, setzten sich junge Soldaten in unser Abteil. Sie hatten wie Jenő Krater im Gesicht, rauchten filterlose Zigaretten, deren Asche auf ihre Stiefel fiel, und waren so unruhig mit ihren Beinen, daß der Boden unter uns zitterte. Sie verbreiteten diesen Geruch von Rasierwasser, grober Seife und feuchten Handtüchern, die in irgendeinem kalten Zimmer nicht mehr trockneten. Wenn ich mich zurücklehnte, konnte ich ihre rasierten Nacken sehen und ihre Haut, die sich zusammenzog, sobald ein Hauch kalter Luft durch die geöffneten Fenster ins Abteil blies.

Die Soldaten sprachen lange mit meinem Vater, während Isti und ich durch den Zug liefen, die wenigen vorbeiziehenden Dörfer zählten, von Waggon zu Waggon sprangen und dabei hinabschauten auf die Schwellen und den Schotter unter unseren Füßen. Wenn Isti mit seiner Jacke an einem Türgriff hängenblieb und fiel oder über eine Stufe stolperte, half ich ihm wieder auf. Wozu kennen wir alle Abfahrtszeiten, wenn wir doch nie nach Pest fahren?, fragte Isti, und ich überhörte es. Als es dämmerte, nahm einer der Soldaten ein Foto aus seiner Brieftasche. Ein Mädchen war darauf zu sehen, mit breitem Haarreif, das einen Hund in den Armen hielt. Ihr Mädchen?, fragte mein Vater freundlich. Ja, mein Mädchen, antwortete der Fremde.

Als mein Vater Soldat gewesen war, hatte er Kristallzucker in den Tank eines Wagens geschüttet, mit dem seine Einheit Miskolc verlassen sollte. Er hatte eine Verabredung, er wollte nicht wegfahren, nicht an diesem Abend. Der Zucker hatte den Motor zerstört, und mein Vater war erwischt worden. Sein Hauptmann hatte ihn zu sich bringen lassen, hatte die anderen weggeschickt, er und mein Vater hatten zu beiden Seiten eines Schreibtischs gesessen, auf dem eine Zigarette in einem Aschenbecher aus Blech qualmte. Ob er auch rauchen dürfe, hatte mein Vater gefragt. Nein, er dürfe nicht, hatte der Hauptmann geantwortet und gefragt, ob er, Velencei Kálmán, wisse, was er da begangen habe. Ja, hatte mein Vater gesagt, er wisse es. Dann wissen Sie auch, was darauf steht, hatte der Hauptmann ergänzt. Ja, mein Vater wußte es, und er erzählte es uns und allen anderen Jahre später immer wieder: Kopfschuß stand darauf. Letzte Grüße nach Hause, verabschieden, dann beten, aufstellen. Für die anderen hieß es Gewehr laden, schießen,

Kette vom Hals lösen und in die Heimat schicken. Begräbnislos sterben, ehrlos – das stand darauf. Mein Vater sagte nichts. Er flehte nicht, er log nicht. Und sein Hauptmann ließ ihn gehen.

Es war schon dunkel, als unser Zug in Siófok einfuhr. Am Himmel zeigten sich ein paar Sterne. Isti rief, der Große Wagen!, die Soldaten griffen nach unseren Koffern, stellten sie vor das Abteil und legten ihre Hände zum Abschied an den Schirm ihrer Mützen. Das Schiff würden wir am nächsten Tag nehmen, sagte mein Vater, während er uns durch den schmalen Gang hinausschob und Isti immer wieder mit seiner Jacke hängenblieb, das Schiff zur anderen Seite des Sees, dann vielleicht den Bus, von der Anlegestelle sei es nicht mehr weit. In der Bahnhofshalle hatten Frauen und Männer auf den Zug gewartet. Jetzt begrüßten und umarmten sie die Angereisten. Sie sahen nicht aus wie wir. Sie sahen wie niemand aus, den wir kannten. Mein Vater fragte, wo wir übernachten könnten. Nur wenige Straßen weiter, auf der anderen Seite der Gleise, gebe es jemanden, der Zimmer vermiete, sagte man uns, im Garten stehe ein Schwan aus Kunststoff, der seinen Kopf gesenkt halte. Könnt ihr das Wasser riechen?, fragte uns mein Vater, als wir den Bahnhof verließen, und Isti sagte: ja. Vielleicht roch er es wirklich. Wenn ihr still seid, könnt ihr es sogar hören, fuhr mein Vater fort, und dann standen wir vor der Bahnhofshalle, blieben still und taten so, als hörten wir das Wasser.

Wir liefen durch leere Straßen, die kaum beleuchtet waren, vorbei an Häusern und Gärten, die im Dunkeln lagen, vorbei an hohen Pappeln, die ein wenig rauschten, wenn der Wind in ihre Blätter fuhr. Obwohl es fast

Nacht war, kam uns hin und wieder jemand auf einem Fahrrad entgegen, jemand in leichten Hosen, mit einem Hemd, das nicht bis oben zugeknöpft war, mit Schuhen, in die man hineinschlüpfen konnte, die man nicht zu binden brauchte. Es war, als gebe es hier keine Grenze zwischen Tag und Nacht, als sei keine Zeit bestimmt, in der das eine für das andere aussetzen mußte, um Stunden später wieder anzufangen. Niemand schien sich hier darum zu kümmern.

Mein Vater sprach von Schiffen und Segelbooten, von Weinhängen und Stränden und vom flachen Wasser des Sees, durch den man fast laufen könne, von einem Ufer zum anderen. Er setzte die Koffer ab, sprang vom Gehweg auf die Straße, lief ein paar Schritte, breitete seine Arme so aus, als müsse er auf einer Linie balancieren, und trat auf der anderen Seite wieder auf den Bürgersteig. So, sagte er, einfach so von Seite zu Seite, schaute zurück zu Isti und mir, und wir wunderten uns, daß unser Vater die Koffer abstellte und wie ein Seiltänzer die Straße überquerte.

Als Junge bin ich oft hier gewesen, dort oben, irgendwo hinter diesen Bäumen, sagte er und zeigte in die Dunkelheit. Isti und ich kannten den See nur von Postkarten, die unsere Mutter ins Kredenzfenster vor die Gläser gesteckt hatte. Jemand winkte von der Terrasse eines Lokals, vom Deck eines Dampfers oder schaute durch einen dieser großen Reifen, die sie ins Wasser warfen, um darin auf den Wellen zu treiben. Hin und wieder verbrachte jemand, den wir kannten, etwas Zeit hier am See. Vielleicht eine Woche im Sommer, bei Verwandten, oder ein Wochenende im Frühling, bei Freunden. Selbst im Herbst fuhr man an den See, nicht mehr, um zu baden, sondern nur noch, um aufs Wasser zu schauen. Auf den Karten stand immer das gleiche. Liebende Küsse: Márta und Familie. Liebende Küsse: Hajni und Familie. Liebende Küsse: Viki und Familie.

Wir übernachteten in einem Haus, das kleiner aussah als die Häuser ringsum. Unter dem Dachvorsprung hatten wir den Schwan entdeckt. Vom Gartentor aus rief mein Vater nach dem Wirt, der kurz darauf in der Tür erschien. Die beiden handelten den Preis aus, der Wirt öffnete uns die Pforte, wir liefen über einen schmalen Weg, aus dem Steine gebrochen waren, und kletterten eine enge Stiege hoch, bis unters Dach. Aus den Wänden hingen Drähte, das Porzellan der Lichtschalter hatte Risse. Nein, Licht gebe es keins, sagte der Wirt, kurzerhand sei der Strom ausgefallen. Vielleicht morgen wieder. Ja, morgen früh bestimmt wieder. Aber wozu Strom, wenn es am Morgen wieder hell sei?, fragte er. Er lachte, und es war ihm gleich, ob wir mit ihm lachten, er öffnete die Tür zu unserem Zimmer, steckte eine Kerze in einen Halter und zündete sie an. Das flackernde Licht zeigte zwei Betten, eine Liege und Bettwäsche, die aussah, als habe sie an den Enden ein Tier zerbissen. Der Wirt goß Wasser aus einem Krug in eine Schüssel und legte ein Stück Seife daneben, das schon benutzt worden war. Als er ging, versuchte er mehrmals, die Zimmertür zu schließen, die sich jedesmal wie zum Trotz wieder öffnete und in der Wand hinter uns ein großes schwarzes Loch ließ.

Mein Vater stellte sich ans Fenster und rauchte, stieß den Qualm gegen die Scheibe und sah dabei aus, als suche er immer noch nach dem Haus, in dem er sehr viel früher, in einer Zeit, von der Isti und ich nichts wußten, hin und wieder einen Sommer verbracht hatte. Der Blick aus unserem Zimmer fiel auf die Verladeplätze des Bahnhofs, auf seine rostroten Waggons, wenige hundert Meter entfernt von der Halle, durch die wir gelaufen waren. Vom frühen Morgen an kamen Züge und fuhren wieder ab. Wenn ich die Augen öffnete, sah ich Istis Gesicht, seine fast durchsichtige Haut und die schnell pochenden Adern darunter. Wenn ich meine Fingerspitzen an seine Schläfen legte, wußte ich einen Augenblick lang nicht, ob es meine Finger waren oder seine Schläfen, die vibrierten. Isti sprach im Schlaf. Er redete nicht mehr mit Kovács, jedenfalls sprach er nicht so, daß ich ihn hätte verstehen können. Isti redete in seiner eigenen Sprache, die nur er verstand und sprach, mit sich selbst, wenn er allein war, die er sich ausgedacht hatte auf seinen Streifzügen am Fluß und durch die nahen Wälder. Nicht einmal mir sagte er, wie er die Dinge um uns benannt hatte und wie wir jetzt hießen.

Wenn ich aufstand, konnte ich vom Fenster aus Männer in Dunkelgrau sehen, die auf ihren Schultern, Köpfen und vor ihren Bäuchen große Kisten trugen. Ihre Stimmen, ihre Rufe drangen hoch zu uns. Sie sprachen so, wie wir zu Hause nie hatten sprechen dürfen, und benutzten Worte, die wir nie hatten benützen dürfen. Später wachte ich mit meinem Christophorus-Anhänger in der Hand auf, den ich sonst in meiner Jackentasche versteckt hielt, und ich dachte an Karcsi. Obwohl er langweilig war. Obwohl er in Szerencs als Trottel gegolten hatte.

Unten in der Küche servierte uns die Wirtin ein kleines Frühstück, Kaffee für meinen Vater, für Isti und mich Hörnchen mit Butter. Werden Sie den Sommer hier verbringen?, fragte sie meinen Vater, der wortlos nickte. Sie redete ohne Pause, während sie Töpfe spülte, die Kaffeemaschine polierte und Bohnen für das Mittagessen putzte. Naja, sicher ist dies nicht der schönste Ort am See, aber auch wir haben einen kleinen Garten hinter dem Haus, sagte sie, und wenn der Bahnhof nicht wäre, dann – sobald ein Zug vorbeifuhr, hörten wir sie nicht mehr. Wir schauten auf ihren Mund, der sich öffnete und schloß wie bei einem Fisch unter Wasser, auf ihre Goldzähne, die blitzten, wenn sie lächelte. Das Gute sei, sagte sie, Arbeit gebe es hier immer, an den Anlegestellen unten am See oder auf dem Güterbahnhof. Als mein Vater unsere Sachen aus dem Zimmer holte und Isti und ich zurückblieben, fragte sie, ob unsere Mutter schon auf uns warte. Wir nickten, und Isti antwortete, ja, auf der anderen Seite des Sees, da wartet sie.

Wir nahmen den Bus zur Anlegestelle. Kurz bevor der Bus hielt, zog mein Vater das Fenster hinunter. Isti schrie, ich kann es riechen!, und stürzte an uns vorbei, hinaus auf die Straße. Wir liefen zum Wasser, verscheuchten Enten, kletterten auf Absperrungen, die man in die Mole gesetzt hatte, und schauten hinab auf die Wellen, wie sie an Steine schlugen und sich auflösten. Gleich würde unser Schiff anlegen, die *Erzsébet*. Es glitt auf uns zu, zerschnitt die Wellen, und Isti sagte, es glänzt in der Sonne.

Zwei Männer lotsten uns über eine Treppe, die sie auf die Mole klappten, an Bord. Ein bißchen war es wie in den Zügen, wenn Isti und ich von Waggon zu Waggon über die Gitter sprangen. Wir saßen nebeneinander an Deck, Isti zwischen mir und meinem Vater, auf einer Bank aus Holz, die weiß gestrichen war, hielten unsere

Hände über die Augen und blickten über den See, der hellgrün aussah an diesem Morgen. Der Wind fuhr in Istis feines Haar, riß seine Kappe einmal, zweimal vom Kopf, Isti sprang hoch und schnappte sie, und wenn mein Vater seine Augen schloß, vielleicht, um zu prüfen, ob er sich diesen Anblick, dieses Bild würde merken können, zog Isti seine Lider mit zwei Fingern auseinander und sagte ihm, er dürfe seine Augen nicht schließen, nicht hier.

Mein Vater stand auf, lief die wenigen Schritte vor zur Reling, legte seine Hände darauf, lehnte sich zurück und streckte seine Arme aus. Wie ein Turner an seinem Gerät sah er aus, kurz bevor er sich aufschwingt, oder wie ein Schwimmer, der sich abstößt und ins Wasser springt. Vor ihm warf der See Wellen, und etwas tanzte auf ihnen, ein Stück Schilf oder ein Blatt. Mein Vater holte die Filterlosen aus der Hosentasche und zündete sich eine mit vorgehaltener Hand an. Im Fahrtwind glühte die Asche, der Rauch teilte sich vor seinem Gesicht und verschwand. Das Wasser schien noch frisch und klar, schon am späten Nachmittag würde es lau und träge, und gegen Ende des Sommers trüb und wellenlos sein. Isti und ich wanderten übers Deck und schauten immer wieder auf die schäumenden Wellen, die sich hinter uns in einem großen V entfernten. Über dem See schwebte ein Rest Dunst, den die Sonne noch nicht verschluckt hatte. Ob das Wasser an diesem Tag eher grün oder eher blau gewesen war – darüber stritten wir noch Wochen später, mein Vater, Isti und ich.

Zwei Männer warfen das Gepäck auf die Mole, und mein Vater fischte unsere Koffer aus einem dunklen Haufen. Wir standen nicht lange am Straßenrand, bis sie jemand mitnahm: Virág, die Tochter des Hauses, in dem wir diesen Sommer, mindestens diesen Sommer verbringen würden. Sie hatte am Kassenhäuschen gelehnt, die Arme unter ihren Brüsten verschränkt, und dabei zugesehen, wie das Schiff anlegte, die Passagiere ausstiegen und über die Mole liefen, ihr entgegen. Seit gestern war sie viele Male hier gewesen, weil niemand wußte, welches Schiff uns bringen würde. Immer, wenn eines anlegte, war sie mit ihrer Csepel den Hang hinabgefahren, war hierhergerollt, ohne den Motor einzuschalten. Zwei Kinder und einen Mann sollte sie abholen, das hatte man ihr aufgetragen, zwei Kinder und einen Mann, die sich unten am Wasser verloren umsehen würden. Der Mann, so um die dreißig, mit dunklen Haaren, die ihm fast auf die Schultern fallen, so hatte es Zsófi geschrieben, und die Kinder, naja, ein Mädchen und ein Junge, wie Kinder eben aussehen. Gleich habe sie uns erkannt, sagte Virág, als sie uns umarmte, wir sähen nicht aus wie Menschen, die am Wasser lebten. Isti erwiderte, auch wir haben am Wasser gelebt, schließlich sei auch ein Fluß Wasser, oder nicht? Ja, sagte Virág, aber es klang wie ein Nein.

Virág sah aus wie jemand aus einer dieser Zeitschriften, die Erzsi gelesen hatte. Vor einem Skoda hätte sie stehen, lächeln und auf ihn zeigen können. Sie hatte hellblondes Haar, das unter ihrem weißen Kopftuch hervorschaute, und blaue Augen, die grün wurden, sobald sie sich dem See näherte. Ihr Kopftuch hatte sie nicht unter dem Kinn zusammengebunden, wie es alle taten, sondern im Nacken, und die Bluse über dem Bauch hatte sie so geknotet, daß wir einen Streifen ihrer Haut sehen konnten. An ihren braunen Füßen trug sie Badeschuhe aus rotem Gummi, mit denen sie durchs Wasser waten, durch den Schlamm laufen und die sie mit dem Gartenschlauch abbrausen konnte. Ich glaube nicht, daß ich zuvor jemanden gesehen hatte, der so gehen konnte wie Virág, und ich fragte mich, warum es bei ihr wie ein Tanzen aussah.

Virág zog einen Anhänger hinter ihrer Csepel und brachte damit unsere Koffer den Hang hinauf. Sie hupte und winkte, wir sahen ihr und der Staubwolke hinterher und hörten das Knattern verschwinden. Wir folgten ihr über einen Pfad, vorbei an Weinstöcken, Zäunen, Gemüsegärten. An jeder Biegung blieben wir stehen, drehten uns um, schauten auf Isti, der uns langsam folgte, und auf den See, der dort lag wie ein Spiegel, eingeklemmt zwischen Schilf und Wiesen. Virág wartete auf uns neben einem Tor am Wegrand, von wo ein Kieselpfad zum Haus führte. Das Haus war gelb. Es war klein. Es hatte winzige Fenster mit weißen Rahmen und Läden, außen eine Treppe, auf deren Stufen man sich setzen konnte, und unter dicht wachsendem Wein eine kleine Veranda, auf der die anderen jetzt auf uns warteten.

Zoltán, Virágs Vater, nahm uns kaum wahr. Er streckte uns seine Wangen zum Kuß entgegen, als führe er bloß einen Befehl aus, klammerte sich an die Armlehnen seines Stuhls, und Isti und ich, wir starrten auf die Adern auf seinen Händen, die aussahen wie dicke grüne Würmer. Zoltán roch nach Wein, seine Wangen kratzten, Hosenträger rahmten seinen Bauch ein, seine wenigen Haare waren verklebt. Als mein Vater vor ihn trat, stand er nicht auf, er schaute nicht einmal hoch. Er sah auf das Wachstuch, auf die Blumen des Wachstuchs, das den Tisch bedeckte. Hin und wieder legte er seine Hand darauf und sagte: Blumen. Zoltáns Stirn war an der linken

Seite eingefallen. So, als habe sie jemand einschlagen, als habe sie jemand zertrümmern wollen. Zoltán lächelte und sagte, wenn Bier zu Hause ist, trinken wir natürlich Bier. Wenn Wein da ist, Wein. Aber lieber Bier. Ihm sei alles recht, erwiderte mein Vater.

Virág zuckte mit den Schultern, und Zoltáns Frau Ági streifte mit ihren Händen immer wieder über dieselbe Stelle ihrer Schürze. Auf und ab, als wolle sie ihren Ring, ihren einzigen Ring polieren. Sie löste das Fliegengitter vor der Verandatür und schob mich in die Küche, in der es kühl und still war. Auf der Kredenz tickte eine Uhr. In drei Minuten würde ein Zug von Szerencs in Richtung Budapest fahren. Eine Fliege hatte sich mit uns ins Haus gestohlen und kreiste über unseren Köpfen. Du mußt keine Angst haben vor Onkel Zoltán, sagte Ági, er ist nur ein bißchen müde. Weißt du: müde. Weißt du, was das ist? Müde? Dabei schaute sie zu Boden, als schäme sie sich, und ihr Blick blieb auf ihren schmalen Fesseln, deren Sehnen so gespannt waren, als könnten sie jeden Augenblick reißen. Ja, ich wußte, was das war: müde, und wie es war, müde zu sein, selbst ich war schon müde gewesen, befallen von dieser Art von Müdigkeit, an die Ági jetzt dachte.

Draußen servierte Virág Zserbókuchen und Schnaps, mein Vater bewunderte die Rosen, ach, so rote Rosen, und Zoltán erwiderte, ja, rote Rosen, aber stechen können sie, und das schmerzt. Zoltán sprach mit meinem Vater wie mit einem Kind, und Ági sprach so mit Zoltán. Virág löste ihr Haar, tauchte ihre Finger in die Schokolade, die in der Sonne geschmolzen war, und fing an, von einem Arzt zu erzählen, der am Ende dieser Straße wohne, ganz oben, jaja, noch ein gutes Stück zu laufen, dort, wo man den besten Blick auf den See habe. Reich sei er, naja, so reich wie man hier eben sein könne, und man sage, er habe sogar Telefon. Aber wen kann er anrufen?, fragte mein Vater, und Ági lachte. Niemanden konnte er anrufen. Niemand hatte Telefon. Vielleicht hatte der Kindergarten unten in Keszthely eins, vielleicht gab es eins am Bahnhof von Siófok. Aber auch das war nicht sicher. Ihn kann man anrufen, wenn etwas ist, redete Virág weiter, und Ági fragte: Aber von wo?

Nach mehreren Schnäpsen schlief Zoltán auf seinem Stuhl ein, und als er auf die Fliesen zu kippen drohte, trugen Ági und mein Vater ihn ins Haus. Mein Vater packte ihn unter den Armen, und Ági nahm ihn an den Füßen. Dabei lösten sich Zoltáns Badeschuhe aus braunem Plastik mit dem Kreuz über den Zehen und fielen mit einem matten Schlag auf den Boden. Das Kreuz zitterte. Zoltán streckte sich auf der Liege im Zimmer aus, Ági schob ihm ein Kissen in den Nacken, und den ganzen Nachmittag hörten wir Zoltáns lautes Schnarchen bis zur Veranda. Hin und wieder stand Ági auf, ging ins Haus, trat vor die Liege, begann zu pfeifen, und Zoltán blieb für einen Moment still. Virág senkte den Blick und pickte die Kuchenkrumen mit feuchten Fingern auf, und mein Vater leerte das Glas, das Ági für ihn gefüllt hatte. Als die Mücken am Abend anfingen, uns zu stechen, erst an den Füßen, dann an den Schenkeln, jagten Isti und ich einander zwischen den Rebstöcken hinunter zum See, und als uns niemand mehr hören konnte, fragte Isti, wer hat ein Stück aus Onkel Zoltáns Schädel gebrochen?

Zoltán war Zsófis älterer Bruder. Er war ihr Trauzeuge gewesen und hatte ihr Halsband aus Samt am Morgen nach der Hochzeit mit einem Messer zerschnitten. Bevor Zoltán krank wurde, bevor er Tabletten nahm und schwer wurde, bevor seine Augen kleiner wurden und seine Adern hervortraten, bevor er nach und nach Teile seines Kopfes verlor, den sie an der Seite geöffnet und zugenäht hatten, zählte er zu den schönsten Männern in Szerencs und im Umkreis von fünfzig, ja, mindestens fünfzig Kilometern. Man erzählte sich, Frauen und Mädchen waren mit dem Zug, mit dem Bus und zu Fuß gekommen, mit Eltern, mit Geschwistern, nur um einen Blick auf ihn zu werfen. Er hatte dichtes schwarzes Haar und über der Stirn eine einzige weiße Strähne, die aussah, als sei die Farbe dort vergessen worden.

Zoltán hatte keines der Mädchen genommen, die in sein Dorf gepilgert waren, um ihn zu sehen. Er hatte ihnen zugelächelt, hatte mit ihnen gesprochen, vielleicht sogar mehr als zwei Worte, aber ausgesucht hatte er sich Ági, die er im Sommer 1945 in Badacsony getroffen hatte. Es war ein heißer Sommer gewesen, ein sehr heißer Sommer, wie mir Ági an einem dieser Abende erzählte, und Zoltán war angereist und hatte unten am See um den Titel einer Meisterschaft gefochten. Ági hatte in einem Ausschank gearbeitet, den Wein mit einer Kelle aus tiefen Blechfässern geschöpft und in Gläser gegossen. Sie hatte den Wein ihres Vaters verkauft, der hier wuchs, hier, vor unseren Augen. Als er Ági zum ersten Mal sah, hatte Zoltán seine Hand ins Blechfaß getaucht und Ági mit Wein naßgespritzt, ohne später noch sagen zu können, warum. Vielleicht war es Ágis Stimme gewesen, vielleicht der kleine Schatten, den ihre Wimpern warfen, wenn sie die Lider senkte, vielleicht bloß ihre Art, die Kelle an die Gläser zu schlagen. Ági hatte den Wein weggegossen, weil niemand mehr davon hatte trinken wollen, nachdem Zoltán seine Hand ins Faß getaucht hatte.

Auf ihrer weißen Bluse waren Flecken geblieben, und zehn Tage lang hatte sie nicht ein Wort mit Zoltán gesprochen, obwohl er jeden Abend zu ihrem Ausschank gekommen, im Schmutz vor ihr niedergekniet und erst wieder aufgestanden war, wenn Ági den Ausschank geschlossen und das Schild mit den Öffnungszeiten über das Blechfaß gehängt hatte. Ringsum hatte man sich erzählt, daß es jemanden gab, der die Tochter des Weinbauern Ádám umwarb und sich nicht zu schade sei, über Stunden vor ihr zu knien, obwohl sie ihn nicht eines Blickes würdige. Also war man aus den nahen Dörfern oder mit dem Schiff von der anderen Uferseite gekommen, an den Abenden, den Sonntagen und dem einen Feiertag, nicht nur, um Wein zu trinken, sondern um Zoltán zu sehen, wie er vor Ági im Schmutz kniete.

Am Abend vor Zoltáns Abreise hatte sie das erste Lächeln auf ihre Lippen gesetzt, sagte Ági, und als sie das Blechfaß zugedeckt und das Schild aufgehängt hatte, war es sogar fünf Minuten vor der Zeit gewesen. Zoltán hatte sie zum Tanz ausgeführt, dort oben, zwischen den Weinhängen, wo man den Schmutz flachgetreten und Stühle und Tische beiseite gestellt hatte, und unter bunten Lampen hatte er mit ihr getanzt, Walzer vielleicht, einen schnellen, dann nur noch langsame, bis tief in die Nacht hinein, in jedem Fall noch lange nachdem die Kapelle aufgehört hatte zu spielen. Zoltán hatte Ági nach Hause gebracht, ohne viel zu reden, er hatte ihr dabei zugeschaut, wie sie die hellen Schuhe auszog, um barfuß durch ein Fenster in ihr Zimmer zu schlüpfen, und dann war er im Garten stehengeblieben, als würde ihn etwas festhalten, und erst als es hell wurde, war er gegangen, mit dem Gesicht zum Haus und dem Rücken zum See.

Am Morgen gewann Zoltán die Meisterschaft, und Ági hatte es gefallen, wie er mit seinen Füßen vor- und zurückgeschnellt war, als würde er springen, wie sich das Band an seinem Rücken spannte und wieder senkte, dazu das Schlagen der Klingen aufeinander, das sie ein wenig ängstigte. Jedesmal wenn Zoltán Fechthelm und Handschuh abzog, um sich mit den Fingern durchs Haar zu fahren, das jetzt verklebt war, hatte ihn Ágis Blick aus den Reihen der Zuschauer getroffen, und später, als Zoltán schon als Sieger den Griff seines Floretts küßte, schaute er dabei Ági an, und sie ging zu ihm, um mit ihrem weißen Taschentuch etwas Schweiß von seiner Stirn zu tupfen.

Zehn Tage nach seinem Sieg war Zoltán zusammen mit seinen Eltern nach Badacsony zurückgekehrt und hatte um Ágis Hand angehalten. Zoltán hatte seinen Anzug, der Vater seine Uniform, und die Mutter zu ihrem Sommerkleid einen kleinen Hut mit dunkler Krempe getragen. Unten am See hatten sie im Dorf Fragen über Ágis Familie gestellt, sie hatten den Lehrer, den Pfarrer, den Apotheker gefragt, und ausnahmslos hatten alle das gesagt, was Zoltáns Eltern hatten hören wollen, um einverstanden zu sein. Jemand hatte sie zum Haus der Familie Ádám geführt, und weder Ági noch ihre Eltern waren überrascht gewesen, Zoltán zu sehen, mit Mutter und Vater und anderen aus dem Dorf, die ihnen folgten. Viel eher wirkte es so, als hätten sie darauf gewartet und alles für diesen Besuch vorbereitet.

Hochzeit gefeiert hatten Ági und Zoltán an einem der letzten warmen Tage des Jahres, als es schon nach fallenden Blättern roch, unter Pflaumenbäumen, die ihr Obst verloren hatten, neben Rebstöcken, deren Trauben zum

Platzen reif waren, mit Blick auf den See, der sich dunkel verfärbt hatte und in dem jetzt niemand mehr badete. Zoltán und Ági hatten ihre Arme in eines der Weinfässer getaucht, fast bis zu den Schultern, hatten die nassen Hände ineinandergelegt, und Zoltán hatte gesagt, so habe es angefangen, und so werde es weitergehen. Abends, beim Tanz, war Ágis Vater hochgesprungen, aus Freude, wie man später erzählte, hatte dabei sein Knie verdreht, das nicht mehr heilte, und wenige Tage darauf hatte er den Weinberg an Zoltán und Ági übergeben. Während die beiden mit Körben auf den Rücken Trauben gelesen hatten, hatte Ágis Vater auf der Veranda gesessen, ihnen zugeschaut und sein geschientes Knie auf einem Puff ruhen lassen. Als alle den ersten Wein gekostet hatten, hatte Ágis Vater den Blick gesenkt, und Ágis Mutter hatte sich bekreuzigt.

Es war komisch mit Ági. Isti und ich hatten ein bißchen Angst vor ihr, und ein bißchen mochten wir sie. Manchmal fragte mich Isti, wer mir besser gefiel: Zsófi oder Ági?, und ich sagte: Ági. Wenn sie mich morgens weckte, ließ sie ihre Hand lange auf meiner Wange liegen und drehte meine Haare um ihre Finger. Solange wir in den Betten lagen, sang sie für uns *Guten Morgen, die Milch ist da*, dann sprangen Isti und ich auf und schauten auf Reben und Wasser durch ein winziges Fenster, in das unsere Köpfe gerade so paßten. Abends, wenn Virág wegfuhr, um ein paar Dörfer weiter hinter einem Postschalter Adressen in ein Heft zu schreiben und Briefe zu wiegen, die verschickt wurden an Orte, von denen wir nie gehört hatten, kam Ági zu uns unters Dach und erzählte Geschichten, für die Isti oder ich den ersten Satz vorgeben durften. Istis Geschichten fingen an mit *Meine Mutter hatte einen Hut* oder *Meine Mut-*

ter *konnte Kuchen backen* oder *Meine Mutter wollte einmal singen*, während meine Geschichten begannen mit *Wenn der Vogel fliegt* oder *Wenn der Frühling kommt* oder *Majestät hat sich angekündigt*. Immer hatten Ágis Erzählungen ein gutes Ende, und ich begann mich darauf zu verlassen, daß es das geben konnte: eine Erzählung mit einem guten Ende.

Oft steckte Ági Isti eine Forintmünze zu, von der wir uns unten am See ein Eis kauften, oder ein Stück Schokolade, das wir sofort verschlangen. Wenn es geregnet hatte und Isti mit schmutzigen Füßen durch das Haus lief, kehrte Ági den getrockneten Dreck zusammen, bevor mein Vater ihn sehen konnte, und sonntags, wenn andere zur Kirche mußten, ließ sie uns schlafen, bis es Mittag war. Aber wenn Zoltán uns fragte: Glaubt ihr, daß ich so rauchen kann, daß mir der Rauch aus den Ohren kommt, glaubt ihr das?, und Isti den Kopf schüttelte und davonlief, schrie Ági ihm hinterher, warum glaubst du ihm nicht, was fällt dir ein? Wenn Ági mehr als zwei Gläser Schnaps getrunken hatte, änderte sich ihre Stimme, und sie fragte mich, sie hat euch verlassen, ja? Den Hof, die Jauchegrube, den Gottesdienst, ja? Und ihr wundert euch? Ági fragte, ohne eine Antwort haben zu wollen, und sie fragte in einem Ton, den ich nicht vergaß, weil er alles einfärbte, was Ági tat oder sagte.

In diesem Sommer fing Isti an, Dinge zu hören, die keinen Laut von sich gaben. Er sagte, er höre den Himmel, ganz gleich, wie nah oder weit, ob bewölkt oder wolkenlos, er höre die Trauben, die roten besser als die grünen, und er höre den Staub, der über den Boden weht, wenn sich eine Tür öffne, diese dicken weißen Flocken,

die höre er. Er höre das Blut in Zoltáns Adern, obwohl
es nur langsam fließe, und ja, es fließe sehr langsam, hin
und wieder bleibe es einen Augenblick lang sogar stehen, das der anderen fließe schneller, viel schneller, besonders mein Blut, meines fließe am schnellsten. Die
Federn im Kissen höre er, wenn sie nachts unter seinem
Kopf flüsterten, sagte Isti, aber was sie flüsterten, wollte
er mir nicht verraten. Wenn es unter dem Dach heiß
wurde, fragte er: Hörst du, wie das Holz stöhnt?, und
ich antwortete: Ja, ich höre es. Als Ági Virágs Haar
schnitt, ging Isti aus dem Haus, weil er das Haar hatte
schreien hören, als es zu Boden fiel, und Ági und Virág
schauten auf den Haufen blonder Locken zu ihren Füßen, den Ági erst nach Stunden zusammenkehrte, vielleicht, weil sie glaubte, was Isti gesagt hatte. Virág fragte
später, was haben sie geschrien, diese Haare?, und Isti
erwiderte, keine Worte, es ist nur ein Ton gewesen, ein
heller Ton.

Mein Vater schlief draußen in der Sommerküche, wo
Ági kochte, seit es im Frühling wärmer geworden war.
Er schlief zwischen Töpfen und Pfannen auf einer Liege, ohne Decke, ohne Kissen, neben einer Schüssel, in
die Ági kein Wasser mehr gegossen hatte, seit sie wußte,
mein Vater badete jeden Abend im See. Über ihm hingen Töpfe, Körbe und Kellen, und manchmal löste sich
etwas und fiel auf seinen Kopf, und unter ihm standen
Weckgläser und leere Flaschen, die erst im Herbst wieder gefüllt wurden. Wenn Ági morgens Eier in die
Pfanne schlug, wachte mein Vater auf, setzte sich in den
Schatten der Sommerküche, und Ági brachte ihm sein
Frühstück. In den heißen Nächten im Juli und August
schlief mein Vater mit nacktem Oberkörper auf einem
Liegestuhl auf der Terrasse. Ági und Virág hatten nichts

dagegen. Die Mücken zerstachen ihn jedesmal. Sie stachen in seine Lippen, seine Lider, in seine Wangen, in die Spitzen seiner Finger, und Virág sagte beim Frühstück, Kálmán sieht aus wie ein Boxer nach einem verlorenen Kampf.

Onkel Zoltán vergaß, wer wir waren, und jedesmal staunte er über uns, wenn wir vor seinen Augen die Treppe hinabstiegen, durch den Garten liefen, wenn wir uns zu ihm unter den Wein auf die Veranda setzten, mit ihm an einem Tisch aßen oder wenn Virág und Ági so mit uns sprachen, als kennten sie uns schon lange. Zoltán hielt meinen Vater mal für seinen Bruder, mal für seinen Vater, dann für Ágis Vater, für den Nachbarn, für sein Kind oder für jemanden, der in das Haus einbrechen wollte, oder in den Hof, um Trauben zu stehlen oder sonst etwas. Isti und mich verscheuchte er, wenn er glaubte, wir seien fremde Kinder, die auf seiner Veranda oder in seinem Schuppen spielten, ohne daß man es ihnen erlaubt hatte.

Als Zoltán meinen Vater eines Morgens aus der Sommerküche zerrte, weil er nicht mehr wußte, wer er war, gab Ági meinem Vater einen Schlüssel für die Tür, die er von nun an abends zuschloß. Als Zoltán daraufhin das Türfenster einschlug, mit seiner blutigen Hand nach dem Schlüssel griff, der noch steckte, meinen Vater am Hemdkragen hinauszog und dabei so laut brüllte, daß wir alle davon aufwachten, band Ági jede Nacht mit einem Faden ein Glöckchen um Zoltáns Fußgelenk, sobald er eingeschlafen war. Wenn Zoltán seinen Fuß aus dem Bett setzte, um das Haus zu verlassen und durch den Garten zur Sommerküche zu gehen, wachte Ági auf und brachte Zoltán dazu, sich wieder hinzulegen.

Manchmal vergaß sie, das Glöckchen am Morgen abzunehmen, und wir hörten Onkel Zoltán durch die Weinberge laufen, die Pfade hinab, in Richtung See und dann zurück, das Glöckchen mal lauter, mal leiser.

Virág gab nicht auf. Jeden Tag stellte sie uns ihrem Vater aufs neue vor, sagte wieder und wieder unsere Namen und brachte Zoltán dazu, sie zu wiederholen. Sie erklärte, wer wir waren, wer wessen Schwester oder Bruder war, und Zoltán fragte, warum erzählst du mir das, ich vergesse sowieso die Hälfte, und Virág erwiderte, wenn ich Ihnen die Hälfte erzähle, merken Sie sich nur ein Viertel, und dann lachten wir, und Zoltán lachte mit uns, als hätte er verstanden. Bald machten wir uns einen Spaß daraus, und mein Vater sagte, er sei König Mátyás oder Bartók Béla oder Horthy Miklós oder Puskás Ferenc und habe das entscheidende Tor geschossen, oder Maléter Pál, und bei diesem Namen legte Zoltán seine Stirn in Falten, als zwinge er sich, diesen Maléter in sein Gedächtnis zurückzuholen. Isti und ich, sagte mein Vater, seien Hänsel und Gretel, wir seien in den Wald geführt worden, dort, wo er am dichtesten sei, und jetzt hätten wir gerne etwas zu essen. Als Zoltán uns daraufhin Wurst, Käse und Tomaten auf den Tisch stellte und uns bedeutete, wir sollten zugreifen, schämten wir uns. Ich schämte mich, da ich mich seit Vat nicht mehr so gefühlt hatte wie hier am See. Nicht bei Manci, nicht bei Éva, nicht bei Zsófi.

An heißen Tagen, und bis September gab es viele, wenn die feuchte Luft Spuren auf unserer Haut ließ, konnte es so diesig sein, daß ich weder sah, wo der Himmel endete, noch wo der See begann. Es konnte Stunden dauern, bis sich der Dunst auflöste, und Isti und ich, wir warteten, bis wir eine kaum sichtbare Linie zwischen Luft und Wasser erkennen konnten. Ein mattes Licht breitete sich aus, eher weiß als blau, und Isti sagte, sie haben ein Netz vor den Himmel gehängt. An solchen Tagen saß Virág hinter dem Haus im Schatten, lehnte ihren Rücken an die Wand, flocht ihre blonden Haare in Zöpfe und löste sie wieder auf. Ganze Nachmittage verbrachte sie so. Sie entdeckte uns, sobald wir um die Ecke lugten, und wenn wir sie aus ihren Gedanken holten, zurück in dieses trübe Licht, dann schaute sie uns so an, als wüßte auch sie nicht mehr, wer wir sind, als müßten wir uns auch ihr noch einmal vorstellen, und ich sagte zu Isti, Virág sieht aus wie ein Tier, das in eine Falle gelaufen ist, und Isti nickte.

Abends ging mein Vater hinunter zum See, selbst wenn es regnete, wenn es über Nacht kalt geworden war, und ich folgte ihm, ohne daß er es merkte. Ich kannte den Weg, den er zwischen Weinstöcken und später über Wiesen, vorbei an Pappeln nahm, und ging kurz nach ihm los. Ich folgte dem Qualm seiner Zigarette, nur wenige Reihen Reben unter mir sah ich sein dunkles Haar, von dem Ági sagte, er müsse es schneiden lassen, sonst sehe er aus wie ein Zigeuner, und in ihrem Haus wolle sie niemanden, der so aussehe. Wenn er sich umdrehte, weil er etwas gehört hatte, versteckte ich mich und wartete einen Augenblick lang, bevor ich weiterlief.

Unten am Wasser hatte mein Vater eine Stelle gefunden, zu der niemand kam, nicht einmal zufällig, ein stilles, von den großen Stränden abseits gelegenes Stück Ufer, nur schwer zu erreichen. Erst viele hundert Meter weiter sprangen hin und wieder zwei Jungen von einem langen Steg ins Wasser. Ihre Rufe hörte ich nur sehr leise.

Die Fußspuren meines Vaters waren die einzigen, die ich hier entdecken konnte. Meine verwischte ich jedesmal, bevor ich ging. Mein Vater schlug das Schilf beiseite, blieb am Ufer stehen und schaute auf den See. Jetzt drehte er sich nicht mehr um, selbst wenn das lange Gras unter meinen Füßen zu hören war, weil ich mich näherte. Er knöpfte sein Hemd auf, zog seine Schuhe, seine Hosen aus und legte seine Kleider in den dunklen Sand. Er tat all das so langsam, als müsse er sich hier, auf den letzten Metern, auf eine andere Geschwindigkeit einstellen, als müsse er langsamer werden, um seine Kräfte fürs Schwimmen zu sparen. Dann lief er ein paar Schritte ins flache Wasser, warf die Beine so, daß es Wellen schlug, tauchte kopfüber ins Wasser, sobald es tief genug war, und schwamm schnell hinaus. Bald war sein Kopf nur noch ein dunkler Punkt, den die Wellen trugen. Ich ging so weit in den See, bis der Schlamm meine Füße schluckte und das Wasser an meine Hüften reichte. Es war trüb und dunkel, und mehr als meine Hände konnte ich nicht sehen. Ich wußte, auch wenn mein Vater sich jetzt umdrehen, wenn er auf dem Rükken weiterschwimmen und zum Ufer schauen würde, er sähe mich nicht. Es war, als nehme ihn der See auf, als könne er ein anderer sein, sobald er seine Kleider ablegte, das Wasser berührte und hinabtauchte.

Wenn ich später am Ufer meine nassen Füße in den Sand grub, schwamm mein Vater ganz in meiner Nähe die letzten Bahnen, zwanzig, dreißig Stöße am Ufer hoch und wieder hinab. Er sah mich nicht, wie nah am Wasser ich auch stand. Wenn er aus dem See stieg, sein Haar schüttelte und mit dem Handrücken über seine nassen Arme und Beine wischte, um das Wasser abzustreifen, konnte ich mich sogar neben ihn stellen, ohne daß er

mich bemerkte. Er holte seine Zigaretten aus der Hemd-
tasche, rauchte und schaute so auf den See, als habe er
darin etwas gefunden, das er nicht mehr aus den Augen
lassen dürfe, das er beobachten und bewachen müsse.
Ich blieb hinter ihm, schob meine Füße durch den Sand,
vor und zurück, und sah die Wassertropfen über seinen
Rücken perlen. Erst wenn es dunkel wurde, ging ich.
Mein Vater blieb, manchmal bis tief in die Nacht, sprang
noch einige Male ins Wasser und schwamm weit hinaus.
Ich weiß nicht, aber vielleicht schwamm er sogar zur anderen Uferseite, vielleicht, weil er dort ein Licht gesehen
hatte und erst aufhörte zu schwimmen, wenn er es erreicht hatte.

Ich lief den Hang hoch, setzte mich unter Bäume, wenn
ich müde wurde, und verscheuchte Fledermäuse, die an
meinem Kopf vorbeiflogen. Auf dem letzten Stück des
Weges kam mir Virág entgegen, die mich über die Kie-
selsteine zum Haus begleitete, vielleicht, weil man ihr
aufgetragen hatte, nach mir zu sehen, vielleicht, weil Ági
es so wünschte, vielleicht, weil Virág es selbst so wollte.
Wir setzten uns auf die Terrasse, schauten in den Himmel, in einen Mond, den die Wäscheleine teilte, in zwei
gleichgroße Stücke, und der die Nacht in dieses Licht
tauchte, von dem wir nicht wußten, ist es ein Licht. Erst
wenn ich meinen Kopf nicht mehr halten konnte, stieg
ich unters Dach. Bevor mein Vater zurückkehrte, war
ich längst eingeschlafen.

Es war der Sommer, in dem Isti und ich aufhörten, uns
zu prügeln. Wir zogen es vor, die Hänge hinunterzulau-
fen und ganz am Ende, dort wo die Reben aufhörten,
auf den See zu schauen.

Virág.

Isti durfte in den See springen, wann und wo er wollte, und er übte das Schwimmen, wie und wo er konnte, nicht nur am See, nicht nur im Wasser. Auf der Terrasse oder unter dem Dach legte er sich bäuchlings auf einen Stuhl, stützte sich mit den Füßen ab und kraulte mit seinen Armen durch die Luft, als wolle er etwas fangen. Zwischen den Reben legte er sich auf den Rücken und tat so, als stoße er sich mit den Beinen durchs Wasser, bis Ági ihn am Gürtel hochzog und schimpfte, seine Kleider könne er jetzt selbst waschen, gleich hier draußen im Garten, in der Blechwanne, neben der Sommerküche.

Unten am See, bei Virágs Freunden, sprang Isti von einer Leiter, deren wenige Sprossen in den See reichten, und er sprang so viele Male am Tag, daß seine Berührung des Wassers schnell zu den immer wiederkehrenden Geräuschen des Sommers gehörte. Virág nahm uns mit zu ihren Freunden, wenn niemand wußte, wo mein Vater war, wenn er uns mit einer Handbewegung bedeutete zu verschwinden oder wenn er wie ein Boxer beim Frühstück saß und Ági ihm ein Messer mit einer großen Klinge gab, die er auf seine geschwollenen Lider preßte.

Das Haus am See war vor langer Zeit, als es nicht einmal Virág gegeben hatte, mit roter Farbe verputzt worden. Aber wenn wir uns jetzt mit dem Rücken, mit der Schulter an eine Wand lehnten, blieb immer noch ein Rest Rot auf unseren Kleidern, der sich schwer abklopfen ließ, und wenn Virág ihn auf unseren Kleidern entdeckte, sagte sie, jemand hat etwas auf deinen Rücken geschrieben, in roter Farbe. Das Haus stand auf einer Wiese, deren Gras so spärlich wuchs, daß wir die Erde darunter sehen konnten. Isti sagte, wie ein Kopf sehe die Wiese aus, wie ein großer Kopf, dem die Haare ausfallen. Ein bißchen wie Onkel Zoltáns Kopf, oder? Und seitdem, jedesmal, wenn wir über den Rasen liefen, dachte ich, wir spazierten auf Onkel Zoltáns Scheitel, wir sprangen über seinen Schädel, wir stürzten in Richtung seines Nackens, und wir blieben hängen und liegen, dort, wo seine Stirn eingefallen war. Wenn jemand große Haken in den Boden schlug, um ein Zelt für Gäste aufzubauen, für die es im Haus keinen Platz mehr gab, hatte ich Zoltáns Gesicht vor Augen und wie er es unter Schmerzen verzog, und wenn jemand sagte, man müsse die Erde umgraben, damit das Gras besser wachse, glaubte ich, Zoltáns Schreie zu hören.

Isti und ich hatten an einem Sonntag schwimmen gelernt. An einem dieser Sonntage, wie es sie hier oft gab, mit einer Stille, die bloß den Flügelschlag eines Vogels zuließ, der sich im Wein verfangen hat. Virág hatte hinter dem Haus im Schatten gesessen, Zoltán hatte geschlafen, und Ági war an den Reben auf und ab gegangen, um von den Trauben zu kosten, die noch viel zu klein und viel zu grün waren. Mein Vater hatte sich ein Handtuch um den Nacken gelegt, war durch den Garten gelaufen, dann die Straße hinab, und als Isti ihm vom Tor aus hinterherrief und fragte, was er da um seinen Hals gewickelt habe, hatte er uns mitgenommen, nicht zu seinem Platz, sondern zu einem anderen Strand, mit Wespenschwärmen am Wasser, dicht wie Winternebel. Der Sand war dunkel, das Schilf sah fast faul aus. Mein

Vater hatte uns befohlen, langsam weiter in Richtung See zu gehen, auf einer schmalen Mauer, uns mit nackten Füßen vorzutasten, die Arme dicht am Körper. Isti und ich hatten die Augen geschlossen. Ich konnte die Flügelschläge der Wespen spüren und die Luft, die sie bewegten. Geht langsam, hatte mein Vater gesagt, auch wenn sie sich auf euch setzen, geht einfach weiter, immer weiter, und dann, am Ufer, hatte er uns gepackt, in den See geworfen und gerufen, schwimmt.

Das Wasser war so flach gewesen, daß sogar Isti an den meisten Stellen hatte stehen können. Mein Vater hatte uns nicht warnen müssen wie damals am Fluß, vor Strudeln, Wasserlöchern oder Strömungen, die uns fortreißen würden. Den ganzen Nachmittag hatte er uns abwechselnd an den Hüften gehalten, mal mit dem Bauch nach unten, mal mit dem Bauch zum Himmel, und Isti und ich hatten mit Armen und Beinen gerudert, wie Schiffbrüchige. Mein Vater war zwei Stöße geschwommen, wir hatten ihm zugeschaut und es dann selbst versucht, er war untergetaucht, wir waren ihm kopfüber gefolgt, hatten uns die Nasen zugehalten, die Augen unter Wasser geöffnet und nicht mehr gesehen als ein dunkles Grün und darin unsere Gesichter, größer als sonst. Wir hatten uns an den Händen gefaßt und die Luft so lange angehalten, daß selbst mein Vater darüber staunte, wie lange wir ohne Luft unter Wasser sein konnten. Isti hatte sich eine Fischwelt vorgestellt, aus kleinen und großen Fischen, und er wunderte sich, daß er jetzt nicht einen einzigen sehen konnte. Wenn wir später am Ufer an einer dieser Buden standen, wo sie Fische in Zeitungspapier verkauften, fragte Isti, von wo kommen diese Fische, wenn wir sie im See nie sehen können?, und ich wußte ihm nichts darauf zu antworten.

Tage hatte es gedauert, bis wir schwimmen konnten, wenigstens ein paar Meter, ohne unterzugehen oder zuviel Wasser zu schlucken, und jeden Morgen, wenn mein Vater den ersten Kaffee mit Zoltán trank, standen Isti und ich schon mit Handtüchern und Badeschuhen in der Tür und warteten. Uns war es gleich, ob es regnete, ob es kalt oder heiß oder schwül oder windig war, ob der Himmel nach einem Unwetter aussah oder das Wasser noch aufgewühlt war, vom letzten Regen. Ági hatte gefragt, Wozu? Wozu müssen diese Kinder schwimmen?, und mein Vater hatte geantwortet, sie müssen eben.

Als er geglaubt hatte, wir seien soweit, war er mit uns zur ersten Sandbank geschwommen, zehn Minuten entfernt vom Strand. Er war in der Mitte geschwommen, immer ein paar Stöße vor uns, Isti rechts und ich links hinter ihm. Wenn wir Wasser schluckten, hatte mein Vater gerufen, schwimmt auf dem Rücken weiter, das strengt euch nicht so an, legt euch auf den Rücken, laßt euch ein bißchen treiben, und Isti und ich, wir hatten uns gedreht, auf unsere Zehenspitzen geschaut, die aus dem Wasser ragten, hatten unsere Köpfe nach hinten fallen lassen, die Ohren unter Wasser getaucht, und Isti hatte ein tiefes U gegurgelt, weil er glaubte, so höre sich ein Unterwasserboot an.

Bis zum Abend waren wir auf der Sandbank geblieben, auf einem schmalen Streifen Sand in den Wellen, waren geschwommen, hatten uns ausgeruht, hatten meinem Vater dabei zugesehen, wie er sich schwimmend von uns entfernte, wie er die Hand hob und uns winkte, von der nächsten Sandbank aus, unter einem Himmel, der an diesem Tag nicht blau, sondern gelb war. Isti hatte versucht, ihm zu folgen, mein Vater hatte gebrüllt, war ins Wasser gesprungen, hatte Isti dann geschnappt und ihn auf den letzten Metern auf seinem Rücken sitzen lassen. Jedesmal, wenn mein Vater vorschlug, wir sollten zum Ufer zurückschwimmen, hatten Isti und ich uns geweigert. Wir hatten uns in den Sand gelegt, mit Sand beworfen und beschmiert, hatten uns den Sand aus den Haaren gewaschen und endlich gewußt, wie das ist: im Wasser sein. Wenn Isti in den See sprang und ein paar Stöße schwamm, hatte ich auf seine Beine geschaut, die er schnell und unruhig bewegte. Ein bißchen sah Isti aus wie ein Hund, den man mit einem Stein am Fuß ins Wasser geworfen hat. Noch Jahre später sah er beim Schwimmen so aus. Vielleicht waren es dann nicht mehr seine Bewegungen, vielleicht war es später nur noch sein Blick, der so blieb wie am Anfang. Vielleicht war es auch nur mein Blick, ich weiß nicht.

Als es dämmerte, legte sich mein Vater zwischen Isti und mich auf den Rücken, und die Wellen zogen an seinem Haar, das jetzt aussah wie ein Kranz aus Fangarmen. Die Strände leerten sich, die Hügel änderten ihre Farbe, und erst als Istis Lippen schon blau waren, schwammen wir zurück und zerteilten die Wellen mit unseren Armen. Am Strand stachen uns Mücken, Isti und mein Vater schlugen fluchend auf ihre nasse Haut, daß es klang, als ohrfeigten sie einander. Mir machte es nichts. Auch die roten, wundgekratzten Beine in den Nächten darauf machten mir nichts. Wenn ich wach wurde vom Kratzen, stieg ich hinunter, verließ das Haus und stellte mich zwischen die Weinstöcke, um auf den See zu schauen, der im Dunkeln aussah wie eine Scheibe, wie eine große glatte Scheibe, eingeklemmt, festgehalten, ohne Bewegung.

Isti verbrachte fortan jede freie Minute am Wasser. Er kam nachts zurück, brachte vom Ufer Schilfzweige, die er in die Dachluke klemmte, und Steine, mit denen er einen Pfad vor sein Bett legte, um darauf morgens mit nackten Füßen und ausgebreiteten Armen zur Stiege zu balancieren. Am Tag schwamm Isti Libellen hinterher, vergeblich, und am Abend, wenn es still war, hörte er dem Wasser und den Fischen zu, die man nicht sehen, aber hören könne, wie Isti mir erklärte. Ich saß am Ufer und schaute ihm zu, wenn er unter einem blassen Mond seine Bahnen zog, sein Ohr auf die Wellen legte, seine Hand hob und rief: Ich kann sie hören. Wenn er zu lange tauchte, sprang ich auf, lief ins Wasser, packte ihn und zog ihn hinaus, und Isti schimpfte, weil der Fisch jetzt weg sei, den er belauscht habe, und das sei meine Schuld, allein meine Schuld.

Isti sagte, er trainiere. Für die Zukunft, für die Meisterschaft, für seine Freundin Virág, für die Gesundheit, für eine Schülermedaille, für die Olympischen Spiele in fünfzehn Jahren und für die Familie. Als mein Vater ihn fragte, für welche Familie, erwiderte Isti: für meine, welche sonst. Virág hatte aus Siófok eine Uhr mitgebracht, die Sekunden zählen konnte, und jetzt ging sie mit Isti ans Wasser, steckte am Ufer eine Strecke ab, mit Ästen und Tüchern, nahm die Zeit, die sich am Anfang kaum änderte, und rief sie Isti zu, so laut sie konnte. Isti hob seinen Arm, als Zeichen, daß er verstanden hatte, tauchte hinab, schwamm auf dem Rücken weiter, um zu verschnaufen, legte sein Kinn auf die Brust und gurgelte ein bißchen mit dem Seewasser, weil er glaubte, so machten es die richtigen, die großen Schwimmer, wenn sie auf den Bahnen dieser Welt Medaillen holten. Virág fing an, irgendwelche Zeiten zu nennen, und Isti freute sich über diese ausgedachten Erfolge. Ich glaube nicht, daß er wußte, was schnell und was langsam war, ob sechzig Sekunden für zwanzig Meter ein gutes oder ein schlechtes Ergebnis waren.

Manchmal wachte Isti nachts auf, lief die wenigen Schritte zur Dachluke, kletterte auf einen Stuhl und starrte eine Weile hinaus, um sicher zu sein, daß alles noch so war, wie es war, und auch morgens schaute er als erstes hinaus, nur um zu sehen, ob der See seine Farbe wiederhatte. Dann stürzte er die Treppe hinunter, ließ die Tür hinter sich ins Schloß fallen, und wenn ich durch die Dachluke sah, war Isti schon verschwunden. Ich folgte ihm, und unten am See fand ich sein Handtuch, das er in den Sand gelegt hatte, so wie es die anderen machten, wenn sie ans Ufer kamen, um sich zu sonnen. Isti konnte ich nicht sehen, er schwamm irgendwo da draußen, hinter dem Schilf, das sich kaum bewegte, hinter den Booten, von denen wir glaubten, daß sie mit ihrem Rost den See verschmutzten. Vielleicht schwamm er in der nächsten Bucht, vor einem fremden Haus, vielleicht lag er auf einer Sandbank, vergrub seine Hände, ließ Wellen über seinen Rücken laufen und spuckte ins Wasser.

Es gab keinen Grund, keine Ausrede für Isti, nicht im Wasser zu sein, er kümmerte sich weder ums Wetter noch um Mahnungen oder Verbote. Er landete mit einem Sprung im See, überall und jederzeit, und die anderen fingen an zu sagen, festbinden müsse man ihn, an einer Leine. Isti sprang von einem Holzbrett, das einer von Virágs Freunden an ein Eisen geschraubt hatte und das ein paar Meter weit übers Wasser ragte, oder von der Wiese oder von der Leiter, die in den See führte. Er ließ sich rückwärts, vorwärts, mit den Füßen zuerst und kopfüber fallen, mit einer Drehung, mit einem Schrei oder lautlos, mal mit ausgebreiteten Armen, mal mit den Armen dicht am Körper. Er sprang so, als laufe er noch ein Stück in der Luft, und manchmal so, daß es aussah wie ein Unfall und wir uns erst beruhigten, wenn Isti rief, nein, es ist nichts. Isti ging früh am Morgen ans Wasser, wenn alle schliefen, und er war noch am Abend dort, wenn der See anfing, seine Farbe zu verlieren. Isti schwamm, ohne davon müde zu werden, und Virág und ich, wir schauten ihm vom Ufer aus zu. Um Mitternacht, auf dem Weg zurück, wenn Istis Haare noch naß waren, wenn er in Gärten kletterte, um für Virág und mich eine Handvoll Kirschen zu pflücken, und wir die Kerne durch die Luft spuckten, in immer höheren Bögen, dann blickte Isti hinab zum See und sagte, jetzt wäre die richtige Zeit zum Schwimmen.

Wenn Virág nicht am Ufer stand und Istis Zeiten stoppte, wenn sie nicht hinter dem Haus im Schatten saß oder mit uns am Tisch, wußte keiner genau, wo sie war. Sie durfte allein ausgehen, wann und mit wem und wie oft sie wollte. Sie küßte ihre Mutter, ihren Vater zum Abschied und verschwand. Nachts oder früh am Morgen kam sie zurück vom Tanz, vom Kino, und bevor sie die Csepel über den Kieselweg rollte und vor der Sommerküche im Ständer einrasten ließ, stellte sie den Motor ab, um uns nicht zu wecken. Wenn sie nicht zum Tanz, nicht ins Kino ging, fuhr sie ohne Ziel durch die Weinberge, nach Tihany oder Fonyód, knatterte die Pfade hoch und wieder hinunter, folgte ihnen, wie sie die Hügel scheitelten. Nachts, wenn die Häuser im Dunkeln lagen und der See zu ruhen schien, warf Virág mit ihrem Motorrad das einzige Licht auf die Straße, und in den Dörfern unten am Wasser erzählte man, manchmal umkreise Virág den ganzen See, in weniger als drei Stunden. Ab und an fuhr sie ans Ufer, blieb auf ihrer Csepel sitzen, richtete den Scheinwerfer mit beiden Händen so, daß er einen gelben Kreis auf die Wellen setzte, und wartete darauf, bis sich etwas in diesem Ausschnitt änderte, weil ein Wind aufkam, Regen fiel oder weil ein Fisch ins Licht geschwommen war. Kein anderes Mädchen durfte das: ohne ein Wort gehen, in der Dunkelheit mit dem Motorrad um den See oder durch die Weinberge fahren, und auch Virág durfte es nur, weil sie Ágis einziges Kind war, das es geschafft hatte, erwachsen zu werden.

Als Virág fünf Jahre alt geworden war, hatte ihre jüngere Schwester aufgehört zu essen und zu trinken, hatte über Nacht Fieber bekommen und war am ganzen Körper von einer Farbe gewesen, die aussah wie Feuer. Wie Feuer, mit dem man Ende des Sommers die Felder in Brand setzt, sagte Ági, und wenn sie ein Streichholz hätte anzünden wollen, hätte sie es bloß an diese Haut zu halten brauchen. Ági hatte Tücher in kaltes Wasser getaucht und die Waden des Mädchens gewickelt, und Virág hatte auf seine Arme und Stirn gepustet, mit kleinen spitzen Lippen, um sie abzukühlen. Das Kind hatte aufgehört zu weinen, war ein letztes Mal in einen kurzen Schlaf gefallen, und als es seine Augen wieder öffnete und seine Hände anfingen zu beben, war Zoltán mit dem Fahrrad an den See gerast und hatte so laut um Hilfe gerufen, daß man aus den Häusern ringsum auf die Straße geeilt war, im Nachthemd, im Morgenmantel, in Unterwäsche, und zusammen mit Zoltán an die Fensterläden getrommelt hatte, hinter denen der Arzt und seine Frau schliefen.

Bis der Arzt das Licht angeknipst, seinen Mantel übergezogen, nach seiner Tasche gegriffen hatte, den Hang mit seinem Fahrrad hochgefahren und hinter Zoltán über den Kieselweg gelaufen war, bis er die Tür hinter sich geschlossen, Ági die Hand gereicht, Virág über das Haar gestrichen, das Kind befühlt, sein Ohr an seine Brust gelegt und der Mutter das Jesusmaria, Jesusmaria verboten hatte, hatte Virágs Schwester aufgehört zu atmen, und der Arzt hatte nicht mehr getan, als ihre Lider mit zwei Fingern hinabzuziehen. So, sagte Ági, nahm meinen Kopf zwischen ihre Hände und legte dann zwei Finger auf meine Augen, um es mir zu zeigen. So, wiederholte sie, als ich die Augen öffnete, und zog meine Lider noch einmal nach unten.

Ági hatte das Kind in helles Tuch gewickelt und seinen Sarg mit Blumen ausgelegt. Zwei Blumen für jeden Tag, an dem es gelebt hatte, eine für den Tag, eine für die Nacht. Der Himmel war an diesem Vormittag blau gewesen, ohne Wolken, und Zoltán hatte alle Heiligen verflucht, weil keiner von den Trauergästen sagen konnte, heute weint sogar der Himmel. Die Sonnenstrahlen hatten bis zur Kanzel, bis zum Kopf des Pfarrers gereicht, selbst das Fensterglas an den Seiten hatte das Licht nicht brechen können. Virág, mit dunkler Schleife im Haar, hatte zwischen ihren Eltern gesessen, hatte ihre Füße in schwarzen Schuhen aus Lack, mit Spangen auf dem Spann, über dem Boden kreisen lassen, die eine Hand im Schoß der Mutter, die andere im Schoß des Vaters, der den Kopf gesenkt gehalten hatte, während der ganzen Trauerfeier. Nach den letzten Worten des Pfarrers hatte auf ein Zeichen die Orgel eingesetzt, jemand öffnete die Kirchentür, zu früh, und ein Windstoß, der einzige an diesem Tag, drang ins Kirchenschiff, so heftig, daß die

Frauen ihre Kopftücher festhielten. Die Flammen der Kerzen gingen aus, und der Rauch stieg langsam hoch zum Altarbild, als die Orgel den letzten Ton spielte. Ági hatte Virágs Hand fester umfaßt und dem Rauch so lange nachgeschaut, bis er sich aufgelöst hatte.

Auf dem Weg zum Friedhof waren Zoltán, Ági und Virág in der ersten Reihe gegangen, hinter den Sargträgern, die versucht hatten, mit ihren Füßen keinen Staub aufzuwirbeln. Virág hatte sich am Mantel der Mutter festgehalten und auf das Geräusch gehört, das von mindestens zweihundert Schuhen auf den Steinen kam. Über ihrem Kopf, zum Greifen nah, flatterte ein Vogel, ein kleiner, dunkler, der schnell und unruhig die Flügel schlug und sich kaum von der Stelle bewegte. Hinter Virág hatte man leise gesprochen, nur geflüstert, aber Zoltán hatte sich umgedreht und gezischt, haltet den Mund, jetzt, dieses eine Mal, haltet euren Mund.

Als die beiden Männer angefangen hatten, den Sarg hinabzulassen, hatte Zoltán geschrien und ihnen verboten, den Sarg auch nur einen Zentimeter weiter zu bewegen. Wenn sie nicht aufhörten, würden auch sie dort unten landen, hatte er gedroht, auf nasser Erde, und Virág hatte hinabgesehen und sich vorgestellt, wie sie dort liegen würden, die beiden. Die Männer hatten den Pfarrer angeschaut, er hatte die Schultern hochgezogen, der Sarg in den Seilen hatte angefangen zu zittern und zu pendeln, und Zoltán hatte gebrüllt, sie sollen aufhören damit, den Sarg so pendeln zu lassen, und dann hatte ihn jemand weggebracht.

Virág sagte, es sei Zsófis Mann Pista gewesen, der Zoltán gepackt, zurück zur Kirche gezerrt und ihm sein

Stofftaschentuch gereicht hatte, damit er sich schneuzen konnte. Später erzählte man im Dorf, Zoltán habe sich im See ertränken wollen. In einem Boot sei er hinausgerudert, und weit draußen, dort, wo man vom Ufer aus niemanden mehr erkennen könne, sei er ins Wasser gesprungen, das eisig gewesen sei an diesem ersten sonnigen Tag seit Monaten. Pista sei ihm gefolgt, sei rufend hinter ihm her gerudert, und habe dort, weit draußen, Zoltán am nassen Hemdkragen ins Boot gezogen und so lange geohrfeigt, bis er wieder zur Besinnung gekommen und zurückgerudert sei.

Virág hatte sich an Ágis schwarzen Rock geklammert, hatte den Blick abgewendet von den Seilen, die beide Männer jetzt mit Ágis Erlaubnis durch ihre Hände gleiten ließen, von der Erde, die auf dem Holz verteilt war, und von der Stille, die nach dem Weinen entstanden war. Ohne ihre Hand vom Stoff zu lösen, hatte sie sich mit ihrer Mutter von den anderen entfernt und war über die angrenzende Straße gegangen, die den katholischen vom evangelischen Friedhof trennte. Bis zum späten Abend waren sie über die Felder gelaufen, zuerst im Kreis, immer wieder im Kreis, über die eigenen Fußspuren. Virág war in die Stapfen ihrer Mutter gesprungen, manchmal waren es zwei, drei Abdrücke, die sie mit einem Anlauf, mit einem Satz übersprang, und später sagte sie, nie habe sie diesen Umriß eines Schuhs, diesen Abdruck eines Fußes auf dunkler Erde vergessen. Sie waren bis dorthin gelaufen, wo es keine Häuser mehr gab, nur Bäume auf einem Stück flacher Erde, hinter einem Graben. Ági hatte ihre Schuhe, ihren Schal, ihren Mantel ausgezogen, hatte sich auf den Rücken gelegt, den Mantel als Kissen unter ihrem Kopf, hatte ihre Finger in den Boden gegraben und aus ihren Händen Erde rieseln lassen, wieder und wieder, auf ihre Stirn, auf ihren Hals, auf ihren Bauch, und Virág hatte sich an sie geschmiegt und den Kopf an ihre Schulter gelegt.

Als es anfing, Nacht zu werden, waren sie zurückgekehrt. Ági hatte nicht viel mehr bemerkt als schwarz gekleidete Männer und Frauen, die unter einem Licht am Küchentisch saßen, vor den Resten einer Tafel. Ein bißchen Rauch, der aufgestiegen war, vielleicht ein Glas, das geklungen hatte, weil jemand auf die Tote und ihren Frieden anstieß. Alle hatten ihre Köpfe gedreht und auf Ági geschaut, wie sie im Türrahmen stand, neben Virág, beide mit schmutzigen Händen und Füßen und Kleidern. Sie hatten die Gläser abgestellt, über ihre Lippen gewischt, etwas geflüstert, und dann war einer aufgestanden und hatte Ági seinen Mantel um die Schultern gelegt und den Dreck mit einem Küchentuch von ihrem Gesicht gewischt.

Virág hatte für ihre Mutter etwas Fleisch und Brot auf einen Teller gelegt, Ági hatte ihren Mund nicht geöffnet, und Virág hatte vergeblich versucht, die Lippen ihrer Mutter auseinanderzuschieben. Immer wieder hatte sie es versucht, auch in den Tagen und Wochen, sogar in den Monaten danach. Ági hatte sich nicht mehr bewegt, sie war sitzengeblieben auf dem Stuhl, den die anderen für sie an den Tisch gestellt hatten, als sie von den Feldern zurückgekehrt war, und manchmal hatte sie ihre Hände in die Hüften gestemmt, als wolle sie sagen, seht doch, ich kann nicht länger sitzen, seht ihr das nicht.

Sie hatte die Uhr nicht mehr aufgezogen, niemand hatte das getan, sie hatte die Fenster nicht mehr geöffnet, die Blätter nicht mehr vom Kalender gerissen, auf dem es

März blieb, bis November. Sie hatte nicht mehr gefroren, wenn es Nacht und kalt wurde, und als sich der Sommer ankündigte, mit den ersten hellen Abenden, bemerkte sie ihn nicht einmal. Sie ließ den Garten vertrocknen, betrat die Sommerküche nicht und schaute nicht mehr aus dem Fenster hinunter zum See, obwohl sie ihren Kopf bloß ein wenig hätte drehen müssen. Nur manchmal legte sie die Hände in den Schoß und faltete sie wie zum Gebet.

Zoltán hatte immer dann den Arzt gerufen, wenn er glaubte, etwas in Ágis Gesicht habe sich verändert oder etwas in ihrer Art, die Hände zusammenzulegen. Der Arzt hatte seine Tasche auf den Gepäckträger geklemmt, war mit seinem Fahrrad den Hügel hochgefahren und hatte versucht, mit Ági vom Türrahmen aus zu sprechen, weil sie nicht zuließ, daß jemand in ihre Nähe kam außer Virág, die ihrer Mutter hin und wieder ein Glas Wasser brachte und etwas Sirup darin auflöste. Der Arzt ließ Tabletten und eine Flasche mit dunklen Tropfen auf der Anrichte zurück. Beim nächsten Besuch nahm er alles wieder mit, so wie er es dagelassen hatte. Als es Zeit gewesen war, die Trauben zu lesen, hatte Zoltán seine Freunde aus dem Dorf kommen lassen, und Ági war auf ihrem Stuhl sitzengeblieben und hatte nichts und niemanden gehört. Sie hatte nicht gehört, was sie draußen im Weinberg riefen, nicht gesehen, wie sie Körbe auf- und absetzten, Trauben in Bottiche kippten, an der Presse drehten und wie Zoltán anfing, den Saft auf den Boden zu gießen, bis ihm jemand den Eimer aus der Hand nahm. Sie hatte nicht gesehen, wie sich Zoltán von den anderen entfernte, um allein auf den See zu schauen, und wie sich sein Blick dabei veränderte.

Irgendwann, es war schon Winter gewesen, war Ági aufgestanden, hatte ihren Stuhl an den Tisch gerückt, und es hatte nicht geklungen wie das Rücken eines Stuhles, eher wie das Reißen eines Stoffes – wenigstens für Virág hatte es sich so angehört. Ági hatte die Uhr mit zwei Fingern aufgezogen und lange auf den Zeiger geschaut, der wieder anfing, sich zu bewegen und die Minuten zu zählen. Ági hatte sich umgezogen, ihr Haar gebürstet und aufgesteckt, hatte den Dreck von ihren Schuhen geklopft und angefangen, die Kissen und Decken der Toten, die immer noch neben dem großen Bett lagen, aufzureißen und die Federn aus dem Fenster in den Garten zu streuen, so lange, bis auch die letzte Feder hinabsegelte und im Schmutz kleben blieb. Virág hatte sie aufgehoben, diese eine, und in einem Karton versteckt, den sie jetzt für mich öffnete, damit ich sie sehen konnte, diese eine schmutzige Feder auf Packpapier.

Später sagte ihr jemand, es sei die Zeit gewesen, in der Zoltáns Kopf anfing einzufallen. Zwei andere Mädchen verlor Ági, weil sie das Rauchen und Trinken nicht lassen konnte, jedenfalls erzählte man es so im Dorf. Ein einziges Kind war ihr geblieben, nur Virág, über die der Arzt kurz nach der Geburt gesagt hatte, lange leben würde sie nicht.

Mihály.

Virágs Freunde Tamás und Mihály, zu denen sie uns mitnahm, hinunter zum See, waren überzeugte Genossen, die bei den Paraden im April und November mitliefen, mit rotem Halstuch über dem Hemd zum Kriegerdenkmal marschierten, im Gleichschritt, und einen Kranz niederlegten, sogar ein paar Sätze sagten, wenn sie jemand darum gebeten hatte. Den größten Teil des Sommers verbrachten die Brüder freiwillig auf dem Land, in Produktionsgenossenschaften, um auf freiem Feld, unter glühender Sonne Säcke zu schleppen, Unkraut zu zupfen oder Mistkübel zu säubern. Sie trugen dichte Bärte mit einem feinen Rotstich, wenn es die Sonne so wollte, und redeten viel von Dingen, die ich kaum oder gar nicht verstand. Beide besuchten die Universität in Budapest. Ingenieure wollten sie werden, Häuser, Straßen und Brücken bauen, im ganzen Land, Leitungen verlegen, in der Erde oder in der Luft, und mein Vater sagte, wozu das Ganze, wenn sie nicht einmal einen Wasserhahn reparieren können.

Waren sie nicht in Budapest oder einer Genossenschaft, verbrachten sie ihre Zeit am See bei ihren Eltern, seit sie Virág kannten jede freie Minute. Sie schliefen draußen, auf zwei Campingliegen oder auf dem Rasen, auf kleinen karierten Decken und bestickten Sofakissen, die ihre Mutter dorthin gelegt hatte und die neben Tamás und Mihály aussahen wie Spielzeug. Sie rauften wie Jungen, stießen einander in den See, rannten durch den Garten und über Schotterwege ins Dorf, spielten Wasserball,

aßen soviel Fleisch, wie sie konnten, schon zum Frühstück, und boxten mit einem Sack aus dunklem Leder,
den sie an einen Baum gehängt hatten und der bei jedem
Schlag etwas von seiner Füllung ausspuckte. Nach dem
Baden nahmen sie keine Handtücher, sondern ließen
sich am Ufer von der Sonne trocknen, oder vom Wind,
und Isti ahmte sie nach, obwohl er dabei vor Kälte zitterte.

Frühmorgens, wenn Tamás und Mihály aufwachten,
schrien sie, wir waschen uns im See!, sprangen ins Wasser, gleich nach dem ersten kurzen Schwarzen, den ihre
Mutter brachte und den sie im Gehen tranken, und
hängten Isti ab, der am Ufer gewartet hatte, um mit
ihnen zu schwimmen. Je weiter sie sich entfernten und
je höher sie das Wasser bei jedem Stoß spritzen ließen,
desto lauter rief Isti ihnen hinterher, fluchte, tauchte
hinab, kam wieder hoch und spuckte Wasser aus.
Manchmal erbarmte sich Virág, die auf dem Rasen lag,
in ihrem roten Badeanzug aus zwei Teilen, der unter
einer gelben Rose ihren kleinen Bauch zeigte, und dann
schwamm sie mit Isti hinaus, bis zur ersten Sandbank
oder noch weiter. Wenn Tamás und Mihály Lust dazu
hatten, zogen sie Isti und mich durchs Wasser, faßten
uns an den Händen und liefen rückwärts durch die Wellen, so schnell sie konnten, und ich, ich habe es nicht
vergessen, dieses Gleiten durchs Wasser, über uns nur
der Himmel, ich weiß es heute noch.

Mein Vater nannte die beiden offen Barbaren, Ági
nannte sie heimlich Walrösser, weil sie sich ärgerte, daß
ausgerechnet ihre Tochter Gefallen an ihnen fand und
das mochte, was andere abstieß: daß sie ein bißchen waren wie Tiere. Ági hatte sich für Virág etwas Besseres

gewünscht, einen Anwalt, einen Arzt, jemanden, von dem sie glaubte, er sei fein, aber niemanden mit dichtem Bart, in dem sich das Essen verfing, niemanden, der mit Boxhandschuhen auf einen Sack einschlug, mit einer Kraft, als wolle er jemanden töten, und der nach Schlägerei roch, wie Ági sagte, wenn er sich zu den anderen an den Tisch setzte. Mihálys weiße Haut hatte sich unter der Sonne feuerrot gefärbt, bereits an den ersten heißen Tagen. Als Mihály seinen Bart Ende des Sommers abrasierte, sagte Virág, er sehe aus wie ein Ritter mit weißer Maske, und ich glaube, es gefiel Mihály, als sie das sagte.

Als sie Kinder waren, hatten Tamás und Mihály Käfern, die vor ihren Augen auf dem Wasser landeten, die Flügel ausgerissen und zugesehen, wie sie zitterten und zuckten, aber so etwas erzählten sie nur, wenn Virág nicht in der Nähe war. Auf dem Klassenfoto des Gymnasiums, das hinter dem Eingang auf einer Anrichte stand, saßen Tamás und Mihály mit langen Hosen nebeneinander in der ersten Reihe. Mit den Hosen versteckten sie die krummen Beine, erklärte ihre Mutter, die ihnen früher bei Tisch Bücher unter die Achseln geklemmt und einen Besenstiel unter das Hemd gesteckt hatte, damit sie lernten, aufrecht zu sitzen und mit angelegten Armen zu essen. Sobald der Besen sich bewegte, sobald ein Buch auf den Boden fiel, hatten sie den Tisch zu verlassen.

Jetzt, wenn abends am See die Mücken ins Feuer flogen, die Männer rauchten und Bier aus der Flasche tranken, gab Mihály den Ton an, und alle hörten ihm zu – auch mein Vater. Er wußte über alles zu reden und zu allem etwas zu sagen. Wenn Isti fragte, warum der See abends seine Farbe verliere, erklärte er, warum. Er sprach von Brechungen und Licht und Sonne und Mond und redete und redete und gab Erklärungen, die wir nicht verstanden, aber mochten und uns merkten. Er wußte, was Staub, was eine Staubflocke war, die Ági mit einer Handbewegung wegwischte. Er wußte, was Sand war, in dem unsere Füße versanken, wenn wir am Ufer standen. Sand und Staub als Formel – das konnte er uns sagen, und uns gefiel, daß jemand wußte, was das alles war, um uns herum. Isti fand immer neue Dinge, nach denen er fragte. Wenn er neben Mihály schwamm, wurde er nicht müde, zu rufen, Was ist Licht?, Was ist Wasser?, Was ist Luft?, und Mihály erklärte es ihm. Für uns war Mihály eine Art Wahrheitsritter, vielleicht nur, weil Virág ihn so nannte. Einmal, als er uns fragte, wie das Meer aussehe, antwortete Isti, wie dieser See, so ähnlich, vielleicht etwas größer. Und Mihály sagte, ja, genau wie dieser See sieht es aus, nur größer.

Wenn wir abends nicht zu ihnen gingen, kamen Mihály und Tamás zu uns auf die Veranda, wo Virág Fackeln aufgestellt hatte, damit die Mücken ins Feuer flogen. Sie ließen sich nicht abweisen, nicht von Ági, die sagte, sie habe weder gebacken noch gekocht, außer trockenen Keksen könne sie nichts anbieten, und nicht von Onkel Zoltán, der versucht hatte, sie mit einem Spazierstock zu verjagen, weil er sie im Licht der Fackeln für Einbrecher gehalten hatte. Wir saßen dicht nebeneinander auf der Terrasse, auf der man zu acht kaum Platz hatte, Schulter an Schulter, so dicht, daß ich trotz der Dunkelheit jedes Haar in Mihálys Bart sehen konnte, und die Funken, die von seiner Zigarette sprangen und hin und wieder ein Haar versengten. Ági knipste das Neonlicht in der Küche an, die Mücken setzten sich auf das Fenster hinter uns und färbten es schwarz. Mihály rief, her mit den trockenen Keksen, und alle lachten, Virág holte Bier aus einer kleinen Wanne mit Wasser, die sie unter die Treppe geschoben hatte, und reichte Mihály eine Flasche. Mihály legte seine Hände um Virágs Hände, lang genug, um ihr damit etwas zu bedeuten, und kurz genug, daß es den anderen nicht auffiel.

Manchmal schliefen Tamás und Mihály neben meinem Vater auf der Veranda, als wollten sie das Haus bewachen, und Isti und ich, wir hörten ihre Stimmen bis tief in die Nacht, und wir mochten es, wenn sie dort unten auf den Fliesen lagen und so taten, als sei dieses Haus eine Festung, die sie zu schützen hatten – sogar Ági mochte es. Morgens fragten sie Ági, was zu tun sei, und dann spritzten sie den Wein, besserten den Zaun aus, hackten Holz, wechselten die Gasflaschen, weißten die Mauern der Sommerküche oder trugen Onkel Zoltán von der Sonne in den Schatten, wenn er eingeschlafen war, dann wieder vom Schatten in die Sonne, damit er aufwachte, und bei allem schaute Virág von der Terrasse aus zu, wie eine Schiedsrichterin, die bald den Sieger ausruft.

Isti und ich hatten uns mehrere Geschichten über unsere Mutter ausgedacht, die wir jedesmal anders erzählten. Wir merkten uns, wem wir was gesagt hatten, und wir vergaßen nicht eine Wendung, nicht ein Detail. Wir sponnen die Geschichten weiter, schmückten sie aus, dichteten etwas dazu, nahmen etwas weg. Daß man sie als Lügen aufdecken würde, schlossen wir aus, vielleicht hielten wir sie bald selbst nicht mehr für Lügen. Ich denke, Isti fing an, unsere Geschichten zu glauben, ein bißchen sah er so aus, und ein bißchen redete er so. Wenn wir über die nahen Hügel liefen oder in einem Versteck in der Nähe des Hauses saßen, manchmal mit

Blick auf den See, manchmal nur mit Blick auf einen Stapel Bretter, die Isti von irgendwo, von Baustellen und Müllgruben herbeigeschafft hatte, dann erfanden wir Erklärungen und Ausreden für unsere Mutter, dafür, daß sie nicht da war. Wir taten so, als könnte es dafür Gründe geben. Wir wollten niemand sein, den man vergißt, mühelos, niemand, von dem man sich entfernen kann, ohne Abschied, ohne Hindernis.

Je einfacher die Geschichte war, desto häufiger erzählten wir sie. Unsere Mutter war in Vat, sagten wir, kümmerte sich um den Hof, die Tiere, half Freunden bei der Obsternte, oder Arbeiter in der Fabrik waren ausgefallen, und unsere Mutter hatte einspringen müssen. Uns fiel ein, daß sie sich den Fuß verletzt hatte, sich ausruhte, hinter der Gartenmauer, unter einem Baum, auf einem Stuhl, und nicht verreisen konnte, weil der Arzt jeden Nachmittag kam, um nach ihrem Fuß zu sehen. Dann war sie in einer Klinik, in einem Kurort, badete in Thermalwasser, oder die Luft am See war ihr nicht bekommen, und sie war nur wenige Stunden nach unserer Ankunft wieder abgereist. Manchmal sagten wir auch, sie würde bald nachkommen, am nächsten Tag, in der nächsten Woche, in einem Monat, in jedem Fall bald. Unten im Dorf oder an den Buden am See fragte man uns jetzt regelmäßig, wie es den Tieren zu Hause, wie es dem Fuß unserer Mutter gehe, ob der Arzt noch nach ihr sehe, was mit der Arbeit in der Fabrik und was mit der Obsternte sei, und Isti und ich dachten uns Antworten aus, wie es uns gefiel. Nur Mihály hörte bald auf, nach unserer Mutter zu fragen, und Isti sagte, Virág hat ihm alles erzählt. Ich bin mir sicher, er hatte nie an einen kranken Fuß oder an ein Thermalbad geglaubt, warum auch.

Mein Vater fuhr hin und wieder zum Bahnhof nach Siófok, räumte Waggons aus, schleppte Kisten, stapelte
Kartons, bekam ein bißchen Geld dafür, das er gleich
wieder für die Fähre ausgab, jedenfalls erklärte er es uns
so. Als Ági sagte, er solle mit dem Fahrrad fahren, wie
andere auch, hörte mein Vater auf zu arbeiten und tat
nichts weiter als zu schwimmen und mit uns das
Schwimmen zu üben. Morgens räumte er nicht einmal
mehr den Liegestuhl beiseite, in dem er nachts auf der
Veranda geschlafen hatte. Ági kochte auch weiterhin für
meinen Vater das Frühstück, aber sie brachte es ihm
ohne ein Wort, und jedesmal, wenn mein Vater zum See
lief, schrie sie ihm hinterher, nimm wenigstens diese
Kinder mit, bis Virág ihr sagte, sie solle aufhören damit.

Bald schon besorgte Mihály für meinen Vater Arbeit an
der Anlegestelle, weil Virág ihn darum gebeten hatte,
und mein Vater nahm sie an, weil er dachte, Virág oder
Ági hätten nichts damit zu tun. Zuerst verkaufte er
Fahrkarten am Schalter, für die Schiffe nach Siófok und
zurück, aber als die Kasse an drei Tagen hintereinander
nicht stimmte, schickte man ihn aus dem Kartenhäuschen, und er warf die Koffer vom Schiff auf die Mole
und legte Gittertreppen an, bevor die Passagiere ausstiegen. Isti und ich, wir liefen zur Anlegestelle, um unserem Vater dabei zuzusehen, wie er vor einem blaßblauen
Himmel Gepäck von einem Schiffsdeck nach unten warf
und *Achtung!* rief. Manchmal blieb ein Koffer liegen,
oder eine Tasche, und mein Vater brachte sie mit, weil
sie niemand vermißte, und Isti und ich stürzten uns darauf, obwohl nie etwas dabei war, das wir brauchten oder
das uns gefiel. Wir hängten Hosen und Röcke über die
Wäscheleine und schauten zu, wie sie sich im Wind bewegten. Wir zerrten Kleider und Strümpfe und Mützen

aus den Taschen, wir zogen sie über, wir rannten verkleidet durch den Garten, bis Zoltán fragte, wer sind
diese Leute? Manchmal lief Isti durchs Dorf, mit einer
Jacke, die bis zu seinen Knien reichte, oder er zog
Schuhe an, in denen er aussah wie ein Clown. Als man
ihn auslachte, weil er mit Stock und Hut ging wie ein
alter Mann, hörte er auf, sich zu verkleiden, und mein
Vater brachte keine Koffer mehr mit, die niemand zu
vermissen schien.

Wir blieben lange am See, länger als einen Sommer, aber
was soll das schon heißen, was soll das schon sein in unserer Zeitrechnung, bei unserer Geschwindigkeit: lange.
Ich weiß nicht, vielleicht kommt es mir nur so vor, weil
der See der einzige Ort war, an dem wir nicht zum
Bahnhof gingen, um nach den Abfahrtszeiten der Züge
zu schauen. Wir vergaßen sie. Wir vergaßen die Züge,
die uns wegbringen konnten, und mit ihnen das ganze
Schienennetz, das unser Land überzog. Wir vergaßen
sogar, daß es für uns eine Zeit gegeben hatte, in der wir
an Zugstationen Zahlenreihen gelesen und uns gemerkt
hatten, im Glauben, es könne uns retten, vor was auch
immer. Wenn man uns von hier weggeschickt hätte,
wenn man gesagt hätte, es ist Zeit, die Koffer zu packen,
über die Hügel hinunter zum See zu laufen, das Schiff
zu nehmen, übers Wasser, zurück nach Siófok, und in
einen Zug zu steigen, wenn man von uns verlangt hätte,
etwas zum Abschied zu sagen, etwa: danke, bis bald, wir
schreiben, bestimmt, etwas in dieser Art, ich hätte gewußt, ich würde zurückkehren, irgendwann. Wegen der
Sandbänke, wegen der Dachluke über unseren Köpfen,
wegen der Wäscheleine, die den Himmel zerteilte. Ich
würde zurückkehren, um mich ins Wasser fallen zu lassen, von einer Mauer, von einem Sprungbrett, von einem

Boot, um hinabzutauchen und unter Wasser zu bleiben, so lange die Luft reichte. Ich würde zurückkehren, um Isti dabei zuzusehen, wie er ins Wasser springt, immer und immer wieder, ohne zu ermüden, und wie er schwimmt, bis ihm der Atem ausgeht – oder länger.

Warum sind wir nicht am See?, fragte Isti später, wenn wir anderswo waren, wenn wir Winter in der Stadt verbrachten und Sommer auf dem Land, in einem anderen Winkel, weit entfernt von allem, was uns gefallen hatte. Es kamen Sommer, in denen wir jede Woche unsere Sachen packten, weil man uns nicht mehr wollte, weil wir lästig, zu laut, zu leise, zu wenig oder zu viel waren, und Isti und ich, wir bedauerten es nicht, wenn wir aufbrachen, wir störten uns nicht daran, wenn wir abfuhren, vielleicht, weil wir dachten, an einem anderen Ort würde es besser sein. Bewegten wir uns, dann bewegte sich, drehte sich auch unsere Welt weiter, und wir glaubten, sie könne in einem Augenblick zum Stehen kommen, in dem wir es wünschten. Jedenfalls dachten wir das eine Weile, und ich bin nicht sicher, ob vielleicht Ági schuld daran hatte, weil sie uns diese Geschichten erzählte, die so ausgingen, wie es am besten war.

Wir gingen zur Schule, verließen die Schule wieder, holten Bücher, gaben sie zurück, merkten uns Wege, Türen, Namen, Gesichter und vergaßen sie, sobald wir abreisten. Unser Vater kaufte feste Schuhe für mich und eine Tasche mit zwei Schnallen für Isti, aber es kümmerte ihn nicht, ob wir etwas lernten oder nicht, und wenn wir sagten, wir müßten aber, fragte er uns, für was? Selbst hier am See, wenn Ági ihm vorwarf, er ziehe seine Kinder schlimmer auf als ein Zigeuner, jeder Zigeuner sorge sich mehr um seine Kinder, zuckte mein Vater mit den

Schultern, stieß den Stuhl weg, auf den er seine Füße gelegt hatte, stand auf und blies Ági Rauch ins Gesicht. Ich habe nie verstanden, warum wir nicht geblieben waren, an irgendeinem Ort, warum mein Vater nicht ein Haus bezogen, warum er keinen Garten bestellt hatte, warum er nicht, wie alle anderen, wie jeder, dem wir begegneten, den wir kannten, einfach irgendwo geblieben war und gesagt hatte, hier leben wir.

Das einzige Gefühl, das mich in diesen Zeiten nicht verließ, ganz gleich, was mit uns geschah oder wo und bei wem wir waren, war meine Angst um Isti. Sie war wie eine Sicherheit, diese Angst, wie etwas, das nicht verlorengehen konnte, vielleicht, weil es sonst nichts gab, das mir sicher war, nichts, von dem ich wußte, es gehört zu mir und wird bleiben. Seit dem Herbst, in dem meine Mutter in einen Zug gestiegen war, seit Isti Stunden und Tage damit verbrachte, auf dem Bett zu liegen und zu dämmern, seit er angefangen hatte, Dinge ohne Ton zu hören, hatte ich Angst um ihn, und ich wurde diese Angst nicht mehr los.

Hier am See, abends, nachts, wenn Isti auf seine Streifzüge ging und ich unterm Dach lag, warf ich in Gedanken Bilder auf das Holz über mir und wurde sie nicht mehr los, auch nicht, wenn ich einschlief. Ich hatte Angst, Isti würde nicht zurückkehren, jemand würde ihn finden, nach Tagen, unter Rebstöcken, unter einem Baum, auf einem Feld oder am Wegrand, an der Abzweigung zur großen Straße nach Siófok, mit leeren Taschen, das helle Futter der Hose herausgezogen, die Knie aufgeschlagen. Wenn Isti hinausschwamm, allein, hatte ich Angst, er würde zuviel Wasser schlucken und untergehen, und man würde ihn vergeblich suchen, mit den wenigen Booten ohne Motor und großen Lichtern, die man übers Wasser hält. Oder ich dachte, Isti liegt auf einer Sandbank, kann nicht weiter, schläft ein, wird weggetragen von den Wellen, und später entdeckt ihn ein Kind beim Spielen am Schilf. Man ruft meinen Vater, bestellt ihn zum See, man sagt, ein Junge wurde gefunden, mein Vater geht zum Ufer, ein Polizist läuft vor ihm, zeigt ihm den Weg, und unten am Wasser liegt dieser Junge unter einem Tuch, ein Polizist schlägt es zur Seite, er fragt, kennen Sie ihn?, und mein Vater sagt, ja.

Selbst wenn Isti Hühnchen aß, hatte ich Angst um ihn. Ich hatte Angst, er würde sich verschlucken, ein winziger Knochen würde in seinem Hals steckenbleiben, Isti würde rot anlaufen, nach Luft schnappen, husten, mit dem Stuhl nach hinten kippen, die Tischdecke mitreißen und fallen, vorbei an Zoltáns großen Händen, an Ágis Schultern. Wir würden auf seinen Rücken schlagen, auf seine schmale Brust, Ági würde schreien, mein Vater würde Isti an den Knöcheln fassen, ihn kopfüber hängen und schütteln, dabei auf seine Füße schauen, die langsam aufhören würden, sich zu bewegen. Es gab Zeiten, in denen meine Angst so groß wurde, daß ich Isti nicht mehr aus den Augen ließ. Ich verbot ihm, das Haus zu verlassen, ich fand Ausreden, warum er nicht schwimmen könne, nicht in den nächsten Tagen, und ich sagte ihm, er dürfe nichts vom Hühnchen essen, das Ági aufgetischt hatte, und Isti hielt sich daran.

Als unser erster Sommer am See zu Ende ging, fragte Isti, wieso die Blätter an den Bäumen zitterten, wieso die Wolken die Sonne versteckten, und ob nicht jemand dafür sorgen könne, daß der See abends seine Farbe nicht verliert, Mihály vielleicht? Wenn Ági die Fenster

mit einem Stück Leder putzte und dabei dieser Ton ent-
stand, von dem Isti meinte, er klinge schlimmer als eine
Maus, die man in einem Karton gefangenhält, oder
wenn Zoltán im Zimmer unter uns schnarchte, zur Mit-
tagszeit, schrie Isti, er solle damit aufhören, sein Schädel
drohe zu platzen, und Ági brüllte zurück: Leben hier
nur Verrückte. Weil es schon zu kalt war, um zu baden,
lag Isti auf dem Bett und starrte an die Decke. Er hörte
Geräusche, die es hier nicht gab, und bald vertrieben wir
uns beide die Zeit damit, auf dem Bett zu liegen und
etwas zu hören, von dem ich weiß, Isti hat es wirklich
gehört, nicht nur in seiner Vorstellung.

Wir riefen Töne und Klänge ab, die sich irgendwann in
unsere Erinnerung geschoben hatten wie Träume und
Abfahrtszeiten. Am liebsten, wenn es um uns herum
still war, wenn Zoltán schlief und mit ihm das ganze
Haus in eine Art Schlaf fiel. Wir setzten sie in unser
Ohr, diese Töne, einen Wagen, der über Kies rollt, einen
Zug, der einfährt, ein Horn, dessen Klang übers Wasser
getragen wird. Das einzige, was wir wirklich hätten hören können, war, wie Ági unten in der Küche ihren Ring
an ihrer Schürze polierte, obwohl jeder sagen würde,
das Polieren eines Rings kann man nicht hören, es hat
keinen Ton. Wenn Virág zu uns unters Dach stieg und
fragte, warum wir tagsüber auf den Betten liegen, sagten
wir, wir hören Geräusche, und dann fragte sie Isti, was
hörst du jetzt?, öffnete die Dachluke, schloß sie wieder,
und Isti antwortete, die Wellen auf dem See. Und jetzt?,
fragte sie weiter, wedelte mit beiden Armen über ihrem
Kopf, und Isti lachte und fragte zurück, ist es ein Orkan,
ein Wirbelsturm? Virág sagte, es sei das beste Spiel, weil
man nichts weiter bräuchte als seine Ohren, und Isti erwiderte, nicht mal die braucht man.

Obwohl Virág es versprochen hatte, kehrte der Sommer in diesem Jahr nicht mehr zurück, nicht mal mehr für einen Tag, und Isti weinte vor Wut, über das Sommerende und über Virág. Er wollte nicht einsehen, daß der Sommer enden sollte, er konnte nicht verstehen, wozu gerade der See einen Winter brauchte, und Mihály sagte, es ist nur, damit wir die Trauben lesen können. Er und Tamás kamen zur Weinlese zurück aus der Stadt, mit kurzgeschorenen Haaren, in dunkelblauen Pullundern und passenden Hemden. Sie taten so, als seien sie nie gegangen, warfen Isti in die Luft, fingen ihn wieder auf, und stellten Bierflaschen in die Küche, die sie abends, sobald die Sonne unterging, mit Zoltán und meinem Vater leerten. Morgens klopften sie schon an die Tür, wenn Ági noch im Bademantel war, sagten, wir sind zur Weinlese bestellt, legten die Hände an ihre Schläfen wie Soldaten, und Ági lachte wie ein Mädchen und schnallte auf ihre Rücken Körbe, die sie schon zweimal gefüllt hatten, bevor mein Vater, Ági und Virág ihnen in den Weinberg folgten.

Isti und ich gingen hinter den anderen, pickten Trauben auf, die auf den Boden gefallen waren, und warfen sie in Virágs Korb. Wenn Onkel Zoltán von der Veranda schrie, warum laßt ihr mich allein, lief Isti zurück und ging dann Hand in Hand mit Onkel Zoltán zwischen den Reben entlang, die manchmal so dicht standen, daß Zoltán aussah wie eingeklemmt, festgehalten an den Schultern, und wenn er den Kopf drehte, über den Reben, hätte man denken können, ihm fehle der Körper dazu. Tamás und Mihály machten selbst aus der Weinlese einen Wettkampf. Sie rannten so, als sei es nichts, mit zwanzig, dreißig Kilo auf dem Rücken einen Hügel hoch, wieder hinab und noch einmal hochzulaufen. Sie versteckten sich hinter Reben, legten einander falsche Fährten, klauten aus dem Korb des anderen, schnappten nach derselben Traube, und einer riß sie dem anderen aus den Händen. Wenn sie dann vor uns standen, mit vollen Körben, und schneller und lauter atmeten als sonst, sagte Onkel Zoltán, hört auf, euch wie Kinder zu benehmen, ausgerechnet Onkel Zoltán sagte das.

Abends waren Istis Hände und Arme bis zu den Ellenbogen dunkelrot gefärbt, von den Beeren oder von dem, was Tamás und Mihály im Laufe des Sommers auf die Rebstöcke gespritzt hatten, und Isti lief zu jedem von uns, hielt seine Hände dicht vor unsere Augen und stieß ein Geheul aus, von dem er glaubte, es ängstigte uns, bis mein Vater Istis Arme nahm, sie auf den Rücken drehte und sagte, Schluß damit. Ági hatte Zeitungspapier ausgelegt, das ihr die Nachbarn gebracht hatten und das sie seit Monaten unter dem Bett gestapelt hatte. Jetzt lag es auseinandergefaltet auf dem Tisch, auf der Kredenz, auf den Fliesen, in jedem Zimmer, sogar auf der Stiege, die unters Dach führte, und draußen in der Sommerküche, wo mein Vater die Arme ausbreitete und sagte, ich wohne in einem Traubenhaus. Der Boden war bedeckt mit Trauben, mit roten und grünen, und Isti und ich, wir sprangen barfuß hin und her, um Onkel Zoltán herum, der auf einem Stuhl zwischen all diesen Trauben saß, hin und wieder eine Beere nahm und hochhielt, sie zwischen seinen Fingern drehte und dann über sie strich, wie über die Blumen auf dem Wachstuch.

Isti bückte sich, hob eine Beere auf, steckte sie in den Mund, zerkaute und schluckte sie mit geschlossenen Augen. Er sagte, am Geschmack könne er sie erkennen, die grünen und die roten Beeren, und Virág und ich, wir fütterten ihn, und Isti sagte: rot, oder er sagte: grün, öffnete die Augen, und wir nickten oder schüttelten die Köpfe, und erst als mein Vater meinte, jeder könne eine helle von einer dunklen Traube unterscheiden, hörte Isti auf damit.

Wir stampften die Trauben, wir preßten sie aus, mit unseren Füßen, mit unseren Händen. Ein paar Kilo verkauften wir unten im Dorf. Ági schickte Isti und mich mit vollen Körben, und wir kamen zurück mit einer Handvoll Forint. Sobald wir zehn Geldstücke beisammen hatten, gab uns Ági eins davon, und Isti sah fortan zu, daß man in kleinen Münzen zahlte. Wir aßen kaum etwas anderes als Trauben in dieser Zeit, morgens, mittags, abends, zwischendurch und ein letztes Mal um Mitternacht, bevor wir zu Bett gingen. Wir spuckten die Kerne durchs Fenster in den Garten, auf den Kieselweg, wir versuchten, ganze Bilder zu spucken und zu raten, was sie zeigten. Wir verschenkten Trauben an Nachbarn, an Verwandte, an Freunde, und Virág brachte den Leuten vom Kartenhäuschen zwei große Kisten, zwei einem Mechaniker, der ihre Csepel reparierte, zwei dem Arzt und zwei dem Apotheker in Siófok. Mihály klemmte die Kisten auf Virágs Motorrad, band sie mit einem Gummi fest, eine vor dem Lenker und eine hinter dem Sitz, und Virág fuhr die schlechten Straßen am See entlang und hinterließ eine Spur aus Trauben.

Die Trauben wurden nicht weniger, wie viele wir auch aßen oder wegbrachten und verschenkten. Die Zeitungen auf den Böden, Treppen und Schränken blieben bedeckt wie am Anfang. Wir hängten die Trauben an unsere Ohren, legten sie auf unsere Scheitel, auf unsere Stirn und balancierten sie mit vorgeschobenen Becken auf unseren Bäuchen. Isti warf mit Trauben nach mir, wenn er wütend war, Virág knüpfte Beeren aneinander und legte sie als Kette um ihren Hals, Tamás steckte sie in seine Nasenlöcher, Mihály klemmte eine Beere wie ein Monokel vor sein Auge, und mein Vater ließ sie über seine Handrücken springen, an den Wurzeln seiner Finger, von Knochen zu Knochen, so wie Mihály es manchmal mit einer Münze tat. Wir ließen diese Dinge erst sein, als Ági bat, hört auf damit, und ich glaube, wir taten es nur, weil ihre Stimme dabei blasser und leiser klang als sonst.

Als Tamás und Mihály zurück nach Budapest fuhren, jeder beladen mit mehreren Pappkartons voller Trauben, und es Virág zum ersten Mal, wie sie sagte, schmerzte, die beiden nicht zu sehen, kam ein Unwetter, von dem man noch lange sprach, nicht nur am See. Als der Wind die Scheiben eingedrückt und die Töpfe von der Wand gefegt hatte, verließ mein Vater die Sommerküche und setzte sich zu uns ins Zimmer, wo Ági vor dem Fenster betete, während der Wind rund um den See Dächer abdeckte, Regenrinnen fortriß, Fässer umstieß und die Blätter über Nacht von den Bäumen blies. Ich glaubte, der Wind würde auch uns wegtragen, uns, und das Haus.

Als Isti wieder zum See durfte und im Zickzack die Straße hinablief, weil der Wind mal von der einen, mal von der anderen Seite blies, hatte ich immer noch Angst, der Sturm erwischte ihn und nähme ihn mit. Isti hielt nicht einmal seine Kapuze fest, nicht einmal seinen Schal, dessen Enden vor ihm flatterten, als solle Isti an ihnen weggezogen werden. Der Wind blies und pfiff auch die nächsten Tage, zerrte an den Läden, peitschte den Regen gegen die Fenster, und Virág sagte, ohne

Blätter sehen die Bäume aus wie Besen, als könne man den Himmel mit ihnen kehren. Wenn jetzt noch etwas polterte, draußen im Hof, in der Sommerküche, unter dem Dach, über unseren Köpfen, wenn etwas fiel und zerbrach, kümmerten wir uns nicht mehr darum, wir blieben einfach sitzen.

Ich ging mit Ági erst ums Haus und sammelte Scherben ein, als mein Vater sagte, der Sturm sei vorbei, und von diesen Scherben bewahrte ich zwei, drei auf und versteckte sie auf dem Dachboden hinter einem Balken. Isti schob den Dreck mit einem Rechen zusammen und hängte die Läden wieder ein, so gut er konnte. Virág sprach mit den Arbeitern unten im Dorf, damit sie das Dach reparierten, und Zoltán räumte die Töpfe in der Sommerküche von einer Seite auf die andere und stapelte sie zu schiefen Türmen, bis Ági sagte, er solle zurück ins Haus gehen. Mein Vater saß in diesen Tagen unten am See an der Anlegestelle, wo jetzt kaum noch Schiffe abfuhren. Sobald das Kartenhäuschen am Nachmittag schloß, saß er dort allein, auf der Mole, mit angezogenen Knien, um die er seine Arme geschlungen hatte, und rauchte. Es war ihm gleich, ob es regnete und er naß wurde, ob der Wind an seinen Kleidern zerrte. Er saß und rauchte und schaute auf den See, der jetzt grau war, grau und bedeckt mit Schaum. Wenn es dunkel wurde, gab mir Ági ihren Schirm und sagte, ich solle zum See hinuntergehen und meinen Vater holen, und jedesmal schimpfte sie auf ihn, weil er sich benahm wie Onkel Zoltán, ohne einen Grund zu haben, und weil man im Dorf schon gefragt hatte, warum mein Vater jetzt, bei diesem Wetter, unten am See auf der Mole sitze.

Ich wußte nicht, ob dieses Sitzen am Wasser mit dem Brief zu tun hatte, aber es fällt in diese Zeit, in die Zeit des Briefes, wie wir sie später nannten, Ági, Virág, Isti und ich. Nachdem Mihály und Tamás abgereist waren, war Virág jeden Morgen, noch bevor sie ihren Kaffee trank, vor zum Tor gelaufen, um zu sehen, ob Post gekommen war, ob Mihály sein Versprechen zu schreiben halten würde, und an dem Vormittag, als der Wind angefangen hatte, die ersten Blätter wegzufegen, und man gesagt hatte, es würde ein Unwetter geben, schlimmer als im vergangenen Jahr, hatte Virág einen Brief von Zsófi aus dem Postkasten geholt, den sie schon auf dem Kieselweg geöffnet hatte und den ich allen laut vorlas, wie ich es immer tat, laut und langsam, so, wie Jenő es mir beigebracht hatte.

Pista versucht, das Rauchen aufzugeben, und ißt jeden Tag Schokolade, die sie uns immer noch aus der Fabrik bringen, obwohl Kálmán ja längst nicht mehr dort arbeitet, schrieb Zsófi in kleinen Buchstaben mit Bleistift auf kariertes Papier. Jenő hat Arbeit als Klavierlehrer, zweimal die Woche fährt er mit dem Fahrrad nach Szerencs, sie zahlen ihm wenig, aber wir sind zufrieden. Anikó fragt jeden Tag nach Euch, sie glaubt, Ihr kommt zurück – kommt Ihr zurück?, und weiter unten, im letzten Absatz, als sei es ihr noch eingefallen, gerade noch, bevor sie den Brief beendete, schrieb sie, Éva hat am Sonntag einen Sohn geboren, dreihundertsechzig Deka, 51 Zenti, und ein bißchen sieht er aus wie Isti.

Tamás.

Virág wartete bei Grúztee, in den sie Zucker mit einer Farbe wie Dreck rührte und von dem sie so viel trank, daß Ági Angst hatte, sie würde krank werden davon. Sie saß am Ofen, den mein Vater morgens mit Holz füllte, hatte ihre Hände um die Tasse gelegt und wartete auf eine Karte oder einen Brief aus Budapest oder auf jemanden, der trotz des Wetters vom Haus am See hochkam zu uns, um Grüße zu bestellen und Nachrichten zu bringen, die nie Neuigkeiten waren. Isti sagte, Virág sehe aus wie ein Jagdhund, der seinen Kopf hebt und aufhorcht, jedesmal, sobald er draußen etwas hört, Schritte oder Stimmen, und wenn er Virág fragte, warum sie nur sitze und sonst nichts tue, gar nichts mehr, sagte sie, ich warte. An dunklen Nachmittagen zündete sie Kerzen an, die sie ins Fenster stellte. Sie rußten und tropften, wenn wir an ihnen vorbeiliefen, und Ági schimpfte, willst du uns das Haus anzünden?

Nur noch selten gab es dieses Licht wie Schwefel, gelb und rosa, dazu einen Himmel in Streifen, der uns täuschte, weil er vorgab, es sei noch warm und man könne noch zum See laufen, ohne dabei zu frieren. Wenn er ganz nah schien, dieser Himmel, zum Greifen nah, als würde er gleich hier, wenige Schritte vor uns, im Garten beginnen und sich von hier ausbreiten und hochziehen, schlüpften wir hinaus auf die Veranda und zählten Krähen, die in die nackten Bäume flogen, und wenn Isti schrie: vier!, rief Virág schnell: acht!, und ich sagte: fünfzehn!, und dann lachten wir so laut, daß Zoltán aus seinem Zimmer kam und selbst anfing zu lachen, ohne zu wissen, über was.

Wir kochten Russischen Tee, wir kochten Grúztee, dunklen, starken, süßen Tee, mehrere Male am Tag, mal für Onkel Zoltán, mal für meinen Vater, mal für uns selbst. Isti setzte Wasser auf, ich streute Tee in den Topf, Isti verteilte Tassen, ich schenkte ein, mit einer kleinen Kelle, reichte den Zucker dazu, und dann saßen wir und verbrannten uns die Lippen an heißem Tee, und weil Virág das Reden fast aufgegeben hatte, hörten wir auf das Brodeln des Wassers im Topf und auf unser Pusten mit gespitzten Lippen. Die Briefe und Karten, die für Virág kamen, las sie unterm Dach, obwohl es dort zum Sitzen viel zu kalt war, und sie kam erst zurück, wenn Ági rief, du wirst dich noch umbringen in dieser Kälte, komm herunter.

Ági, Isti und ich, wir spielten Wortspiele, wenn der Regen an die Scheiben klopfte und den Garten, vielmehr das, was von ihm jetzt noch übrig war, aufweichte. Gib mir einen Wasserkessel, und trenne ein Wort, gab Ági vor, und Isti sagte laut: Kessel, reime auf Kessel. Ich reimte: Sessel, Nessel, Fessel, und forderte, nimm ein anderes Wort daraus, und Ági antwortete: Esel. Lese. Fels. Wir verbrachten Stunden damit, Tage. Wir saßen am Tisch, neben Virág und Onkel Zoltán, die stumm blieben, spalteten Worte, bis es aufhörte zu regnen und der See die Luft gegen Nachmittag blau färbte, und ein bißchen war es, als säßen wir in einem Aquarium, in einem, wie Isti es sich einmal gewünscht hatte. Wenn Isti Kerzen anzünden durfte, weil die Tage noch kürzer und dunkler geworden waren, fragte er uns, warum sie kleiner werden, diese Kerzen, wohin sie brennen, und weil

Mihály und Tamás nicht da waren, konnte es ihm niemand sagen.

An einem dieser Abende hatte sich Virág achtlos, gedankenverloren auf einen Spiegel gesetzt, an den Ági ein Bändchen hatte knoten wollen, um ihn aufzuhängen. Ági hatte nicht geschimpft, als der Spiegel in Stücke zersprungen war. Sie hatte gesagt, es sei ein gutes Zeichen, der zerschnittene Stoff, der Spiegel, die Splitter, und niemand hatte gefragt, ein gutes Zeichen für was. Dann hatte sie den Spiegel geklebt, und wir konnten seine Risse sehen, jetzt, da Ági ihn neben die Tür gehängt hatte – wie feine dunkle Adern sahen sie aus.

Seit Virág kaum mehr aß und kaum mehr redete, seit sie ihre Hosen mit Blumen bestickte, an jedem Abend mit einer Blume, bis zum Frühling, wie sie sagte, seit sie den Tisch verließ, noch bevor der Kaffee gebracht wurde, die Terrassentür hinter sich schloß, um mit ihrer Csepel in der Dunkelheit zu verschwinden und den See zu umkreisen, der im Winter flach war und aussah wie zugefroren, seitdem hatte Ági aufgehört, über Mihály und Tamás schlecht zu reden. Sie sagte nicht mehr, sie essen wie Hunde aus einem Napf, weil sie ihr Gesicht nicht zeigten, während sie aßen. Sie nannte die beiden auch nicht länger Walrösser, sondern Bullen, und aus ihrem Mund klang es so, als sei das schon eine Auszeichnung, als sei das schon ein Kompliment. Wenn sie wußte, die Brüder reisten zum Wochenende an, begann sie Tage vorher, Suppen zu kochen, Teig zu kneten und Weckgläser aus der Speis zu holen, die sie gegen das Licht hielt und drehte und wendete. Und wenn Tamás und Mihály dann am Samstagmorgen den Hügel hochkamen, Isti einen Stuhl vor die Dachluke stellte, um sie schon von weitem sehen zu können, und durchs Haus rief, Sie sind da! Sie kommen!, dann war Ági die erste, die ihnen über die Kiesel entgegenlief. Für mich gehörten Tamás und Mihály zum Sommer, wie der See zum Sommer gehörte, und ich fand, es paßte nicht, sie in dieser Kälte zu sehen, bei nassem Wetter, mit Stiefeln, dicken Jacken und Mützen, die sie über ihr Haar zogen, das jetzt kein Rot mehr zeigte, weil die Sonne wegblieb.

Tamás und Mihály verbrachten ihre freien Tage nicht immer zusammen am See, oft kam nur einer von ihnen. Wenn Tamás uns besuchte, freute sich Virág über Tamás, wenigstens sagte sie das. Wenn Mihály kam, sagte sie nichts. War Tamás allein bei uns, fragte Virág nach seinem Bruder und warum er nicht habe kommen können, in einem Ton, der nach nicht mehr als Höflichkeit klingen sollte, und mit einem Blick, der wie beiläufig an etwas hängengeblieben war. Wenn Mihály allein kam, fragte sie nie nach Tamás. Trotzdem stahl sie sich an einem Abend nach dem Essen ausgerechnet mit ihm aus dem Haus, vielleicht nur, um Mihály etwas zu zeigen, was er bislang nicht hatte sehen wollen. Virág und Tamás schien es gleich zu sein, was die anderen sagen würden, wenn sie kurz hintereinander die Tafel verließen, und ich folgte ihnen unter einem Vorwand, als man sich am Tisch lange tonlos anschaute und Mihály so in sein Kaffeeglas starrte, als müßte er darin etwas suchen.

Tamás und Virág liefen hinunter zum See, Tamás mit großen Schritten, Virág mit ihren tänzelnden kleinen, und ich blieb weit genug hinter ihnen, damit sie mich nicht bemerkten. Virág sah ein bißchen verletzt aus, angegriffen, sie sah nach weniger aus als sonst, aber nicht bloß, weil sie neben Tamás so aussehen mußte, etwas an ihr schien zu fehlen. Sie liefen vorbei an den wenigen Häusern, den Bäumen, vorbei am Schilf, das seine helle Farbe verloren hatte, und weiter zum Sandstrand, der um diese Jahreszeit dunkel und hart ist. Seit Monaten war es zu kalt zum Baden und zu kalt für einen Wasserspaziergang, wie Tamás es nannte, wenn er die Hosenbeine hochschlug, um in Ufernähe barfuß durchs flache Wasser zu laufen. Trotzdem zog er Schuhe und Strümpfe aus, ging in den See hinein, nur ein paar Schritte, und drehte sich um, als wollte er fragen, was ist – wo bleibst du? Ich wußte, Virág würde ihm durch das eisige Wasser folgen, nur jetzt würde sie noch ein wenig warten. Sie hob flache Steine auf und warf sie so auf die Wellen, daß sie dreimal, viermal hochsprangen, bevor sie verschwanden. Es schien das einzige Geräusch zu sein, dieses Springen der Steine. Vielleicht bewegten sich irgendwo in unserer Nähe die Blätter eines Baumes, vielleicht blies irgendwo ein Wind, vielleicht schwamm da unten, irgendwo da unten ein Fisch.

Virág zog ihre Schuhe aus und malte mit nackten Füßen Kreise in den Sand. Obwohl ich hinter dem Schilf stand, konnte ich ihren kurzen Atem hören, als sie ihre Hosen mit beiden Händen hochraffte, um zu Tamás durchs Wasser zu waten, das vom Regen noch aufgewühlt war. Sie ging erst langsam, dann etwas schneller und blieb so dicht vor Tamás stehen, daß er die hellen Flecken in ihren Augen sehen mußte, die das Blaue in Stücke teilten. Tamás breitete seine Arme aus, streckte sie weg von sich, weg von Virág, die Hände zu Fäusten geballt. Virágs Brust hob und senkte sich, unruhiger als sonst, Virág stellte sich auf die Zehenspitzen, streckte ihren Kopf vor, und Tamás öffnete seine Hände und ließ ein paar Steine ins Wasser fallen. Für einen Augenblick sah es aus, als würden die beiden im See versinken.

Als Virág zurückkehrte, klebte Sand an ihren nassen Hosenbeinen, an den Ärmeln ihrer Jacke, und Wasser tropfte aus ihrem Haar auf den Boden, neben ihre Füße, die aussahen, wie in Paniermehl gewendet. Ági holte Decken und Handtücher, mein Vater legte Holz nach, und Zoltán goß Schnaps in Gläser, die Isti aus der Vitrine genommen hatte. Als sich Virág wieder an den Tisch setzte, taten alle so, als habe sie ihn nie verlassen. Mihály war längst gegangen.

Die Brüder kamen nicht, um sich zu verabschieden, nicht an diesem Wochenende. Sonst schauten sie vorbei, bevor sie die Fähre nach Siófok nahmen oder bevor sie losliefen, über die Landstraße, mit ihrem Gepäck, das sie auf den Rücken schnallten. Ági steckte ihnen immer etwas zu, Wein, Kuchen, in kleinen Kartons, und dann standen sie auf der Veranda, mit ihren Päckchen, bei jedem Wetter, und redeten so, wie man redet, wenn keine Zeit mehr bleibt, wenn man weiß, gleich ist es vorbei, gleich ist es zu Ende. Erst wenn Ági sagte, geht jetzt, ihr dürft den Zug nicht verpassen, Budapest wartet nicht, wenn sie ihre Handflächen zeigte, als wolle sie die beiden wegschieben, die Stufen hinunter, erst dann rannten sie los, über den Kieselweg, den Hügel hinab, mit dem hüpfenden Gepäck auf ihren Rücken, Mihály immer wenige Schritte vor Tamás. Und wir, Virág, Isti und ich, wir eilten zur Gartenpforte, um ihnen nachzusehen, und ich weiß, Virág schaute nur auf Mihály, nie auf Tamás, und sie blieb auch dann noch stehen, wenn die Brüder längst schon hinter den Baumreihen unten am See verschwunden waren, schaute in die Luft, ins Leere, ins

Nichts, und Isti und ich, wir fragten uns jedesmal, was es war, das sie dort sehen konnte. Jetzt aber, an diesem Sonntag, machten sich Tamás und Mihály nicht die Mühe, uns zu besuchen, bevor sie abfuhren, und Ágis Pappkartons blieben neben der Tür zur Speis auf einem Stuhl liegen, bis Isti ihre Schnur löste und anfing, den Kuchen selbst zu essen.

Karten und Briefe mit einem M für Mihály auf den vorgezeichneten Linien für den Absender kamen jetzt nicht mehr, und daß es so bleiben würde, hatten wir schnell begriffen, schon nach den ersten Tagen, in denen der Postbote nur noch Umschläge ohne M brachte. Wenn ein T mit einem Punkt auf dem Absender stand, faßte Virág den Brief nicht an. Er blieb ungeöffnet auf der Fensterbank liegen, neben vergilbtem Zeitungspapier und den Kästchen aus Blech, in denen Virág Nadel und Faden aufbewahrte, und Ági fragte, warum verbrennst du diesen Brief nicht gleich, was muß er im Fenster liegen?

Virág hatte keine Lust mehr, mit Isti und mir hinunter zum Haus am See zu gehen und dort herumzustreichen, wie Katzen, die nach Abfällen suchen. Nur wenn Isti ihr keine Ruhe ließ und sie an ihrem Kleid zog, bis zur Gartenpforte und weiter, kam sie, wenn auch widerwillig, mit uns. Unten am See blieb sie in der Nähe des Schilfes stehen, hinter dem ich mich versteckt hatte, als sie zu Tamás durchs Wasser gelaufen war. Sie ging nicht weiter, als sei dort ein Seil gespannt, als gebe es eine Absperrung, und erst wenn Isti sagte, Virág ist zu einer Säule erstarrt, Gott hat sie gestraft, weil sich jeder nach ihr umdreht, fing Virág an zu lachen und lief weiter.

Schnee fiel am See so gut wie nie. Schnee war etwas, das zu anderen Gegenden gehörte. Vielleicht hatten Orte wie Szerencs ein Recht auf Schnee, vielleicht hatte das sogar Vat. Vielleicht gehörte der Schnee so zu ihnen, wie etwas unbedingt zu einem Ort gehören muß, wie etwas nur zu einem Ort gehören kann – und zu keinem anderen. Nur Zoltán erzählte, früher sei in jedem Winter Schnee gefallen und habe den See bedeckt, dort, wo er vereist gewesen sei, und aus der Ferne habe man kaum sehen können, ob das Weiße der Schaum der Wellen oder Schnee gewesen sei. Am Ufer seien sie spazierengegangen, in hohen Stiefeln durch den Sand, durch das Wetter, und hätten auf die verschneiten Weinstöcke geschaut, auf die wenigen Kirchtürme und den See, auf den sich die Flocken gesetzt hätten. Mein Vater sagte, kein Schnee könne einen See bedecken, weil er schmelze, sobald er das Wasser berühre, und Ági erklärte, nie, nie habe es hier Schnee gegeben, schon gar kein Treiben, und es war, als ärgere sie sich über Zoltán, weil er so geredet hatte.

Selbst wenn es jetzt klingt, als hätte es nicht sein können: Schon in unserem ersten Winter am See fiel Schnee, und Virág weckte uns nachts, nachdem sie die Flocken von ihrem Bett aus gesehen, ihre Decke zur Seite geschlagen, ihren Mantel übers Hemd gezogen hatte, hinausgegangen war auf die Veranda, hinunter in den Garten, und sich den Schnee hatte auf die Knie, auf die nackten Füße fallen lassen, ohne dabei zu frieren. Virág war zu uns unters Dach gestiegen, hatte geflüstert, ich will euch etwas zeigen, und Isti hatte nach seiner Jacke gegriffen, nach seinen Schuhen und war die Stufen hinuntergestürzt. Bevor er die Tür zur Terrasse öffnete, standen wir eine Weile still und schauten hinaus in die hellblaue Nacht, ohne uns zu rühren, vielleicht, weil der Schnee vor dem Fenster etwas war, das wir vergessen hatten und jetzt zurückgekehrt war, zu Isti und zu mir.

Draußen vor der verriegelten Sommerküche lief Isti dem Schnee hinterher, streckte seine Zunge vor und versuchte, Flocken aufzufangen. Nach was schmecken sie?, fragte Virág, und Isti antwortete, nach Spitzli, nach besonders gutem Spitzli, und Virág fragte, was soll das sein: Spitzli?, und Isti lachte so laut wie selten und sagte, ich weiß es nicht, irgendwas wird es sein. Und dann streckte Virág ihre Zunge vor, sagte, mmh, diese Spitzli, köstlich, es gibt nichts Besseres als Spitzli, breitete ihre Arme aus, drehte sich im Kreis, dreimal, viermal, und sagte wieder und wieder, köstlich, diese Spitzli. Als genügend Schnee gefallen war, kneteten wir Bälle und warfen sie über die leeren Weinstöcke in Richtung See. Isti warf am weitesten, weil Virág und ich ihn gewinnen ließen, und als er das ahnte, sagte er, er spucke auf einen geschenkten Sieg. Er sagte es wirklich so: Ich spucke auf einen geschenkten Sieg.

Wir gingen hinunter zum Wasser, setzten die ersten Spuren in den Schnee, und Isti lief immer wieder ein Stück zurück und wieder ein Stück vor, um noch mehr Spuren zu hinterlassen. Er lief Kreise und Schleifen und Vierecke und Dreiecke und Os und Us und Achten und Sechsen und alles, was ihm sonst noch einfiel, und Virág fragte, ob er nicht auch das Haus am See einkreisen oder in ein Quadrat setzen wolle, und Isti antwortete, ja, warum nicht. Mihály sei da, seit langem wieder das erste Mal, das habe sie unten im Dorf gehört, gestern abend sei er angereist, jemand habe ihn im Wagen mitgenommen und vor seiner Haustür abgesetzt, und ein wenig klang Virág so, als habe sie Angst, Mihály könnte doch nicht gekommen sein. Isti lief um das Haus herum, setzte Linien und Punkte und Striche in den Schnee, stellte sich irgendwann auf den Vorsprung unter Mihálys Fenster und klopfte an die Läden, erst leise, dann etwas lauter. Virág stand hinter uns, fast zu weit, um noch zu uns zu gehören, den Kopf gesenkt, die Hände zusammengelegt, und erst, als wir glaubten, Isti schlage gegen die Läden eines leeren Zimmers, öffnete Mihály. Er sah nicht aus, als habe er geschlafen, auch nicht, als sei er überrascht, daß wir nachts an sein Fenster klopften, um zu sagen, Mihály, es schneit.

Er schenkte Virág einen Blick, der länger dauerte als sonst und etwas von ihm zeigte, das wir noch nicht kannten, das wir noch nie an ihm gesehen hatten. Dann nahm er Stiefel, Mantel und Mütze und kletterte zu uns hinaus. Isti lief zum Ufer und blieb stehen, dort, wo das Wasser züngelte, legte seinen Kopf in den Nacken, schloß die Augen und ließ den Schnee auf sich fallen. Ein bißchen sah er aus wie ein Sonntagskuchen, auf den man durch ein Sieb Puderzucker streut. Er zog Schuhe und Strümpfe aus, steckte seine Zehen ins Wasser und drehte sich zu uns, als wolle er sagen, es ist zu kalt zum Schwimmen. Mihály fragte, ob wir mit dem Boot hinausrudern wollten, bis zur Mitte des Sees?, und schaute dabei bloß Virág an. Ja, der Schnee sieht dort anders aus, sagte Virág, es wäre hübsch, vom See aus auf die Hügel zu schauen, darauf, wie der Schnee sie langsam zudeckt.

Mihály zog das Boot näher, das neben der Treppe aus Blech auf dem Wasser tanzte, ließ uns nacheinander hineinspringen, folgte uns, löste das Seil und ruderte langsam hinaus. Als er dachte, die Mitte des Sees erreicht zu haben, ließ er die Ruder los. Der Schnee senkte sich, wirbelte durch die Luft, wich zurück, bevor er das Wasser erreichte, und setzte sich auf unsere Kleider, auf unser Haar. Wir lehnten uns zurück, stützten uns auf die Ellbogen und schauten hoch in den treibenden Schnee, der dichter geworden war. Alles, was wir hörten, waren unsere Atemzüge und hin und wieder ein Ruder, das im Wasser ans Boot schlug.

Als wir zurückkehrten, stand Onkel Zoltán am geöffneten Fenster, streckte seine Arme hinaus und griff nach den Flocken. Er sagte, Kinder, schaut euch das an, Schnee fällt, und wir taten so, als zeige er uns etwas, was wir ohne ihn nicht gesehen hätten, und erwiderten, ja, Onkel Zoltán, Schnee fällt. Als wir wieder im Bett lagen, sagte Isti, Virág ist vom Schnee aufgewacht, der Schnee hat sie geweckt. Wie kann sie der Schnee geweckt haben, fragte ich, er fällt lautlos, niemand hört ihn, höchstens Onkel Zoltán, und Isti flüsterte hinter vorgehaltener Hand, er habe ihn auch gehört, den Schnee, jede einzelne Flocke habe er fallen hören. Dann zog er seine Decke höher, drehte sich zur Wand, und als ich glaubte, er sei eingeschlafen, fragte er leise, fast als würde er im Traum sprechen, hast du Tamás auch gesehen, wie er am Ufer gestanden hat, hast du ihn gesehen?

Als Mihály abfuhr, zurück nach Budapest, ließ Virág ihr Essen stehen und lief ohne Schirm hinunter zur Anlegestelle, obwohl es nach Schnee aussah. Sie wußte, Mihály würde die Nachmittagsfähre nach Siófok nehmen, und sie wartete an der Mole, bis er verspätet unten am Kartenhäuschen auftauchte und im Laufschritt den Fahrschein löste. Sie reichte ihm den Karton mit Kuchen und Wein, den Ági am Morgen gepackt und den Virág mit einer Schnur zugebunden hatte. Mihály und Virág küßten sich zum Abschied nicht mehr auf die Wangen, wie es jeder tat und wie auch sie es den ganzen Sommer lang getan hatten. Sie küßten sich gar nicht mehr. Sie standen und schauten auf den See, und als mein Vater schon zum dritten Mal mahnte, er müsse das Gitter jetzt hochziehen, ging Mihály an Bord, langsamer als sonst. Er blieb als einziger an Deck, trotz des Schnees, der jetzt fiel, und Virág rief seinen Namen übers Wasser, und andere Dinge noch, und sie war sicher, die Wellen würden ihre Worte zu ihm tragen. Mihály hatte es einmal so gesagt.

Virág hörte auf mit dem Sitzen und Warten. Morgens band sie ein rotes Tuch an ihr Handgelenk, lief die Stiegen hoch und runter, viele Male am Tag, als sei nichts leichter, und wenn wir im Haus saßen, ging sie durch den Garten, durch den Weinberg, vorbei an den Weinstöcken, manchmal bis zum See hinunter, und spielte Frühling oder Sommer, obwohl Grúzteewetter war, wie Isti sagte. Vor dem geklebten Spiegel wickelte sie Schals um ihren Hals, legte sie wieder ab, schlüpfte in Schuhe, stand wieder barfüßig da, setzte einen Hut auf, setzte ihn ab, steckte ihr Haar hoch und löste es, während wir ihr dabei zuschauten. Sie zog sich an und wieder aus, viele Male jeden Abend, so wie Isti und ich es getan hatten, als wir uns verkleideten.

Seit Mihály gefahren war, regnete es. Der Regen hatte den Schnee abgelöst, hatte ihn weggewaschen, weggewischt, ohne uns etwas zurückzulassen, aber Virág war es gleich, sie lachte über alles, selbst über ihren Vater, der jetzt so redete, daß es Isti und mich ängstigte. Er sagte, seine Knochen seien schwer vom vielen Wasser, das aufs Dach falle und das Haus tiefer in die Erde drücke. Er könne sehen, wie es sinke, jeden Tag weiter. Bald wären unsere Füße auf Fensterhöhe, dann würde die Erde die Fenster verschlucken, und wir würden die Türen nicht mehr öffnen können. Was dann?, fragte er uns, schaute zur Decke und legte seine flache Hand unters Fenster, als könne er uns so zeigen, wie weit die Mauern schon gesunken waren, und Isti schaute mich an, als wolle er fragen, stimmt das?

Als der Regen den See grau gefärbt hatte, grau wie flüssiges Blei, das wir in der Silvesternacht in kaltes Wasser geworfen hatten, um zu sehen, was wird, öffnete mein Vater die Sommerküche wieder und verschwand darin. Er verbrachte seine Tage auf der Liege, ohne sich zu rühren, ohne zu reden, er versteckte sich unter den Dekken, die wir nach Sommerende vor die Fenster gehängt hatten und die er jetzt abgenommen hatte. Wenn Virág ihm morgens sagte, es ist Zeit, zur Anlegestelle zu gehen, drehte er sich mit dem Gesicht zur Wand und zeigte ihr den Rücken. Ági brachte ihm mittags das Essen, das er stehen ließ und das nachmittags, wenn ich es wegtrug, so kalt und hart war, als hätte man es auf Eis gelegt. Mein Vater hörte uns nicht, wenn wir gegen die Scheiben schlugen, wenn wir an die Tür klopften, und er hörte Ági nicht, wenn sie jammerte, es ist zu kalt, Kálmán, hör auf, den Dummkopf zu spielen.

Virág erklärte, Post hat er bekommen, eure Großmutter hat ihm geschrieben, im Westen ist sie gewesen, um eure Mutter zu besuchen, und Isti fragte, in welchem Westen? Am nächsten Sonntag würde sie den Vormittagszug nach Siófok nehmen, an der Fähre sollten wir sie abholen, und Isti sagte leise, fast als wolle er, daß wir es nicht hörten, er habe gewußt, Großmutter würde kommen, der Schnee habe sie angemeldet, die Flocken hätten es ihm gesagt. Virág sorgte dafür, daß mein Vater am Sonntagmorgen aufstand und mit ihr hinunter zum See ging. Bis zum Haus hörten wir ihre Stimme, die sich hob und senkte, und mit der sie brüllte, ich sehe doch, wie du frierst, Kálmán, und wir, Isti und ich, wir hatten gar nicht gewußt, daß Virág das konnte, brüllen.

Von der Dachluke aus sahen wir sie später den Hügel hochsteigen. Mein Vater trug vor seiner Brust mit beiden Händen den Koffer meiner Großmutter, um den sie einen Ledergürtel gebunden hatte. Virág ging in der Mitte und hielt einen großen schwarzen Schirm über ihre Köpfe. Als sie vor der Verandatür standen, mit nassen Strümpfen, die an den Beinen klebten, gossen sie Wasser aus ihren Schuhen, und Zoltán schimpfte, was bringt ihr das Seewasser hoch zu uns. Meine Großmutter zog den Mantel aus, löste ihr Tuch, in das sie ein bißchen weinte, drückte Isti und sagte, Isti hat immer noch Farbe, gut sieht er aus, und wir anderen standen dabei und sagten nichts.

Ági servierte Kuchen, Virág brachte heißen Tee, Zoltán schenkte den ersten süßen Schnaps ein und leckte die Tropfen vom Flaschenhals, bevor er den Verschluß wieder aufsetzte. Isti ließ unserer Großmutter keine Ruhe. Er hatte an ihrem Mantel gezerrt, jetzt zupfte er am Ärmel ihres Kleides, und als sie am Tisch saß, nahm er ihr die Gabel aus der Hand und fragte, wann kommt sie? Erst als unsere Großmutter antwortete, sie kommt nicht, wurde Isti ruhiger. Ági legte Kuchen auf seinen

Teller, wie zur Belohnung, Isti verschränkte die Arme hinter dem Rücken, streckte sein Kinn vor, biß in den Kuchen, kaute so, daß wir hören konnten, wie er die Zähne aufeinanderschlug, leckte sich lange über die verschmierten Lippen, warf seinen Kopf in den Nacken und heulte wie ein Wolf, bis mein Vater ihn ohrfeigte, und dann fing Isti an zu weinen. Meine Großmutter sah zu Boden, Ági polierte ihren Ring, Zoltán goß Schnaps nach, obwohl noch niemand getrunken hatte, und Virág schaute zu meinem Vater, als wolle sie ihn auch ohrfeigen. Später räumte sie alles bis auf die Teetassen ab. Zoltán gab in seinen Tee vier Löffel Zucker, die er langsam verrührte. Isti drängte Großmutter, und sie fing an, von unserer Mutter zu erzählen. Mein Vater verließ beim ersten Wort das Haus. Keiner versuchte, ihn zurückzuhalten. Ági sagte zu Isti, siehst du, was du angerichtet hast, und dann wurde es so still, wie es sonst nie war. Selbst Zoltán blieb ruhig und nickte, als verstünde er jedes Wort, das meine Großmutter sprach, und wenn sie eine Pause einlegte, hörten wir, wie Virág mit dem Zündholz über die Tischkante fuhr, um ihrem Vater Feuer zu geben.

Sie habe sich sehr über ihre Tochter gewundert, die jetzt so rede wie die Leute aus Budapest, nicht mehr wie jemand aus Vat. Sie lebe in einer kleinen Wohnung, in einem Mietshaus, das der Staat neu gebaut habe, mit vier, fünf Stockwerken, weit vor den Toren der Stadt, in die sie jeden Morgen lange mit einer Straßenbahn fahre. Es gebe dort kaum Bäume, nicht an den Wegen, wie bei uns, auch nicht zwischen den Häusern, ein paar wenige habe man im Herbst gepflanzt, aber die habe schon der erste Wintersturm weggetragen, da war sie sich sicher. Zwischen den Häusern sei Erde aufgeschüttet, ohne Pflanzen, ohne

Gras, und jedesmal wenn es regnete – und es regne häufig, zu häufig –, müsse man in Gummistiefeln vom Haus bis zur festen Straße laufen und dort die Schuhe wechseln. In den Wohnungen habe man Gummibäume, bunte Böden aus Kunststoff, unter den Zimmerdecken Kreise aus Neon, und die Wände seien beklebt mit Streifentapeten, Tapeten mit hellen grünen Streifen.

Katalin.

Damals waren meine Mutter und ihre Freundin Vali aus dem Zug gestiegen, an einem Novembertag, wie es ihn nur bei uns gibt, mit dem ersten Frost, der über Nacht kommt und dem die Mittagssonne nichts mehr entgegensetzen kann, erzählte Großmutter, während Virág Tee mit der Kelle nachschenkte und Zoltán immer wieder mit seinem Löffel an die Tasse stieß, um den Kristallzucker zu verrühren. Es klang, als wolle er einen Takt vorgeben, als wolle er sagen, hört zu, hört gut zu. Vor der Grenze, am letzten Bahnhof, waren sie ausgestiegen, hatten trotz der Kälte das Fenster im Abteil herabgezogen, als der Zug einfuhr, und nach einem Schild gesucht, um sicher zu sein, dies war der richtige Ort, dies war der Ort, an dem sie den Zug verlassen mußten. Was stand auf dem Schild?, fragte Isti, und Großmutter erwiderte, deine Mutter hat es vergessen.

Als sie auf den Bahnsteig getreten waren, ohne Tasche, ohne Koffer, hatten sie ihre Kopftücher unter dem Kinn zusammengebunden, fester als sonst, hatten ihre Mäntel bis oben zugeknöpft, die Krägen hochgeschlagen, ihre Gesichter dahinter versteckt, so gut es ging, und nicht gewußt, ob sie vor Angst oder vor Kälte zitterten. Sie hatten versucht, nicht aufzufallen, versucht, so auszusehen wie jemand, der hier lebte, der immer schon hier gelebt hatte, wie jemand, der Hof, Mutter, Vater, Schwester, Bruder hier hatte, immer schon. Wenn sie wenigstens Gepäck gehabt hätten, hätten sie sich daran festhalten, hätten vorgeben können, auf jemanden zu warten, der schon unterwegs war, um ihnen die Koffer gleich abzunehmen. Sie wären erst später weitergegangen, sobald sich die Zugstation geleert hätte, sobald sich die anderen nach der ersten Umarmung an den Gleisen auf die wenigen Straßen verteilt hätten oder in einen Bus gestiegen wären, um zwei, drei Dörfer weiterzufahren. Aber so waren sie gleich losgegangen und durchs Dorf spaziert, im richtigen Tempo, wie sie glaubten, nicht zu schnell, nicht zu langsam. Niemand sollte denken, sie hätten es eilig oder wüßten nicht wohin. Trotzdem fielen sie jemandem auf. Jemand erkannte, daß sie fremd waren und einen Weg suchten, nach dem sie nicht fragen konnten. Ein Bauer war es, mit einer blauen Jacke ohne Kragen, dazu einer Mütze, die so fest auf seinem Kopf saß, daß die Haut über seinen Ohren weiß war – jemand, auf den man bestimmt nicht viel gab im Dorf. In diesen Tagen stand er an der Zugstation und hielt Ausschau, seit sich herumgesprochen hatte, hier würden sie ankommen, aus dem ganzen Land, von überallher, aus jedem Winkel des Landes, um den Weg über die Grenze zu suchen.

Neben seinem Fahrrad, unter einem Blechdach, etwas abseits vom Portal zur Halle mit ihren wenigen Sitzen, weit genug entfernt vom Eingang, den die Schaffner benutzten, wartete er, an jedem Tag, seit man hier die ersten Fremden gesehen hatte, die aus dem Zug gestiegen und losgelaufen waren, um kurz darauf von der Straße verschluckt zu werden, zwischen wenigen Bäumen, unter einem Novemberhimmel, irgendwo dort, wo dieses Land endete und ein anderes begann. Jeden Zug paßte er ab, seit er wußte, in Budapest war etwas geschehen, das bis hierher zu spüren war, seit er gehört hatte, Köpfe aus Stein hätten sie zerschlagen, die Scherben mit Füßen getreten, Schüsse seien gefallen, zu viele, jemand hätte die Welt angerufen, über das Radio, aber die Welt hätte sich verweigert, als hätte es niemand gehört, als hätten sie das Radio erfunden, aber nicht für uns.

Auch an dem Tag, als meine Mutter und Vali ankamen, stand der Bauer unter dem Dach aus Blech, neben seinem Fahrrad. Er beobachtete sie dabei, wie sie den Zug verließen, wie sie um sich schauten, über den Bahnsteig gingen und hinter den Türen der Zugstation ohne Ziel in irgendeine Richtung losliefen. Er folgte ihnen, über die Dorfstraßen, vielleicht zehn Schritte hinter ihnen, schob sein Fahrrad übers Eis, und meine Mutter konnte hören, wie sich die Räder durch die Asche drehten, die man vor den Häusern auf die Wege gestreut hatte. Sie versuchte, nicht auf dieses Geräusch zu achten, sondern auf das unter ihren Sohlen, wenn sie den Fuß aufsetzte, auf den Klang ihrer eigenen Schritte. Sie richtete den Blick auf die wenigen Lichter eines Hofes in der Nähe und versuchte, langsamer zu atmen, ruhiger.

An einer Kreuzung blieb der Bauer stehen, um ihnen einen Vorsprung zu lassen, vielleicht nur, um zu sehen, was sie tun würden, vielleicht nur, um ihnen zu zeigen, daß sie jemanden brauchten, der sie weiterführte. Meine Mutter drehte sich um, sah den Fremden an und versuchte, etwas in seinem Gesicht zu finden, das ihr die Angst hätte nehmen können. Als er wieder loslief, hakte sich meine Mutter bei Vali unter und befahl ihr, weiterzugehen, immer weiterzugehen und sich nicht umzudrehen. Dort, wo der Weg hinausführte zu den Feldern, sprach der Bauer sie schließlich an, vielleicht schon aus Mitleid, und dieses eine Mal war meine Mutter nicht entsetzt, daß ein Fremder es wagte, sie anzusprechen. Er sagte, er kenne die Felder, und für das Geld, das sie bei sich hatten, würde er sie nachts über diese Felder in den Westen bringen, wenn es das sei, was sie wollten, und meine Mutter und Vali schauten um sich, und da standen noch etwa zehn andere Männer und Frauen und Kinder, und alle nickten dem Bauern zu und nahmen ihr Geld aus den Taschen, um es ihm zu geben.

Vali zweifelte daran, ob er wie vereinbart zurückkommen würde, jetzt, da er sein Geld schon hatte, aber am Abend fing er sie doch am Dorfende ab, wo er gewartet hatte, mit einer Zigarette in seiner rechten Hand. In der Dunkelheit hatten sie die Glut und den Rauch sehen können, den er so in die Luft blies, als wolle er ihnen ein Zeichen geben, obwohl sie keines vereinbart hatten. Hinter den letzten Häusern verschwand er mit ihnen und wenig später in den Feldern, auf denen die Erde vom ersten Frost hart war. Meine Mutter trug ihre besten Schuhe, Schuhe aus hellem Wildleder, mit Absätzen, aus einem kleinen Geschäft in Pápa, das im Herbst zwei Modelle führte, und so lief sie über die Maisfelder, über die letzten Maisfelder unseres Landes, über Reste von Kukuruz, die trotz der späten Jahreszeit aus dem Boden ragten. Sie blieb mit ihren Strümpfen hängen, die Strümpfe rissen, sie blieb mit ihren Füßen stecken, die Schuhe lösten sich von ihren kalten Füßen, und meine Mutter kniete sich nieder und tastete mit den Händen nach ihnen. Nicht einen Laut gab sie von sich, wenn sie sich in dem, was auf den Feldern zurückgeblieben war, verfangen hatte. Aber sie wünschte sich, niemals in diesen Zug gestiegen, niemals diesem Fremden gefolgt zu sein, und sie schickte Stoßgebete, jedesmal wenn sie sich auf den Boden werfen mußte, weil der Lichtkegel eines Scheinwerfers über ihren Kopf gefegt war.

In der Dunkelheit, die vom Licht eines halben Mondes kaum durchbrochen wurde, rutschte sie immer wieder, stolperte, fiel auf ihre Hände, auf ihre Knie, auf ihr Gesicht. Vali zog sie am Gürtel ihres Mantels hoch und schimpfte, und der Bauer drehte sich um und legte einen Finger auf seinen Mund. Meine Mutter achtete auf kaum etwas in dieser Nacht. Nicht auf den Himmel über ihr, sternklar, wie seit Wochen nicht mehr, nicht auf die Kälte, nicht auf die Fremden vor ihr und hinter ihr, die nah beieinander blieben. Nur auf ihre Füße schaute sie, achtete darauf, einen Fuß vor den anderen zu setzen, ohne ihre Schuhe zu verlieren, und in Erinnerung blieb ihr allein das Reißen ihrer Strümpfe.

Als sie das letzte Maisfeld hinter sich ließen und unter wenigen Bäumen weitergingen, über ein Stück Erde, das niemandem mehr zu gehören schien, mußten sie sich noch einmal auf den Boden werfen. Ein Streifen aus Licht fuhr über die Felder, erst schnell, dann langsamer, kam vor ihnen zum Stehen, tauchte alle in ein mattes Gelb, und meine Mutter konnte jetzt jedes Haar auf Valis Mantel sehen. Sie lagen auf der Erde wie etwas, das man nach der Ernte nicht in die Scheunen gebracht hat und das beim nächsten Sturm vom Wagen fällt, über die Straße rollt und liegenbleibt, etwas, das erst später aufgesammelt wird, erst, wenn sich der Sturm legt. Ein Mädchen fing an zu flüstern, und es hörte sich an, als wollte es etwas aufsagen, einen Vers, einen Reim. Meine Mutter streckte eine Hand nach ihm aus, das Mädchen ergriff sie, und später sagte Vali, der Mond habe in diesem Moment ausgesehen, als sei er bloß festgesteckt mit ein paar Nadeln und könne jeden Augenblick hinunterfallen.

Sobald sich der Lichtkegel wieder bewegte, zurück über die Felder, standen alle auf das Kommando des Bauern hin auf, klopften sich den Schmutz von den Kleidern und liefen weiter, bis zu einem Baum, an dem der Bauer stehenblieb und seine Arme nach Westen hin ausbreitete. Vali nahm etwas Erde in ihre Hände, zerbröselte sie vor den Augen aller und ließ sie fallen, und der Bauer zeigte darauf und sagte, das ist Österreich. Schon am nächsten Abend würde er wiederkommen, erklärte er, mindestens hundert Menschen hätte er schon über diesen Weg geführt, und er war sicher, es würden noch einmal hundert werden, mindestens. Zurückgehen müsse er jetzt, allein, sprach er weiter, wie um etwas einzuleiten, und dann fragte er, ob sie nicht glaubten, daß ihm noch ein Opfer, ein kleines Opfer zustehe, weil sie doch alle heil angekommen seien, dort, wo sie hatten ankommen wollen. Im Vorbeigehen gab Vali ihm ihre Armbanduhr, das Mädchen nahm seinen Ohrschmuck ab und legte ihn in seine Hände. Meine Mutter sagte, sie besitze nicht mehr als diesen Mantel und diese zerrissenen Strümpfe, und als sie ein Bein vorstreckte und auf das bißchen Stoff darüber zeigte, fragte der Bauer, was ist mit diesem Ring?

Meine Mutter hob ihre rechte Hand, schaute auf ihre Finger, auf ihren Ring, und fragte: mit diesem? Der Bauer nickte, und meine Mutter zog den Ring langsam ab. Er glitt leicht von ihrem Finger, der in der Kälte schmaler geworden war. Der Bauer drehte den Ring zwischen seinen Fingern, und das wenige Licht reichte aus, um die Gravur zu lesen, sechs Buchstaben, die ein Goldschmied in Pápa in die Innenseite des Rings geritzt hatte, unter einer kleinen Lampe, zu einer Zeit, die zu weit zurücklag, um sich daran zu erinnern. Kálmán also, sagte der Bauer, steckte den Ring ein, und meine Mutter war wirklich ohne Ring über die Grenze gegangen.

Der Bauer hatte ihnen gezeigt, in welche Richtung sie weitergehen mußten, und war schnell hinter einer Reihe von Bäumen verschwunden. Dann liefen sie los, meine Mutter und Vali, so schnell sie konnten, ein bißchen aus Angst, ein bißchen aus Freude, und meine Mutter drehte sich noch einmal um, weil sie nicht glauben konnte, daß sie jemand hierhergeführt hatte, jemand, der nicht mehr war als ein Fremder und jetzt ihren Ring bei sich trug.

Hinter der Grenze, in einem neuen Land, verteilte man in einem Zelt Decken, auch an meine Mutter und Vali. Jemand sagte in unserer Sprache, bitte, nehmen Sie nur, und schenkte dabei Tee aus einer Kanne in Gläser. Meine Mutter trat mit einer Decke um ihren Schultern vor das Zelt, schaute erst auf ihre schmutzigen Schuhe, dann hoch zum Himmel, der jetzt klein und flach und nah aussah, nicht mehr endlos.

Jemand sprach Deutsch, er hatte sich meiner Mutter als Máté Pál vorgestellt, es war niemand da, der ihn hätte vorstellen können, und er bot meiner Mutter an, für sie zu übersetzen. In welches Land sie wolle?, fragte er. Meiner Mutter war es gleich, England vielleicht, oder Amerika, erwiderte sie, zuckte mit den Achseln und schaute Vali an. Vali schlug vor: Deutschland. Deutschland sei eine gute Wahl, sagte Máté Pál, auch er wolle nach Deutschland. Hier, in diese Reihe solle sich meine Mutter stellen, in diese Liste eintragen, mit Namen und Geburtsdatum, und meine Mutter und Vali stellten sich in die Reihe und schrieben ihre Namen mit einem Stift auf, den Pál für sie aus seiner Jacke geholt hatte. Er blieb neben meiner Mutter stehen, schaute auf die Buchstaben, die sie nacheinander auf die Liste setzte, und erlaubte sich, meine Mutter mit ihrem Vornamen anzusprechen. Katalin sagte er zu ihr, einfach Katalin.

Auch am nächsten Tag, als er mit meiner Mutter und Vali in einem Bus saß, der sie weiter in Richtung Nordwesten bringen sollte, vorbei an Bergen, die weder meine Mutter noch Vali je gesehen hatten, zuerst durch den fallenden Schnee, und später, hinter der nächsten Grenze, durch den fallenden Regen, der den Schmutz langsam von den Scheiben wusch. Meine Mutter wischte mit ihrer Hand über das beschlagene Fenster, versuchte, etwas zu sehen, etwas zu finden, hinter dem Glas, dort draußen: ein Licht, ein Haus, einen Zaun, irgend etwas, aber außer dem Regen, den der Wind auf den Fenstern zu halten schien, konnte sie nichts erkennen. Mit einem Finger malte sie einen Pfeil auf das Fensterglas, einen Pfeil, der in Fahrtrichtung zeigte, und Vali legte ihre Stirn auf diesen Pfeil und sagte meiner Mutter, sie würde sie fortan Kata Ringlos nennen, und nur noch so. Wenig später schlief sie mit dem Kopf am Fenster ein, und meine Mutter sah dabei zu, wie Vali beim Ausatmen jedesmal einen kleinen Kreis auf das Glas hauchte.

Meine Mutter schlief nicht, während der ganzen Fahrt nicht. Sie hörte auf den Motor, die Bremsen, die Scheibenwischer, auf Geräusche, die sie ein wenig beruhigten, und rieb ihre Füße aneinander, um den Dreck von ihren Schuhen zu streifen. Irgendwann setzte der Regen aus, und sie versuchte, die Straßenschilder zu lesen, jeden fremden Namen, von dem sie bis dahin nichts gewußt, nichts geahnt hatte, aber es gelang ihr nicht, sich die Namen einzuprägen, die Schilder tauchten zu schnell auf und verschwanden. Sie versuchte, das Gesicht des Fremden zu vergessen, der sie über die Felder gebracht hatte, aber es kehrte zurück, auch in den nächsten Wochen, sobald es dunkel wurde, kehrte es zurück, sobald sie nachts durch ein Geräusch, durch ein Licht aufwachte, war es da. Im Bus stand sie auf, um auf und ab zu gehen, vorbei an den anderen, die rechts und links von ihr schlafend in eine Zukunft fuhren.

Máté Pál hielt meine Mutter am Ärmel fest und flüsterte ihr zu, sie solle sich nicht sorgen, nicht ängstigen, schließlich habe er seine letzte Nacht im *Hotel Európa* in Budapest verbracht, und wenn dies kein gutes Omen sei, was dann? Meine Mutter antwortete, sie ängstige sich nicht, nicht ein bißchen, und glitt neben Vali, die unter einer Decke schlief, zurück auf ihren Sitz, lehnte den Kopf an Valis Schulter und versuchte, nicht mehr zu frieren, und später, fast schon am nächsten Morgen, entdeckte sie im Mond etwas, das sie bisher nicht hatte in ihm sehen können.

Einen Wechsel von Nacht zu Tag gab es nicht, bloß einen Wechsel von Schwarz zu Grau, und seit es am Morgen grau geworden war, starrte meine Mutter auf den Asphalt, der vorbeischnellte, auf den weißen Streifen, der ihn teilte, auf Häuserdächer, die grau und nicht rot waren wie bei uns, und auf den Regen, der jetzt wieder fiel und der anders aussah als bei uns. Irgendwann, vielleicht in der Mitte des Landes, bog der Bus ab und fuhr langsamer, vorbei an kleinen hellen Häusern, mit Gärten, die aussahen, als habe man sie ausgemessen. Wie bei uns fuhr irgendwo jemand im Regenmantel auf seinem

Fahrrad, wartete irgendwo jemand an einer Straße unter seinem Schirm auf einen Bus. Am Rande dieser kleinen Stadt setzte man sie ab, vor einem Tor mit einem Zaun aus Maschendraht und Baracken aus Holz dahinter. Jemand lief auf sie zu, begrüßte sie, jeden einzelnen, der aus dem Bus stieg, im Namen des Lagers, im Namen der Stadt, und Máté Pál übersetzte. Willkommen, sagte er, willkommen in unserer Stadt, und meine Mutter sah Vali an, und sie fragten sich beide, ob Máté Pál etwas dazudichtete, ob er sich in diesem Augenblick etwas ausdachte, damit es besser, damit es schöner klang.

Die meisten im Lager hatten ein Dorf verlassen, das nicht viel anders war als Vat, waren über dieselbe Grenze gelaufen, um jetzt in einer dieser Baracken zu sitzen, in einem dieser Zimmer, auf einer der vier Liegen oder an einem kleinen Tisch, auf einem der vier Stühle. Was sie kannten, hatten sie zurückgelassen, und jetzt glaubten sie daran, bald schon zurückzukehren, wenn alles vorbei, wenn alles wieder ruhig war. Wie lange wird es dauern?, fragten sie einander, als sie nach einem kurzen Abschied, an den sie sich immer wieder erinnerten, nach einer Nacht, in der sie über Felder gelaufen waren, und nach einer Reise in einem Bus, der sie weiter weg gebracht hatte, zum ersten Mal wußten, wo sie waren und warum. Zuerst feierten sie, was ihnen gelang, selbst ohne Gläser, ohne Wein, und dann versuchten sie, einander zu beruhigen. Nicht mehr als drei, vier Wochen, sagte einer, würde es dauern, und sie könnten zurück, und ein anderer warf ein, vielleicht auch fünf Wochen, aber niemals länger.

An der Kleiderausgabe gaben sie meiner Mutter und Vali zwei Nachthemden, zwei Röcke, zwei Pullover, und für Vali gab es ein Paar Schuhe dazu, ein Paar gebrauchte Schuhe, weil Vali die richtige Größe hatte. Die Füße meiner Mutter waren zu klein, Schuhe in Größe sechsunddreißig gab es keine, nicht bei dieser Kleiderausgabe, und meine Mutter durfte in den nächsten Tagen gehen und Schuhe kaufen, mit dem Geld, das man ihr gab, und Vali und die anderen im Lager sagten zu ihr, du hast es gut, sie lassen dich neue Schuhe kaufen. Jemand führte sie zu ihrem Zimmer, über einen nassen, glatten Boden, der gerade gewischt worden war, und zusammen mit zwei jungen Frauen aus dem Süden wurden sie in diesem Zimmer untergebracht, in einer von zwölf Baracken. Ihre Mäntel hängten sie in einen Schrank, neben einem Waschbecken mit abgeschlagenen Ecken und einem kleinen Spiegel darüber. Dann ließen sie so lange Wasser ins Becken laufen, bis es heiß wurde, bis Dampf nach oben stieg, stellten sich vor den Spiegel, der jetzt langsam beschlug, standen so eine Weile, ohne etwas zu sagen, und schauten sich in diesem Ausschnitt an, der kleiner und kleiner wurde, Schulter an Schulter, Kopf an Kopf.

Als meine Mutter sich nach diesem Tag, an dem nichts weiter geschah, was sich ihr hätte einprägen können, der ihr aber trotzdem in Erinnerung blieb wie kein anderer Tag ihres Lebens, als sie sich am Abend dieses Tages auf ihr Bett legte, war sie erschöpft und ruhelos und konnte nicht einschlafen. Vali zog ihr die schmutzigen Schuhe aus und stellte sie auf Zeitungspapier neben die Tür, neben Valis neues Paar Schuhe, rollte ihre Strümpfe von den Beinen, legte sie auf das Bettende und deckte ihre nackten Füße zu. Sie schob meiner Mutter ein Kissen in den Nacken, löste die Spangen aus ihrem Haar, strich über ihren Kopf und setzte sich neben sie, um ihr ins

Ohr zu flüstern, wir sind da, Kata Ringlos, wir sind im Westen.

Dann stand sie auf, ging zwei Schritte, auf das kleine Barackenfenster zu. Siehst du, das ist der Westen, sagte Vali und zeigte hinaus, auf einen Teil des Hofes, den man von hier aus sehen konnte, auf die nächste Baracke und das bißchen Himmel darüber, das sich schon am Nachmittag schwarz gefärbt hatte. Meine Mutter nickte Vali zu und wiederholte wie ein Schulmädchen, ja, wir sind da, das ist der Westen, legte sich auf die Seite, mit dem Gesicht zur Wand, und hüllte sich so in die Decke, daß Vali sie nicht mehr sehen konnte.

Árpi.

Máté Páls Bruder Árpád kam nach wenigen Wochen im Lager an, und Pál umarmte ihn draußen im Regen ohne ein Wort, dort, wo der Bus gehalten hatte, unter dem Licht einer Straßenlaterne, neben den anderen, die ausstiegen, um sich schauten und niemanden hatten, der auf sie wartete, der sie empfing. Seit dem frühen Morgen hatten meine Mutter und Vali neben Pál unter einem Schirm gestanden und auf diesen Bus gewartet, der denselben Weg gefahren war wie an den Tagen und Wochen zuvor und der sich trotz des Wetters kaum verspätet hatte. Sie hatten versucht, Pál ein wenig aufzumuntern, ihm die Angst zu nehmen, von der sie geglaubt hatten, über Nacht habe sie Páls Stimme und Verstand geraubt, die Angst, sein Bruder könne nicht in diesem Bus sitzen, auch im nächsten nicht, in keinem mehr.

Es war ihnen nicht gelungen, die Zeit zu verscheuchen, die ihnen an diesem Morgen nutzlos und lästig erschienen war, wie etwas, das man loswerden, das man abstreifen möchte. Vali und meine Mutter hatten Pál mit Witzen aufheitern wollen, aber mehr als zwei hatten sie nicht gekannt, und auch diese hatten sie kaum erzählen können, weil ihnen das, was den Witz witzig gemacht hätte, nicht mehr eingefallen war. Sie hatten angefangen zu singen, Lieder, die sie aus ihrer Mädchenzeit kannten, waren unter dem Schirm zwei Schritte nach rechts, zwei Schritte nach links gegangen, als wollten sie einen Tanz aufführen, mit Pál in ihrer Mitte, und irgendwann hatten sie Pál doch ein Lächeln abgerungen, das aber

nur zu sehen gewesen war, weil Vali sehr genau hinge-
schaut hatte.

Als der Bus in die Straße eingebogen war, hatte sich das
Licht der Laterne verändert. Es sah aus, als sei es tiefer
geworden, stärker, dieses Gelb, aber vielleicht war es
auch nur Páls Gesicht gewesen, das blasser geworden
war. Der Bus hatte gehalten, Vali und meine Mutter
waren zur Seite getreten, und als Pál seinen Bruder umarmte, standen sie daneben, unter dem Schirm, und hörten ein Geräusch, fast wie ein Wimmern, ohne sagen zu
können, von welchem der beiden Männer es kam, ob
überhaupt von ihnen.

Pál umschlang seinen Bruder und hielt ihn, fuhr mit den
Händen durch sein Haar, das jetzt naß wurde vom Regen, faßte ihn an den Schultern, setzte an zum Reden,
konnte aber nichts sagen und wischte sich mit dem
Ärmel seines Mantels übers Gesicht, immer wieder. Er
holte ein helles Stofftaschentuch aus seiner Hosentasche, rang eine Weile mit dem Weinen und dem Lachen,
hielt seinen Bruder mit beiden Armen von sich, um ihn
gleich wieder an sich zu drücken. Er drehte ihn, immer
noch draußen im Regen, zu meiner Mutter und zu Vali,
die dort, zwei Meter weiter unter ihrem Schirm standen,
und er stellte ihn als *mein Bruder Árpi* vor, und weil es
wie eine Einladung klang, nannten meine Mutter und
Vali ihn fortan auch so: unser Bruder Árpi.

Árpi sah anders aus als Pál. Er war blond, nicht dunkel,
und kleiner als Pál, schmaler auch. Er trug einen langen
Mantel, an dem noch etwas Schmutz von den Feldern
klebte, dazu den passenden Schal und Handschuhe aus
Leder, die er gewiß nicht an einer Kleiderausgabe ir-

gendwo hinter der Grenze bekommen hatte. Árpi trug sein Haar an der Seite gescheitelt, und wenn er seinen Kopf vorbeugte, fiel eine dicke Strähne in seine Stirn, die er mit einer langsamen Bewegung seiner Hand zurückschob, so vorsichtig, als könne er sich dabei verletzen. Über seinem rechten Auge saßen zwei dunkle Flekken, dicht beieinander, und wenn Árpi lachte, was selten geschah, verschwanden sie in einer Falte. Weil Pál darauf bestand, bekam Árpi das Bett neben ihm, und sie teilten sich den Schrank hinter dem Waschbecken, in den nicht viel mehr paßte als ihre beiden Mäntel. Schon am nächsten Tag schöpfte Árpi im Speisesaal Essen in Teller, verteilte es an den Tischen, und half seinem Bruder, jedesmal wenn jemand ein Papier brachte, eine Zeitung, einen Amtsbrief, ein Dokument, mit der Frage: Was soll das heißen? Abends stand Árpi am Fenster, an diesem kleinen Barackenfenster mit seinen kurzen Vorhängen, die zur Seite geschoben waren, und schaute hinaus in den Hof und aufs Tor, stundenlang, als wartete er darauf, dieses Tor für jemanden öffnen zu können, und nachts, wenn die anderen in ihren Betten lagen, lief er die Straße vor dem Lager auf und ab, weil er nicht schlafen konnte, und Vali, die ihn einmal so sah, fragte meine Mutter, was ist los mit diesem Árpi?

Sobald Árpi mehr als drei Zuhörer hatte, im Zimmer, am Tisch oder draußen vor dem Zaun, hinter den Barakken, wo man trotz der Kälte und des Regens oft und lange stand und sprach, fing er an zu stottern, weil ihm die Worte vor zu vielen Gesichtern verlorengingen und er sie nicht wiederfinden konnte, wie sehr er auch nach ihnen suchte – so erklärte es Árpi selbst. Vali glaubte, zweimal hinschauen zu müssen, um Árpi einmal sehen zu können. Wie etwas Halbes sehe er aus, etwas, das geteilt worden sei, sagte sie zu meiner Mutter, jedesmal wenn sie mit Árpi gesprochen, jedesmal wenn sie mit ihm gegessen hatten. Trotzdem gehörte Árpi sehr schnell zu den wenigen, deren Namen jeder im Lager kannte. Selbst der Hausmeister zog vor Árpi den Hut, vielleicht, weil er in ihm etwas sah, das er in den anderen nicht finden konnte, und nach dem ersten Spaziergang durch das Städtchen, als Árpi seinen Schirm auch über Valis Kopf gehalten und ihr seinen Schal um die Schultern gelegt hatte, gestand Vali meiner Mutter, dieser Árpi, er gefällt mir.

Árpi hatte zu spät versucht, nachts mit seinen Freunden über die Grenze zu gehen, sie hatten zu lange gewartet. Sogar nach den fünf Tagen himmlischer Ruhe, wie sie später genannt wurden, in denen niemand wußte, was war oder was kommen würde, selbst da hatten sie noch gewartet, auf was, hatte Árpi nicht mehr sagen können. Erst als sie ahnten, was geschehen war, mit ihnen und diesem Land, als sie sicher waren, jetzt würden sie es nicht ändern können, vielleicht nicht einmal später, weil etwas aufgehört hatte, sich zu bewegen, weil es mitten in seiner Bewegung einfach stehengeblieben war, erst da setzten sie sich in einen Zug, der Richtung Westen fuhr.

Sie stiegen weiter südlich als meine Mutter und Vali aus einem Zug, fielen in einem Dorf auf, weil sie eine Fahne trugen und Lieder sangen, so laut, daß die Menschen im Dorf nach einem Blick auf die Straße Tore und Fensterläden schlossen. Sie wurden von Grenzposten entdeckt und festgehalten und hinter dem Zoll in eine Amtsstube gebracht, in der es nach Rauch und Bohnerwachs stank. Sie mußten warten, auf was, wußte keiner, vielleicht nicht einmal der Grenzposten, der die ganze Nacht über vor der Tür stand und eine Zigarette nach der anderen rauchte, Árpi und seinen Freunden aber nicht eine davon anbot. Als Árpi versuchte, auf ihn einzureden, mit den wenigen Worten Russisch, die er kannte, und seine Sätze begann mit *jeder von uns* und *wir alle*, schaute der Grenzposten zu Boden. Árpis Worte konnte er zwar hören, aber nicht eines davon verstehen, und ein wenig sah er aus wie ein Kind, das auf seine Strafe wartet und nicht wagt, seinen Kopf zu heben, aber vielleicht wollte es Árpi auch nur so sehen. Als er den Soldaten fragte, ob er ihn nicht hören, nicht verstehen könne, ob er deshalb langsamer sprechen solle, und dabei seine Hand am Ohr kreisen ließ, fast wie eine Drohung, ach, und ob er vielleicht auch für sie eine Zigarette hätte, eine von diesen guten dunklen russischen, sie würden es ihm danken, legte einer von Árpis Freunden die Hand auf Árpis Arm, um ihm zu bedeuten: Hör auf damit, laß ihn, es ist sinnlos.

Nach Mittag wurden sie abgeholt, in den Laderaum eines Wagens gedrängt und weggefahren, ohne daß ihnen jemand gesagt hätte, wohin man sie bringen würde. Auf einem Boden aus Filz saßen sie, getrennt durch eine Wand aus Blech von zwei Soldaten im Fahrerhaus, die während der ganzen Fahrt nicht sprachen. Árpi und seine Freunde konnten nicht sagen, wie lange sie unterwegs waren. Sie hatten kein Gefühl dafür, sie hatten es verloren, in der Nacht davor oder spätestens dann, als man sie zum Wagen gestoßen hatte.

Sie versuchten, durch zwei Schlitze an den Seiten zu schauen, eine Straße zu sehen, ein Schild, irgend etwas, das ihnen hätte zeigen können, wo sie waren und wohin sie sich bewegten. Aber nichts konnten sie erkennen, nur den Regen hörten sie, nachdem sie losgefahren waren. Mindestens eine Stunde lang fiel er, vielleicht länger, in einem Moment so heftig, daß sie glaubten, er könne das Dach einreißen. Als Árpis Freunde anfingen, vor Kälte zu zittern und gegen den Schlaf zu kämpfen, hielt der Wagen, zwischen Gartenlauben, Mauern und Zäunen. Einer der Männer öffnete die Türen, entließ Árpi und seine Freunde mit einem Tritt in den Hintern und warf ihnen die Fahne nach. Sie liefen los, taumelnd, fast blind nach der langen Fahrt im Dunkeln, und drehten sich nicht mal mehr um nach dem Wagen, der jetzt zwischen Zäunen, hinter einem Häuschen aus Holz verschwand.

Sie gingen in irgendeine Richtung, weg von dieser Kolonie aus Gartenlauben, vorbei an Schildern mit Namen, die sie nicht gekannt, von denen sie nie gehört hatten, über fremde Straßen, wo sie ihre Fahne am Wegrand liegenließen, weil sie keiner mehr tragen wollte. An einer Bahnschranke fragten sie den Erstbesten, wie die Stadt heiße, auf die sie jetzt zulaufen. Budapest, antwortete der Fremde und schaute sie an, als seien sie schwachsinnig. Den Weg zum Bahnhof wollten sie wissen, und der Fremde sagte, zu Fuß würde es zu lange dauern, sie könnten unmöglich gehen, schon gar nicht auf diesen Gleisen. Den Bus sollten sie nehmen, nur wenige Straßen entfernt, aber sie liefen weiter, erst über die Gleise, dann weiter, zum Wasser hinunter und am Fluß entlang, über Wiesen, die der Herbst längst schon braun gefärbt hatte, vorbei an verlassenen Bootshäusern und Ruderbooten, die auf dem Wasser lagen.

Sie gingen so lange, bis sie die ersten Häuser der Stadt sehen konnten, suchten sich ein Boot, groß genug für alle drei, sprangen hinein, einer nach dem anderen, setzten sich nebeneinander, ganz dicht, und breiteten eine Rolle Kunststoff, die unter einem Haufen Schnüre im Boot lag, über sich aus. Auf dem Wasser zu sein machte ihnen trotz der Kälte nichts aus, es beruhigte sie sogar, auf einem Fluß in einem Boot zu schaukeln. Einer fing an, die Nationalhymne zu pfeifen, dann sang er sie, erst im Scherz, dann ein wenig ernster, Gott segne undsoweiter, und mit dieser Stimme, mit dieser Melodie an seinem Ohr schlief Árpi ein.

Bevor es hell wurde, wachten sie auf, fast gleichzeitig, in feuchten, kalten Kleidern, mit steifen Händen und einem Hunger, den sie in den Stunden und Tagen davor vergessen hatten und der jetzt um so stärker war. Sie liefen weiter am Fluß entlang, hinter ihrem kalten Atem, vorbei am Gellért, das sie kannten, von einer Postkarte oder einem Foto, das ihnen jemand aus der Hauptstadt geschickt hatte, und schließlich über eine Brücke nach Pest, um dort an einem Bahnhof in den ersten Zug zu steigen, der sie wieder in die Nähe der Grenze bringen würde.

Bei Árpis zweitem Versuch, nach Österreich zu laufen, hielten die Grenzposten ihn und seine Freunde im Licht eines Scheinwerfers fest, weil sie sich zu spät, vielleicht zwei Sekunden zu spät, auf den Boden geworfen und die Köpfe unter ihren Armen versteckt hatten. Sie wurden von Soldaten gefaßt und noch draußen auf den Feldern getrennt und abgeführt. Alle fünf, sechs Schritte drehten sie sich um und winkten einander zu, so, als wollten sie sich ein Zeichen geben, ohne zu wissen, wie dieses Zeichen aussehen oder was es bedeuten sollte. Als Árpi sich ein letztes Mal nach den anderen umdrehte, waren sie verschwunden, irgendwo auf diesen Feldern, unter diesem Streifen Himmel, als hätte es sie nie gegeben, und dieses Bild war es, das jetzt abends zu Árpi zurückkehrte, wenn er die Straße vor dem Lager auf und ab ging, dieser letzte Blick über die Felder.

Noch in dieser Nacht wurde Árpi mit einem Transporter in die Nähe seiner Heimatstadt gebracht, nur zwei Dörfer, dann noch ein paar Straßen weiter, und später fragte er sich und die anderen im Lager, warum er nicht nach Hause gegangen war, um sein Leben dort weiterzuleben, um es fortzusetzen, die letzten Tage einfach zu übergehen wie etwas, das nicht passen wollte, das nicht einzufügen war. Er fragte sich, was es gewesen war, das ihn dazu gebracht hatte, es wieder und wieder mit dieser Grenze zu versuchen, mit diesem Strich Land, diesem flachen Graben zwischen Ost und West. Diesmal entließen sie Árpi nicht mit einem bloßen Fußtritt. Sie sperrten ihn ein, in eine der Schulen, die man jetzt benutzte, weil es keine Gefängnisse mehr gab, die noch jemanden hätten aufnehmen können. Gleich in der ersten Nacht sprang Árpi aus einem Fenster im oberen Stock, verletzte sich den Fuß, versuchte hinkend, das Schulgelände zu verlassen, wurde erwischt von einem Wachposten, der ihn mit Stiefeln die Treppen hochtrat, Stufe für Stufe zurück zum Klassenzimmer.

Árpi legte sich auf den Boden, auf die Dielen aus Holz, zwischen die Schulbänke, und seinen Fuß, den er mit einem nassen Tuch verbinden durfte, stützte er an die Wand. Er blieb so liegen, tagelang, schaute sich die Schulbänke von unten an, ließ seinen Blick wandern, von Bank zu Bank, und hoffte darauf, die Schwellung an seinem Fuß würde zurückgehen. Bei Tageslicht schlief er ein, und nachts, wenn die anderen schliefen, blieb er wach. Immer wieder befühlte er seinen Knöchel und hörte dabei auf die Geräusche im Hof und auf der Straße, auf Stimmen, auf einen Motor, auf das Schlagen einer Tür, auf die Räder eines Wagens, auf das Bellen eines Hundes. Er wartete so lange, bis er seinen Fuß wieder bewegen und mehr als zwei Schritte laufen konnte.

Jeden Tag versicherte Árpi den Soldaten, er wolle nicht in den Westen, nein, und den anderen im Klassenzimmer sagte er, er wolle zurück in seine Heimatstadt, nur noch dorthin, zurück zu seiner Familie, zu Mutter und Vater, und er wiederholte es oft genug und laut genug. Als sein Fuß fast geheilt war, tat er sich mit jemandem zusammen, einem Lajos, und sprang nach ihm aus dem Fenster, in der ersten Nacht, in der sie zwei Wachposten abgezogen hatten. Sie rannten über den Hof, kletterten über den Zaun, Árpi zog sich an den Armen hoch, weil sein Fuß ihn schmerzte, und dann liefen sie die Straße hinunter, schnell, keuchend, stolpernd, ohne einen Blick zurück, hinaus aus dem Städtchen, dessen Wege leer und still waren in dieser Nacht. Über die Felder kamen sie bis zum nächsten Dorf, und hinter den letzten Häusern nahmen sie einen Weg, von dem sie glaubten, er würde Richtung Westen führen. Und dort, erst dort, vor einem Graben, über den Árpi nicht springen konnte, blieben sie stehen, schnappten nach Luft, kamen wieder zu Atem, schauten sich an und fingen an zu lachen, zuerst nur leise, dann lauter, schließlich so laut, daß sie glaubten, man hätte es bis zur Schule hören müssen.

Diesmal teilte Árpi den Weg zur Grenze in kleine Abschnitte, weil er glaubte, so keine Spuren zu hinterlassen, für wen auch immer. Erst nahmen er und Lajos einen Zug, aus dem sie nach vier Stationen ausstiegen, weil er kaum schneller fuhr als sie liefen, selbst mit Árpis verletztem Knöchel. Eine Weile gingen sie über die Landstraße, und jedesmal wenn sie einen Motor hörten, drehten sie sich um, sofort bereit, in einen Graben zu springen, wenn am Ende des Weges ein Wagen mit Soldaten aufgetaucht wäre. Dann fuhren sie mit einem Bus, nicht länger als zwei, vielleicht drei Stunden, und es wunderte sie, daß sie niemandem auffielen, so, wie sie da saßen, ohne Gepäck, mit schmutzigen Haaren und Kleidern, mit einem Fuß, von dem Árpi den Schuh gezogen hatte und den er jetzt auf einem Sitz ruhen ließ.

Als es dunkel wurde, sagte Árpi, er könne nicht einen Meter mehr laufen mit diesem Fuß, und auch Lajos müsse sich ausruhen, wenn sie beide heil über diese Grenze kommen wollten, und dann klopften sie irgendwo südlich von Szombathely an ein Tor, Árpi konnte später nicht mehr sagen, warum ausgerechnet dort, bei diesem Haus, bei diesem Hof, vielleicht war es das Licht in seinen Fenstern, vielleicht war es auch nur die Müdigkeit, die sie nicht weitergehen ließ. Der Fremde stellte keine Fragen, er schaute an beiden hinab, sein Blick blieb an ihren schmutzigen Kleidern und an Árpis losem Schuh haften. Als Árpi erklärte, er und Lajos seien Studenten aus Szombathely, die hier in der Nähe ausgeraubt worden seien und am nächsten Morgen wieder zurückwollten, winkte der Mann ab und schaute sie an, als hätten sie ihn beleidigt. Für die Nacht überließ er ihnen die Scheune, schloß das Tor hinter ihnen und sagte, rauchen sollten sie nicht.

Am Morgen bat er Árpi und Lajos zu sich in die Küche, stellte Brot auf den Tisch, dazu ein Stück Butter, und als für einen Moment niemand etwas sagte, fing in Árpis Kopf ein Schmerz an, sich auszubreiten. Kein Schmerz, wie man ihn haben kann nach einer Nacht, in der man zuviel getrunken hat, oder nach einem Fieber, einer Anstrengung, sondern ein Schmerz, von dem Árpi ahnte, er würde sich so schnell nicht auflösen, vielleicht gar nicht mehr. Obwohl sie noch gut dort hätten sitzen können, in dieser Küche, in der es kein Radio, keine Uhr gab, nichts, was sie hätte drängen können, verabschiedeten sich Árpi und Lajos bald, und der Fremde lehnte es ab, auch nur einen Forint von ihnen zu nehmen – wo sie doch ausgeraubt worden seien.

Abends kamen sie in Grenznähe an, liefen über die Felder, nicht mehr dort, wo Árpi und seine Freunde es zuvor versucht hatten, sondern viele hundert Meter weiter südlich, weil Árpi sagte, es sei ein Unglücksstreifen, den sie meiden müßten. Árpis Fuß hörte auf zu schmerzen, oder Árpi vergaß, daß sein Knöchel verletzt war, weil es ein Abend war, an dem man solche Dinge vergessen konnte. Árpi und Lajos ließen sich in den Schlamm fallen, sobald sie den geringsten Laut hörten, ein Zischen, ein Rascheln, oder wenn sie ein Licht sahen, dort, wo vorher nichts zu sehen gewesen war. Auf Knien rutschten sie, stützten sich auf die Ellbogen, vermieden das Flüstern und gaben sich höchstens Zeichen. Später sagte Árpi, der Himmel habe angefangen, sich zu drehen, und mit ihm hätten sich auch die Felder gedreht, und er und Lajos hätten kaum mehr gewußt, in welche Richtung und wie lange sie sich noch so auf den Ellbogen würden durch den Dreck schieben müssen. Als sie glaubten, einen Motor zu hören, sprangen sie auf und rannten los, so schnell sie konnten, so schnell es Árpis Fuß erlaubte, über Steine, Stöcke, einen Graben hinab und wieder hinauf, durch ein kleines Stück Wald, bis zu einem Hof, ohne Lichter, ohne Zaun, und in der Dunkelheit öffneten sie eine Tür, die erste, auf die sie stießen, um sich zu verstecken, um wieder zu Atem zu kommen, und dort, in einem Schweinestall, fluchten sie und spuckten auf den Boden, weil sie glaubten, im Kreis gelaufen zu sein.

Lajos zündete ein Streichholz an, das wenige Licht fiel auf eine Wand, auf der etwas in großer Schrift stand, was sie kaum erkennen konnten. Lajos trat mit der Flamme in seiner Hand näher, las die Worte langsam und laut, und als er nicht eines davon verstehen konnte, weil es nicht seine Sprache war, legte er seine Hände zusammen und hielt sie hoch, immer noch mit dem Streichholz, zuerst vor seine Stirn, dann hoch zur Wand. Árpi ließ sich auf den Boden fallen, mitten ins Heu, Lajos fing an zu lachen, erst zögernd, leise, dann schneller, lauter, zeigte auf die Schweine und rief, es sind österreichische Schweine!, wunderbare österreichische Schweine!, und Árpi zündete noch ein Streichholz und noch ein Streichholz an, damit sie etwas sehen konnten, und Lajos ging auf die Tiere zu, packte ein Schwein an seinen Ohren, was schwer war, küßte es, auf seinen schmutzigen Kopf, und fragte, Árpi, sei ehrlich, hast du jemals ein so schönes Schwein gesehen?, und Árpi sagte, nein, niemals habe ich ein so schönes Schwein gesehen – ich schwöre.

Lajos? Er ging nach Amerika, zumindest hatte er das vor. Erst wollte er eine Weile in Wien bleiben und Geld besorgen, für eine Schiffspassage über den Atlantik. Er sagte, er bräuchte zwischen sich und dem, was hinter ihm lag, viel Wasser, sehr viel Wasser, am besten Unmengen von Wasser, und er wußte nicht, ob der Atlantik dafür groß genug sein würde. Árpi stieg also allein in einen Bus, fuhr allein durch eine Nacht, und jetzt, sagte er, wache er jede Nacht mit demselben Gedanken auf, mit dem Gedanken, etwas habe ihn nicht weglassen wollen, er habe nicht auf die vielen Zeichen gehört, die er hätte zu deuten wissen müssen, und Pál, meine Mutter und Vali sagten, du hast sie richtig gedeutet, du hast sie alle richtig gedeutet.

Wenn Árpi in diesen Tagen nachts auf der Straße auf und ab ging, trotz seines kranken Fußes, bis zur nächsten Kreuzung und wieder zurück, allein, ohne Gesellschaft, auch wenn man sie ihm angeboten hatte, wenn er so lief, als sei es seine Aufgabe, die anderen zu bewachen, dann versuchte er, diesem Schmerz zu entkommen, der sich seit jenem Morgen hinter seiner Stirn festgefressen hatte, wie Árpi sagte. Er legte seine Hände an die Schläfen und drehte und wendete den Kopf, als könne er sich so von diesem Schmerz befreien, als könne er ihn so aus seinem Kopf pressen. Es höre nicht auf, in ihm zu schreien, sagte Árpi, und meine Mutter fragte Vali später, weißt du jetzt, was mit diesem Árpi ist?, und Vali antwortete, ja, jetzt weiß ich es.

Inge.

An dem Morgen, als Árpi anfing, in Worten und nicht mehr in Bildern zu träumen, als er sagte, die Bilder seien verschwunden und er müsse selbst im Schlaf Buchstaben zusammenfügen, als er fragte, wann solle er, wann dürfe er sich ausruhen?, verließen meine Mutter und Vali das Lager. Nicht wegen Árpi, eher wegen der großen Schlägerei, bei der zwei Männer aneinandergeraten waren, die sich zuerst betrunken, dann beschimpft und dann verprügelt hatten.

Meine Mutter und Vali fuhren Richtung Norden, mit einem Bus, zu dem sie die Brüder Máté an einem Morgen im Dezember brachten, während die anderen im Lager noch schliefen. Vali und meine Mutter hatten über Nacht beschlossen wegzugehen. Warum in dieser Nacht, wußten sie nicht mehr, vielleicht war das Ticken des Weckers lauter, vielleicht war das Licht einer Straßenlaterne heller als sonst gewesen. Vielleicht hatten sie auch genug von allem, von den Kartenspielen am Abend, mit einem, den die Männer Kapitän nannten, von den fünf Mark Taschengeld die Woche und den Dingen, die man an sie verteilte, Perlonstrümpfe mit Naht an die Frauen, Zigaretten an die Männer. Sie waren aufgewacht, nebeneinander, wie in den Wochen zuvor, wie an jedem Morgen, seit sie hier angekommen waren, hatten sich angeschaut und gewußt, jetzt, heute, an diesem Morgen würden sie ihre Sachen packen, die wenigen, die sie hatten. Vielleicht, weil sie den Geruch in den Baracken nicht mehr ertragen konnten, vielleicht, weil

sie dieselbe Straße nicht länger auf und ab gehen wollten, vielleicht, weil ihnen etwas im Städtchen, draußen
im Hof, im Speisesaal, im Klappern der Löffel gesagt
hatte, es ist Zeit.

Jemand im Lager hatte sie wissen lassen, daß sie jederzeit in einer Stadt weiter oben im Norden würden arbeiten können, sogar ein Zimmer würde man ihnen überlassen, dazu gebe es Frühstück und ein warmes Essen
jeden Tag. Und so fuhren sie, an diesem Morgen, in eine
Zukunft, die sie nur ahnten und sich ein wenig so vor-
stellten wie das, was sie hier, zwischen den Zäunen des
Lagers und in den Straßen ringsum gesehen hatten,
wenn sie aus dem Barackenfenster in den Hof geschaut
oder wenn sie sich in einen Bus gesetzt hatten, um drei,
vier Stationen später auszusteigen und durch das Städtchen zu laufen.

Als sie die Tore zum Lager hinter sich schlossen, steckte
Árpi Vali einen Zettel zu, den sie in ihre Manteltasche
gleiten ließ, ohne darauf geschaut zu haben. Sie mußten
den Brüdern Máté versprechen zu schreiben, jede Woche
eine Karte, mindestens, und sie mußten versprechen, daß
sie sich wiedersehen würden, bald schon. Sobald einer
von Arbeit wüßte, von besserer Arbeit, nicht dort oben
im Norden, sondern hier in der Nähe, in einer Stadt, in
der sie leben könnten, alle zusammen, würde er den anderen schreiben, das hatten sie einander versichert. Und
Weihnachten, fragten die Brüder Máté, und sie wieder-
holten es oft, dieses eine Wort: Weihnachten, sollten sie
nicht an Weihnachten zusammen sein? Sollten sie, sagten
Vali und meine Mutter, stiegen in den Bus, mit einer Tasche nur, ohne Koffer, immer noch, nahmen zwei Stufen
auf einmal und setzten sich ans Fenster, dort, wo Árpi

seine Hand auf die Scheibe gelegt und der Staub die feinen Rillen seiner Finger gezeigt hatte.

Der Abdruck blieb. Selbst das Wasser, das hochspritzte, jedesmal, wenn der Bus durch Pfützen fuhr, ließ diese Stelle aus. Allein schon deswegen, sagte Vali, müsse sie Árpi wiedersehen. Sie holte den Zettel aus ihrer Manteltasche, las laut vor, was Árpi geschrieben hatte, und wiederholte es während der Fahrt so oft, bis meine Mutter es nicht mehr hören wollte.

Nach Stunden kamen sie an, in einer Stadt, die so grau gewesen war wie bei uns der Schmutz auf den Straßen, mit wenigen Menschen, die von Tür zu Tür liefen, durch einen Regen, der aussah, als sei er nur für diese Stadt gemacht, als würde er zu fallen aufhören, dort, wo die Stadt endet und der Weg hinausführt, vorbei an den letzten Häusern, hin zum nächsten Ort. Die wenigen Auslagen zeigten rote Sterne aus Papier und Christbaumkugeln, die meine Mutter wenige Tage später von ihrem ersten Geld für Isti und mich kaufte, um sie in Watte zu stecken, in Tücher zu wickeln, in einen kleinen Karton zu packen und zu uns nach Vat zu schicken, wo das Paket nie ankam.

Es war eine Stadt gewesen, in der es nicht nur an diesem Tag, sondern fast immer regnete, wo die Häuser dunkler waren, wo sogar der Himmel dunkler war als bei uns. An jedem Morgen stellte sich meine Mutter an das Fenster in ihrem Zimmer, suchte nach einem Stück Himmel, nach einem Ausschnitt, gleichgültig, wie klein, aber der Himmel blieb hinter zu vielen, zu dichten Wolken versteckt. Vali sagte, das ist der Winter, wie zum Trost, aber auch als der Frühling kam, änderte sich an diesem Himmel nichts.

Jede Woche schrieben sie an die Brüder Máté eine Karte, wie versprochen, immer sonntags, wenn sie zusammen vor einer Heizung auf Rädern saßen, nur zwei, drei Sätze, so viel, wie auf einer Karte Platz hat. Sie wußten kaum, was sie schreiben sollten, schon bei diesen wenigen Zeilen nicht, denn geschehen war in ihrem Leben nichts mehr. Morgens zogen sie sich an, um zu arbeiten, und abends legten sie sich in ihre Betten, um sich von der Arbeit auszuruhen. Weihnachten verbrachten sie nicht mit den Brüdern Máté. Sie konnten den Bus nicht bezahlen, weil sie ihr erstes Geld für Geschenke ausgegeben hatten, die dann in Paketen, auf Postämtern, zwischen fremden Händen verlorengingen. Pál und Árpi feierten im Lager, an einem der Tische im Speisesaal, der an diesem Abend leer aussah, wie Árpi später erzählte, obwohl jeder Stuhl besetzt war. Vor roten Kerzen und Sternen aus Stroh saßen sie und versuchten mitzusingen, als die anderen damit anfingen, aber etwas hinderte sie daran, etwas, das sich in ihre Köpfe geschlichen hatte, etwas, das sie an diesem Abend nicht singen ließ.

Eine Wirtin hatte meine Mutter und Vali angestellt, eine Frau mit kurzem Haar und Füßen, die aus den Schuhen quollen. Mittags, wenn meine Mutter und Vali ihr Essen aus den Töpfen nahmen, stand die Wirtin daneben und schaute so, als sei es verboten. Dabei war sie es selbst gewesen, die den beiden an ihrem ersten Tag erklärt hatte, wo und wann sie ihr Essen holen durften, die ihnen gezeigt hatte, wieviel ihnen zustand, indem sie einen Schöpflöffel zweimal über einem leeren Teller gedreht hatte, so, als teile sie etwas aus. Der Wirt sah jünger aus als seine Frau, und Vali hatte ihn erst für ihren ältesten Sohn gehalten.

In der Gaststätte über den Bahnhofsgleisen wischten meine Mutter und Vali Töpfe aus und wuschen Teller, Tassen, Gläser und Aschenbecher ab. Immer, wenn ein Zug irgendwo unter ihren Füßen über die Gleise fuhr, fingen die Dinge an, in ihren Händen zu zittern, das Spülwasser lief über den Beckenrand, tropfte auf den Steinboden, in eine kleine Pfütze, die im Laufe des Tages größer wurde, mit jedem weiteren Zug, der hielt und wieder losfuhr. Anfangs beunruhigte sie das Klirren der Gläser und das Schlagen der Töpfe in den Regalen und Schränken, Vali sagte, sie könne dieses Beben nicht ertragen, das sie von den Füßen bis zu den Knien hinauf spüre, und trotzdem vergaßen sie es bald, beide, so wie man nur etwas vergessen kann, das immer da ist.

Rosa Handschuhe zogen sie an, setzten eine Haube auf den Kopf, banden sich eine Schürze um, früh am Morgen, fingen an, Böden zu wischen, Fenster zu öffnen, Gardinen in Falten zu legen, Tische zu decken, und hin und wieder schauten sie sich an und lachten über sich, wie sie über die Böden wischten, in ihren Handschuhen und Schürzen. Sobald die ersten Gäste kamen, gegen sechs Uhr früh, sich mit ihren Ledertaschen zu einem Kaffee ans Fenster setzten, mit Blick auf die Gleise, sobald sie den ersten dunklen Kreis mit ihrer Tasse und etwas Kristallzucker auf dem Tischtuch hinterließen, verschwanden Vali und meine Mutter in der Küche, schälten Kartoffeln, putzten Salat und schnitten Zwiebeln, was ihnen nichts ausmachte – so hatten sie wenigstens eine Ausrede, jedesmal wenn sie weinen mußten, weil ein Geruch, ein Geräusch, manchmal bloß der Gang eines Fremden sie an etwas erinnerte.

Am späten Abend, nachdem meine Mutter das schmutzige Wasser in den Rinnstein gegossen hatte, gingen sie und Vali auf einer breiten Treppe und einem dunklen Teppich in ihr Zimmer über der Gaststätte. Sie teilten es mit der Kellnerin Inge, mit der sie kaum sprechen konnten. Trotzdem verbrachten sie die wenigen freien Abende mit ihr, lagen auf den Betten, blätterten in Inges Katalogen, durch die Mäntel und Kleider dieses Winters, spielten an einem kleinen Tisch unter dem Fenster Karten, einfache Spiele, die Inge ihnen schnell beigebracht hatte, und hörten die neuesten Schlager, aus einem kleinen Radio mit Antenne, das sie auf die Fensterbank stellten, obwohl die Wirtin gesagt hatte, sie dürften nichts auf diese Fensterbank stellen.

Von Inge lernten sie die ersten deutschen Worte. Inge sagte sie laut vor, und Vali und meine Mutter sprachen sie mit ihrem Akzent, den sie nie mehr ablegen würden, nach, so lange, bis Inge zufrieden war. Guten Tag. Für diesen Brief Marken bitte. Danke schön. Eins. Zwei. Drei. Zwei Stück davon bitte. Viel Glück. Auf Wiedersehen. Hin und wieder zeigten meine Mutter und Vali auf eine Schlagzeile in den Zeitschriften, und Inge erklärte sie mit Gesten und einfachen Worten, die sie immerzu wiederholte. Inge drehte den Wasserhahn auf und sagte: Wasser, öffnete das Fenster und sagte: Himmel, spannte den Schirm auf und sagte: Regen, und meine Mutter und Vali lachten und sagten, ja, Regen. Dieses Wort hatten sie schon vorher gekannt, schon vor Inge, schon seit ihrem ersten Tag hier.

Auch was Rot, was Gelb, was Grün, was Braun war, lernten sie schnell, für die Farben der wenigen Kleider in ihrem Schrank, die sie untereinander tauschten für ihre

Spaziergänge an ihrem freien Montag, wenn die Gaststätte am Nachmittag geschlossen wurde und sie sich
vor ihrem Spiegel frisierten, um durch die Stadt zu gehen, wenn Inge etwas Parfum auf ihre Handgelenke
tupfte und sagte, sie sollten keine Handschuhe über-
ziehen und die Ärmel ihrer Mäntel etwas hochschieben.
Inge nannte die beiden nicht Vali und Kati, sondern
Valerie und Katharina, und im Scherz fragte sie immer
wieder, warum muß jemand mit solchem Namen in
einer Spülküche arbeiten und den Dreck von den Böden
wischen?, und Vali und meine Mutter sagten, das wüßten sie auch nicht.

An Heiligabend nahm Inge sie mit zu ihrer Familie.
Nicht nur, weil Vali und meine Mutter an diesem Tag
kleiner aussahen als sonst, so klein, daß Inge sagte, sie
habe Angst, daß sie weggeschrumpft, aufgelöst seien, bis
sie zurückkommen würde. Sie wolle die beiden lieber
mitnehmen, als sie nachher in den Fasern des Teppichs
suchen zu müssen – aber nicht nur deswegen. Sie sollten
sie begleiten, weil Weihnachten sei, sagte Inge, und mit
Weihnachten sei es doch immer so eine Sache, auch für
sie sei es so eine Sache, das mit Weihnachten. Und in
einer Stadt wie dieser, mit ihren Dächern und Straßen in
Grau, dürfe an Weihnachten niemand allein sein, auch
Vali und meine Mutter nicht, die auf ihren Betten saßen
und kaum etwas von dem verstanden, was Inge sagte,
jedenfalls nicht sofort. Sie wußten nicht, was Inge im
Teppich suchen wollte, aber das Kleinerwerden und
Verschwinden, das verstanden sie sehr wohl, und sie
wunderten sich darüber, daß die Kellnerin Inge so etwas
sah und sagte. Ob es ein Gesetz sei, daß an Weihnachten
niemand allein sein dürfe?, fragte meine Mutter, *Gesetz*
war eines der wenigen Worte, das sie in den vergange-

nen Wochen gelernt hatte. Inge antwortete, ja, es sei ein Gesetz, und Vali sagte, wenn es ein Gesetz sei, dann müßten sie wohl mitkommen.

Inge wußte, die Brüder Máté hatten am Morgen in der Gaststätte angerufen, auf dem Apparat im Kücheneingang, neben einer Tür ohne Schloß, die man auftreten konnte und die eine Weile im Rahmen hin und her schwang. Die Wirtin hatte so getan, als sei es nicht unerwünscht, wenn jemand anrief, sondern willkommen. Inge wußte, daß Pál gefragt hatte, was habt ihr gegen diese Wirtin?, daß Vali ihr Gesicht verzogen und wiederholt hatte, ja, was haben wir bloß gegen diese Wirtin? Sie hatte gesehen, daß Vali und meine Mutter die Mäntel und den Schirm genommen hatten und losgegangen waren, um durchs Städtchen zu laufen, und sie hatte nicht mitgehen müssen, um zu wissen, wie leer die Straßen an diesem Tag waren, wie es klang, wenn der Regen auf diese Straßen fiel, und wie es war, zu zweit unter einem Schirm an diesem Tag durch diesen Regen zu laufen. Als Inge vor dem kleinen Spiegel ihr Haar hochsteckte, saßen Vali und meine Mutter auf dem Bett und reichten ihr die Haarnadeln, und weil sie dabei so aussahen, als würden sie kleiner und kleiner, bestand Inge darauf, daß sie mit ihr gehen.

Inges Bruder holte sie mit seinem Wagen ab. Vali und meine Mutter liefen einmal um das Auto herum, noch einmal, und sagten, schönes Auto. Sie fuhren durch den Regen, über eine Landstraße, auf der kein anderer Wagen zu sehen war. Inge und ihr Bruder sprachen kaum miteinander, auch Vali und meine Mutter verstummten, weil sie glaubten, es gehöre sich so. Bloß das gleichmäßige Vor und Zurück der Scheibenwischer war zu hören, die sich so bewegt hatten, als wollten sie das Wasser eher auffangen als wegschieben. Inges Bruder fragte, ob ihre Freundinnen Musik hören wollten, Inge drehte sich nach hinten und fragte, wollt ihr?, Vali und meine Mutter nickten, und Inge suchte im Autoradio einen Sender.

Vor einem Mietshaus mit kleinen Fenstern und vielen Wohnungen übereinander hielten sie. Inges Eltern öffneten, Vater und Sohn gaben sich die Hand, und Vali und meine Mutter wunderten sich sehr darüber, daß sich Vater und Sohn zur Begrüßung bloß die Hand reichten. Sie mußten Platz nehmen, zuerst auf einem Sofa, neben den Großmüttern in weißen Blusen, mit Blick auf den Christbaum und Sterne aus Silberfolie. Inges Verlobter stand mit einem Geschenk in den Armen im Türrahmen, Inge stellte ihn vor, meine Mutter und Vali nickten und sagten *Schönen guten Abend*, wie sie es von Inge gelernt hatten. Er setzte sich neben sie aufs Sofa, Inge brachte ihm ein Glas, mit den Großmüttern schauten sie auf den Baum, und meine Mutter und Vali bereuten es fast ein bißchen, mitgegangen zu sein.

Am gedeckten Tisch zerlegte Inges Vater die Gans, Inges Verlobter und ihr Bruder aßen, tranken, redeten viel und laut, Inge hob die Hände, um beiden zu bedeuten: leiser, Inges Mutter flehte: wenigstens an Heiligabend, und meine Mutter und Vali verstanden so gut wie nichts von alldem. Auch die Lieder, die später gesungen wurden, kannten sie nicht, deshalb sang meine Mutter im Kopf, ganz ohne die anderen, ihr eigenes Lied, und vielleicht tat das auch Vali.

Außer *Danke* und *Bitte* konnten Vali und meine Mutter kaum etwas sagen, und Inges Bruder versuchte, nett zu sein, er versuchte, etwas zu sagen, das auch sie verstehen würden, und er sagte: Paprika-Puszta-Pálinka. Das waren die drei Worte, die er kannte, die ihm einfielen und von denen er glaubte, sie gehörten wie keine anderen Worte zu unserem Land, und meine Mutter und Vali lachten aus Höflichkeit, hoben ihr Glas, um anzustoßen, und selbst die Großmutter wiederholte lachend: Paprika-Puszta-Pálinka, und Inges Familie freute sich, etwas gefunden zu haben, was alle, was auch meine Mutter und Vali verstehen konnten, und Vali sagte zu meiner Mutter, dieser Bruder ist ein Idiot, und lächelte dabei weiter in die Runde. Später, sehr viel später, fingen Vali und meine Mutter an, es die drei großen Ps zu nennen. Sie mußten nur P sagen, und schon fingen sie an zu lachen.

Nach Mitternacht kehrten sie mit Inge zurück. Inges Bruder setzte sie vor der Gaststätte ab und stieg nicht aus seinem Wagen, um sich zu verabschieden. Er ließ den Motor laufen und fuhr wieder los, noch bevor Inge die Haustür öffnen konnte. Über die Treppen gingen sie hoch, saßen noch eine Weile in ihrem Zimmer, müde, still, unter dem Fenster, rund um den kleinen Tisch, an dem sie sonst Karten spielten, und Inge fragte, wie sie diesen Abend verbracht hätten, wenn sie nicht hier, sondern immer noch dort wären, von wo sie gekommen waren, und Vali und meine Mutter gaben vor, die Frage nicht zu verstehen. Inge zündete eine Kerze an, die sie von zu Hause mitgenommen hatte, und sie starrten lange auf die gelbe Flamme, die das einzige Licht in dieser Nacht in diesem Zimmer war. Inge fing an, von ihrem Verlobten zu sprechen, ganz langsam, trotzdem konnten meine Mutter und Vali sie kaum verstehen, und es strengte sie an, Inge zuzuhören. Vali ließ sich bald aufs Bett fallen, und bevor sie einschlief, in ihren Kleidern, sagte sie zu Inge: Danke schön. Viel Glück.

Den Jahreswechsel erwarteten meine Mutter und Vali mit einer Sehnsucht, die sie zuvor nicht gekannt hatten. Als könnte mit ihm wirklich eine neue Zeit beginnen, als sei genau dieser Tag das Ende von etwas und der Anfang von etwas anderem, in jedem Fall von etwas, das besser, das gut sein würde. Sie sprachen nicht davon, aber daß sie beide daran glaubten, wußten sie, wie man etwas vom anderen nur wissen kann, wenn man Tag für Tag nebeneinander einschläft.

Obwohl der Winter wärmer war als bei uns, so warm, daß man ihn für einen späten Herbst oder einen Frühling ohne Licht halten konnte, fiel in einer der ersten Nächte des neuen Jahres Schnee. Er bedeckte die Dächer des Städtchens mit seinen Antennen, die schmalen Wege, die nackten Bäume und Gleise unter der Gaststätte. Die Schienen verschwanden unter dem Schnee, kein Zug konnte mehr fahren und deshalb kein Teller, keine Tasse mehr zittern, zum ersten Mal, seit meine Mutter und Vali hier angekommen waren. Selbst die Wirtin sprach leiser als sonst, und Vali sagte, sie paßt sich der Stille auf den Gleisen an.

An ihrem freien Montag zogen meine Mutter und Vali ihre Mützen an, dann die Stiefel, die ihnen die Wirtin überlassen hatte, liefen bis zu den Wiesen am Stadtrand, setzten sich dort auf eine Bank und sahen anderen dabei zu, wie sie mit ihren Schlitten den Hügel hinabfuhren, wie sie von ihren Schlitten fielen, wie sie einander durch den Schnee zogen und Spuren hinterließen, als wollten sie etwas in den Schnee schreiben.

Irgendwann stand meine Mutter auf, ging auf den Hügel zu, setzte ein fremdes Kind in Schal und Mütze auf seinen Schlitten und zog es dann so lange im Kreis über diese Wiese, bis jemand kam, um ihr das Seil aus der Hand zu nehmen. Meine Mutter stand eine Weile dort, und ein bißchen sah sie aus, als habe man sie abgesetzt, ausgesetzt, als habe man sie vergessen. Vali packte sie am Arm, zog sie weg von diesem Hügel, und dann liefen sie eine Zeitlang über die Wiesen, über den Schnee, ohne etwas zu sagen, und obwohl ihre Stiefel und Füße naß waren, kehrten sie erst zum Bahnhof zurück, als es längst schon dunkel war.

Vali und meine Mutter verließen die Stadt bald darauf, warum, wußten sie selbst nicht mehr genau. Vielleicht, weil die Wirtin glaubte, ihr Mann würde die beiden zu oft und zu freundlich ansehen, und weil sie an einem Morgen in der Spülküche, vor den Augen aller, mit ihrer leeren Geldbörse winkte und so tat, als hätten Vali und meine Mutter das Geld genommen. Die Wirtin öffnete den Geldbeutel, drehte ihn um und schüttelte ihn, als versuchte sie, noch einen Pfennig darin zu finden, und sie machte ein Gesicht wie am ersten Tag, als sie Vali und meiner Mutter gezeigt hatte, wieviel sie auf ihre Teller schöpfen durften.

Meine Mutter machte sich nicht die Mühe, die Wirtin dazu zu bringen, ihr Zimmer zu durchsuchen, in ihre Mäntel, Taschen, Betten, unter ihren Teppich und hinter ihren Spiegel zu schauen, zumal auch die anderen wußten, daß niemand außer der Wirtin die Geldbörse geleert hatte. Meine Mutter wollte nicht länger bleiben, und Vali rief die Brüder Máté an, noch vom Kücheneingang aus, neben der Tür ohne Schloß, gleich nachdem die

Wirtin ihre leere Geldbörse wieder eingesteckt hatte. Sie sagte ihnen, dies sei kein Ort, an dem sie länger bleiben würden, und die Brüder Máté versprachen, für Vali und meine Mutter Arbeit zu finden, in der Fabrik, in der auch sie arbeiteten, in einer Stadt, ungefähr in der Mitte des Landes.

Meine Mutter und Vali waren nicht wirklich traurig darüber, gehen zu müssen. Seit die Wirtin sie beschuldigt hatte, verzichteten sie sogar auf ihr Essen aus den Töpfen, ohne daß es ihnen schwerfiel. Inge weckte sie am Morgen der Abreise, und meine Mutter und Vali stellten ihre Stiefel vor die Wohnungstür der Wirtin, bevor sie das Haus verließen, weil sie nicht einmal ein Geschenk mitnehmen wollten. Inge brachte sie zur Bahn, sie stiegen die Treppen hinab, nebeneinander, über den dicken Teppich, so früh am Morgen, daß es noch dunkel war, und Inge fragte, wollt ihr einen Kaffee, ich kenne eine schöne Gaststätte hier, mit einer Kellnerin, ihr werdet sie mögen, und dann lachten sie, zum ersten Mal wieder, alle drei lachten sie laut, und Inge blieb stehen und fragte: Was mache ich jetzt ohne euch?

An den Gleisen weinte sie ein paar Tränen, befahl den beiden, zur Hochzeit zurückzukommen, sagte, sie würde die Kartenspiele vermissen, und die Art, wie meine Mutter und Vali das A sagten, nie als A, immer als O, vor allem aber ihre Namen, ihre königlichen Namen würden ihr fehlen, und dann hatte sie einige Male hintereinander Valerie und Katharina gesagt, Valerie und Katharina. Sie hatte die Fahrkarten besorgt und darauf bestanden, von Vali und meiner Mutter kein Geld dafür zu nehmen. Sie sagte, das Trinkgeld sei gut gewesen in den letzten Tagen, und bitte, sie sollten es annehmen.

Dann umarmten sie sich, schauten hoch zu den Fenstern über den Zügen, die Wirtin zog die Vorhänge zu, als sei es etwas, was sie jeden Morgen, immer zu dieser Uhrzeit machte, bevor sie ihre Wohnung verließ. Vali winkte hoch zu ihr, um ihr zu zeigen: wir sehen dich, und die Wirtin ging einen Schritt zurück.

Als der Zug losfuhr, dachten sie noch einmal daran, wie ihre Stiefel dort standen, auf einem Teppich, in einem dunklen Flur, und wie die Wirtin über sie stolpern würde, wenn sie die Tür öffnete und hinaustrat. Meine Mutter legte den Kopf an Valis Schulter und sagte, sie habe genug von Zügen, besonders von diesen frühen Zügen, von denen sie nie wüßte, wohin sie fahren, ob irgendwohin. Vali mußte ihr versprechen, daß sie danach für eine Weile in keinen Zug, in keinen Bus mehr steigen, sondern einfach an einem Ort bleiben würden, ganz gleich, was geschehen würde, ganz gleich, was sie erwartete, und an jenem Vormittag, in jenem Zug in Richtung Süden, fragte Vali meine Mutter zum letzten Mal, was soll aus uns werden, Kata Ringlos?

Rózsa.

Máté Pál hatte am Telefon gesagt, er würde sie abholen, aber erst am Abend würde er kommen können, erst nach seiner Arbeit in der Fabrik, und so hatten meine Mutter und Vali den ganzen Tag im Bahnhof dieser fremden Stadt gewartet, am letzten Gleis, dreiundzwanzig, vielleicht vierundzwanzig, dort, wo sie sich mit Pál verabredet hatten, hinter den einfahrenden Zügen. Sie hatten auf die Zeiger der Bahnhofsuhr geschaut, die sich an diesem Tag langsam bewegt hatten, auf die Tauben über ihren Köpfen und die Abdrücke nasser Schuhe auf dem Bahnsteig. Sie hatten die Züge gezählt, erst alle, dann nur noch die aus den großen Städten, und das Geräusch eines bremsenden Zuges hatte sich ihnen so eingeprägt, daß sie es noch in den Nächten darauf, im Schlaf und im Traum gehört hatten. Jede Bewegung auf den Anzeigen, jede Tafel, jede Schrift, jedes Gesicht in diesem Bahnhof hatten sie betrachtet, das wechselnde Licht in den Fenstern, gelb gegen Mittag, blau am Nachmittag, und rot, als es Abend wurde. Sie hatten nicht daran gedacht, den Bahnhof zu verlassen, hinaus ins Freie zu gehen und durch die Stadt zu spazieren, eine Brücke zu suchen, einen Fluß, irgendwas. Vielleicht waren sie nicht gegangen, weil sie Angst hatten, Pál zu verpassen, vielleicht auch nur, weil sie gewußt hatten, ein Bahnhof ist der beste Ort für einen Anfang.

Ist es ein Anfang gewesen, Rózsa?, fragte Ági, und meine Großmutter sagte, ja, meine Mutter und Vali gingen immer noch, jetzt, Jahre später, in diese Fabrik, in der Pál und Árpi Arbeit für sie besorgt hatten. Am Fließband würden sie stehen und Tabletten verpacken, erzählte sie, immer fünf in eine Dose aus grünem Kunststoff. Auf eine bestimmte Zahl müßten sie kommen, an jedem Tag, aber sie seien schnell genug, besonders Vali sei es, und ihre Hände könnten sie schon im Schlaf so bewegen, als würden sie Tabletten abfüllen. Selbst wenn sie vom vielen Schauen erblinden sollten, sagte Großmutter, selbst dann könnten sie es noch.

Zoltán stand auf, öffnete die Kredenztür, holte seine Tabletten aus einer Schublade, kleine gelbe Kugeln in einer Dose aus grünem Kunststoff, die er vor uns auf den Tisch stellte. Virág nahm das Döschen in die Hand, zwischen zwei Finger, schüttelte es, bis die Kugeln darin tanzten, mit einem Klack-Klack, hielt es Isti dicht vor die Augen, als sei es etwas, das er sich genau ansehen müsse, und stellte es dann zurück zwischen unsere Tassen, wo es stehenblieb, weil keiner wagte, es wegzunehmen, auch in den nächsten Tagen nicht, auch dann nicht, wenn der Tisch abgeräumt wurde, wenn ihn jemand abwischte, wenn jemand ein Tuch auf ihm ausbreitete, weil er neu gedeckt wurde. Isti achtete darauf, daß es so blieb. Er saß in der Nähe des Tisches, starrte auf das Döschen, und Zoltán ging nicht länger zur Kredenz, wenn er seine Tabletten brauchte, er nahm sie vom Tisch und stellte sie wieder dorthin, so als sei es nie anders gewesen.

Sie hatten wenig Geld, fuhr Großmutter fort, trotzdem waren sie an den Abenden mit der Tram in die Stadt gefahren und ins Kino gegangen, mit Großmutter, die sich zuerst geweigert hatte, weil Vali und meine Mutter kein Geld dafür ausgeben sollten, wie sie gesagt hatte, nicht fürs Kino, schon gar nicht für einen Film, bei dem sie nicht ein Wort verstehen würde. Aber sie hatten darauf bestanden, auch darauf, vor der Vorstellung an einer Bude Würstchen zu essen, und Großmutter hatte nachgegeben, war mit der Tram gefahren, hatte vor dem Kino an einer Bude Würstchen mit Senf gegessen, so wie es Vali und meine Mutter gewünscht hatten, und plötzlich, nach dem zweiten Bissen, hatte sie angefangen zu weinen, ausgerechnet dort, an dieser Bude, mitten in der Stadt, ausgerechnet in diesem Augenblick hatte sie zum ersten Mal geweint, Wochen nachdem sie ihre Tochter wiedergesehen hatte. Meine Mutter und Vali hatten mit ihr geweint, eine ganze Weile, und der Würstchenverkäufer hatte zu ihnen geschaut und Papierservietten auf die Theke gelegt, damit sie sich hatten schneuzen können.

Vielleicht hatte Großmutter jetzt geweint, an dieser Würstchenbude im Westen, weil sie es sich damals, im Winter 1956, verboten hatte, als sie die ersten Meldungen im Radio gehört und nicht gewußt hatte, wie sie diesen Winter überstehen sollte, mit diesen Gedanken, die ihr gekommen waren, und mit dieser Angst, nachdem jemand aus Vat zu ihr gesagt hatte, Rózsa, deine Kata, sie ist im Westen, sie ist nach Amerika, auf einem Schiff, jemand hat es im Radio gehört. Es hatte sie Kraft gekostet, mehr als sie hatte, sich nicht zu ängstigen, weiter in die Kirche zu gehen und nicht an dem zu zweifeln, was dort gesagt wurde. Selbst das ängstigte sie, weil sie noch nie an dem gezweifelt hatte, was dort gesagt wurde, weil sie noch nie an irgend etwas gezweifelt hatte, weil sie die Dinge immer so genommen hatte, wie sie waren, weil es ihr nie eingefallen wäre, etwas zu hinterfragen, auch früher nicht, damals, als sie das Dienstmädchen eines Bankiers in der nächsten Stadt gewesen war, wo sie die Stelle erst angetreten hatte, als man ihr versichert hatte, sie dürfe an jedem Sonntagmorgen zur Kirche.

Mit fünfzehn hatte sie angefangen, im Haus des Bankiers Federbetten zu schütteln, Silber zu polieren, Suppe zu kochen, Steinböden zu wischen und dem Hausherrn jeden Morgen an der Tür die Mappe zu reichen, wenn es regnete, den Schirm dazu. Ein kleines, sauberes Zimmer hatte man ihr überlassen, neben der Küche, mit weißer Wäsche, einem roten Sessel, allein für sie, und einem Fenster zur Straße, durch das sie sehen konnte, wenn sie sich auf die Fußspitzen stellte. Die Frau des Bankiers nannte Großmutter nicht bloß Rózsa, sondern *Fräulein Rózsa*, und wenn der Bankier auf Reisen war, tranken sie und Großmutter aus derselben Kanne Tee, obwohl sich Großmutter zunächst geweigert hatte.

An ihrem ersten freien Sonntag hatte sie gesagt, sie wolle nicht den Zug nehmen, um ihre Eltern zu besuchen, sie wolle auch nicht durch die Stadt spazieren mit den anderen Mädchen, die auf den Straßen und Plätzen ihre neuen Mäntel zeigten. Lieber wolle sie nach dem Gottesdienst in ihrem Zimmer bleiben, in ihrem roten Sessel, auf ihrem Bett, ihrer weißen Wäsche, und nichts anderes tun als die Kissen glattstreichen und auf die Stimmen im Haus und im Garten hören. Wen meine Großmutter nicht mochte, nannte sie *Pharisäer*, und ich glaube, diese Mädchen, die sonntags ihre Mäntel zeigten, die nannte sie so.

Als sie zum Haus des Bankiers gebracht worden war, wo fünf Kinder vor der Tür gestanden hatten, um meine

Großmutter zu begrüßen, die kaum älter war als die älteste Tochter, hatte sie so etwas empfunden wie Glück, obwohl meine Großmutter es nie Glück genannt hätte, bestimmt nicht. Die Frau des Bankiers hatte ihr ein Kästchen überreicht, an diesem Tag noch, auf ihrem Zimmer, mit zehn Nadeln auf grünem Samt. Und dann, als meine Großmutter anfing, die ersten Stoffe zu flikken, hatte sie sich nicht einmal in den Finger gestochen, nicht ein einziges Mal.

Später ging Großmutter in die Handschuhfabrik, wo man sie nur noch Rózsa nannte, nicht mehr *Fräulein Rózsa*. Vielleicht ging sie in die Fabrik, weil alle Frauen dort als Näherinnen arbeiteten, oder fast alle. Wenn Großmutter zu Hause blieb, brachte morgens jemand fünf große Säcke auf einem Karren, den er mit seinem Fahrrad zog, stellte sie in die Küchentür und holte sie am späten Abend wieder ab. Meine Großmutter nähte Innenfutter für Handschuhe. Nach einer Vorlage aus Zeitungspapier schnitt sie Futter aus weißem Baumwollstoff, säumte es mit der Hand und nähte es an der Maschine zusammen. Damals reichten mir die Stapel weißen Stoffs bis zur Brust, manchmal bis zum Kinn. Ich hatte mich oft gefragt, was mit den Handschuhen geschah, für die meine Großmutter das Innenfutter nähte. In Vat hatten wir nie jemanden mit Handschuhen gesehen. Frauen vom Dorf trugen im Sommer keine Handschuhe, auch nicht zum Gottesdienst, und seit sich in einem dieser Winter jemand zwei Höfe weiter auf dem Glatteis die Hüfte gebrochen hatte und niemand hatte helfen können, nicht einmal der Arzt, der nach Stunden übers Eis glitt, war kaum noch jemand auf die Straße gegangen, sobald es im November anfing zu frieren.

Meine Großmutter hatte so lange Handschuhe genäht, bis sich ihre Finger nicht mehr bewegten, wie sie es wollte, und sie ihre Tasse am Morgen so hielt, daß der Tee über die Ränder floß. Aber erst als sie ihre Tasse mit heißem Tee hatte fallen lassen, das Porzellan auf den Steinen zersprungen war, als der Tee über die Scherben auf den Boden geronnen war, stellte meine Mutter die Säcke vor die Tür, und der Fahrer holte sie am Abend, so wie er sie am Morgen gebracht hatte. Meine Mutter hatte die Scherben zusammengekehrt, eine davon zwischen zwei Finger genommen, sie Großmutter vor die Augen gehalten und gesagt, nie wieder wolle sie hier einen Stapel Stoffe, nie wieder den Fahrer sehen und nie wieder das Summen der Nähmaschine in dieser Küche hören, nie wieder. Wenig später, im Winter 1956, hatte sich meine Mutter, Rózsas Tochter, in einen Zug gesetzt, als sei es ihr plötzlich gleich, ob eine Nähmaschine in der Küche summte oder nicht, und Großmutter hatte zum ersten Mal eine Angst gespürt, weil niemand mehr da war, der jetzt noch mit ihr schimpfen würde, auf diese Art, und auf einmal war es ihr schwergefallen, die Dinge so zu nehmen, wie sie waren.

Gegen Ende des Monats, sagte Großmutter, wenn Vali und meine Mutter kein Geld mehr hatten, verbrachten sie ihren freien Tag damit, am großen Fenster ihrer Wohnung zu sitzen und auf den Regen zu schauen, wenn die Tage zu kalt waren und sie nicht heizen konnten, vom Bett aus, wo sie unter der Decke ihre kalten Knie aneinanderrieben. Sie sahen dabei zu, wie das Wasser gegen die neuen Scheiben schlug, und manchmal kamen Pál und Árpi vorbei, zogen zwei Kisten heran und setzten sich dazu. Weil sie nur einen Handspiegel hatten, drehten sich meine Mutter und Vali an den Wochenenden gegenseitig große Wickler ins Haar, ließen es unter einer Haube in heißer Luft trocknen, und manchmal färbten sie zwei, drei Strähnen, die sie in die Stirn kämmten, mit blauem Pulver, von dem sie heller wurden. Auch Großmutter hatten sie die Haare aufgedreht, Vali hatte dabei geraucht, ohne die Zigarette aus dem Mundwinkel zu nehmen, und Virág sagte später zu mir, auch sie wolle mit einer Zigarette im Mundwinkel Wickler in mein Haar drehen. Vali und meine Mutter hatten einen Schrank, der nahezu leer war, immer noch. In der Fabrik trugen sie Kittel und Hauben und am Wochenende immer dieselben dunklen Kleider und keine Kopftücher mehr. Suppen aßen sie, sagte Großmutter, die sie aus einer Tüte in einen Becher mit kochendem Wasser gaben. Warmes Wasser floß im Bad aus dem Hahn in eine kleine Wanne, in die sich auch meine Großmutter gesetzt und mit einem Stück schneeweißer Seife gewaschen hatte.

Sie hörten Schlager, die jetzt im Radio gespielt wurden, etwas mit *buona sera*, was Guten Abend hieß, in einer Sprache, von der wir nichts wußten, und auf Istis Drängen sang meine Großmutter eine dieser Melodien, die sie in den Tagen darauf so oft wiederholen mußte, bis wir sie endlich selbst singen konnten. Virág, Isti und ich, wir sangen sie bis zum Ende des Winters, vielleicht auch darüber hinaus, und Isti, er sang sie anfangs ohne Pausen, aus Angst, er könne sie vergessen, so ernst, als gehe es dabei um etwas, und manchmal so laut, daß Ági die Fenster aufriß und in den Garten schrie, du machst uns noch verrückt mit dieser Melodie, hör auf damit. Virág, Isti und ich, wir summten sie, wenn wir aufwachten, wenn wir einschliefen, wenn wir zum See hinuntergingen, wenn wir am Ufer Steine warfen, wenn Isti kraulend auf einem Stuhl lag und Virág und ich ihm zuschauten dabei, am liebsten aber abends, wenn wir von der Anlegestelle kamen und den Hang hochliefen, mit Virág in unserer Mitte.

Großmutter sagte, in den Sommern hatten Vali und meine Mutter ihre Sonntage in einer Eisdiele mit weniger als fünf Tischen verbracht, zu Fuß nur drei, vier Minuten von ihrer Wohnung entfernt. Erdbeereis hatten sie gegessen, aus blauen Gläsern, wenn sie Geld hatten, Sahne dazu, und hatten durch hohe Fenster hinaus auf die Straße geschaut, wo man an den wenigen heißen Tagen wartete, um Eis in der Waffel zu kaufen. Hin und wieder hatten sie Münzen in einen Automaten fallen lassen, hatten ein und dieselbe Musik gewählt, jedesmal, und der Kellner, der ihr Freund war und hinter der Theke Gläser polierte, hatte sein Tuch weggelegt bei diesem einen Lied, das er von Anfang bis Ende mitsingen konnte. Meine Mutter hatte ihm zugerufen: Ragazzo!, Cavaliere!, das hatte er ihr beigebracht, und jetzt sagte sie es bei jeder Gelegenheit, und dann hatte er mit ihr oder mit Vali getanzt, hatte sich gegeben wie die Schlagersänger, die sie kannten, hatte ihre Namen gesungen und dabei das I langgezogen, Valeri-ii-ia und Cateri-ii-na, und wieder: Valeri-ii-ia und Cateri-ii-na. In der Eisdiele hatte man einen Augenblick die Löffel beiseite gelegt und ihnen zugeschaut, und manchmal hatte der Kellner mit Vali oder meiner Mutter sogar hinaus auf die Straße getanzt, wirklich hinaus auf die Straße. Selbst in jenem Sommer hätten sie dort getanzt, der kein Sommer zum Tanzen gewesen sei, sagte Großmutter, jedenfalls nicht für die Deutschen, denen man in jenem August einen Zaun zwischen Ost und West gesetzt hatte. Sie tanzen am hellichten Tag, mit einem Fremden?, fragte Ági, meine Großmutter sagte: ja, und es klang nicht, als würde sie sich dafür schämen, es klang vielmehr so, als sei es in dieser Welt, in der meine Mutter jetzt lebte, das Natürlichste, wenn sie und ihre Freundin am hellichten Tag zwischen blauen Gläsern mit einem Italiener tanzten, während zur Straße hinaus Eis verkauft wurde.

In der ersten Zeit hatte meine Mutter jede Woche drei Briefe an uns geschrieben, kurze Briefe, in denen kaum etwas gestanden hatte, wie Großmutter sagte, nichts, was sie oder uns hätte verraten können, was immer das heißen sollte. Kaum einer dieser kurzen Briefe hatte uns erreicht, obwohl meine Mutter nie mehr geschrieben hatte als: Es regnet. Ich bin zufrieden mit meiner Arbeit. Ich bin gesund. Wir haben eine Wohnung, Vali und ich. Im Winter 1956 hatte ihnen jemand im Lager geholfen, einen Brief zu schreiben, deutlich genug sollte er sein, damit man wußte, wer ihn schreibt, aber nicht zu deutlich, um niemanden zu gefährden, an den er gerichtet war, und das Rote Kreuz hatte ihn weitergegeben an den *Sender Freies Europa*. Nur so viel hatten sie geschrieben, Vali und Kata grüßen euch, gut geht es uns, wir sind im Westen, wir grüßen den Vater, die liebe Mutter, die geliebte Tochter, den geliebten Sohn, und im Radio hatte es jemand vorgelesen, an einem Samstag, gegen drei Uhr nachmittags.

All das schien mir zu lange her, um mich jetzt noch daran zu erinnern. Es war zu weit entfernt, um es zurückzuholen, hierher, an unseren Tisch, an dem wir saßen und auf ein Tablettengläschen starrten, als sei es etwas, das uns verbinden könnte mit einer Zeit, die neben uns lief, ohne uns zu streifen, oder mit einem Ort, von dem wir jetzt gehört hatten, den wir aber nicht kannten, bestimmt nie kennen würden. Es war zu schwierig, diese Bilder neu zusammenzufügen, auch weil ich mich nicht erinnern wollte, nicht an Mancis Küche, nicht an mich, wie ich dort gesessen und auf Stimmen aus einem Radio gehört hatte.

Großmutter hatte ein Bild mitgebracht und zeigte es uns jetzt. Während sie danach suchte, war es still geworden, und bei jedem seiner Atemzüge konnte ich hören, wie Zoltán Luft durch die Nase einsog. Ich hatte Angst, auf das Foto zu schauen, auf dessen Rückseite jemand mit einem blauem Stift Weihnachten 1956 geschrieben hatte. Ich fürchtete, etwas zu sehen, das ich nicht sehen wollte, das ich nicht erkennen würde, aber dann sah ich doch nur meine Mutter und Vali. Sie trugen ihr Haar kurz, ihre Lippen hatten sie dunkel nachgezeichnet, die Arme umeinander gelegt und versuchten ein halbes Lächeln.

Großmutter schwieg, und Isti sah auf den Boden, als habe er etwas fallen lassen, das er jetzt suchen müsse. Er senkte seinen Kopf zwischen die Knie, und für einen Moment sah es aus, als würde er mit dem Stuhl nach vorne kippen. Virág schaute auf Isti, legte ihre Hand auf sein Haar, Zoltán sagte, leer ist es geworden bei uns, und es klang, wie es klingen mußte, wie ein Geheimnis, das er bislang für sich behalten hatte und erst jetzt aussprach. Ági stand auf, strich übers Wachstuch, blickte aus dem Fenster und sagte, es regnet nicht mehr, seht nur, es hat aufgehört zu regnen, geht hinaus. Virág, Isti und ich, wir standen auf, Ági fragte, wovon hat sie geträumt, in der Nacht, bevor sie den Zug nahm?, und Großmutter erwiderte, von einem Päckchen, das sie auf dem Rücken trug, und sie sagte es leise, damit wir, Isti und ich, es nicht hörten – aber wir hörten es.

Uns war, als müßten wir ins Freie, als müßten wir atmen, um etwas nachzuholen, aufzuholen, als könnten wir hier, hinter verschlossenen Türen nicht atmen, als hätte das, was gesagt worden war, die Luft verdrängt, uns alles genommen, was wir hätten atmen können. Draußen, wo unser Blick auf den See fiel, der nur noch aussah wie Wasser, Wasser zwischen Hängen und Hügeln, wie nichts anderes mehr, glänzten über unseren Köpfen Spinnweben, die der Herbst uns gelassen hatte, und ein Rest Regen fiel von den Fäden auf unsere Gesichter, auf unser Haar. Virág fragte, wann seid ihr das letzte Mal Schlittschuh gelaufen?, und ich sagte, ich weiß es nicht, ich kann mich nicht erinnern, und dann legte Virág ihre Hand über die Stirn und schaute lange auf den See. Der Wind fuhr in ihre Kleider, zerrte an ihrem Rock, und Virág sah jetzt aus wie eine dieser Frauen aus Stein, die wir hin und wieder auf Plätzen sahen.

Abends, als wir zum See hinunterliefen, fragte Isti, warum Scheinwerfer?, und Virág antwortete, so habe man ihnen den Weg geleuchtet. Vielleicht sagte sie das, um Isti zu beruhigen, wenn das noch ging, und Isti und ich, wir spielten mit, obwohl wir es besser wußten, beide, ich bin mir sicher. Wir fragten uns, wo der Osten aufhörte, wo unsere Mutter aus dem Zug gestiegen war und warum sie nicht den nächsten Zug zurück genommen hatte. Wir fragten uns, warum unsere Mutter ausgerechnet mit Vali gegangen war, mit Vali, die als einzige Frau in Vat geraucht hatte, Vali, die nicht in einer Fabrik, sondern für die Stadt Pápa in einem Büro gearbeitet hatte, Vali, die keinen Mann, keine Kinder hatte, nur einen alten Vater, der sonntags in der Kirche neben meiner Großmutter saß und lauter sang als alle anderen, der im

Sommer barfuß ging, im Winter einen Mantel trug, der bis zum Boden reichte und mit dem er im Dorf seine Spuren hinterließ, wie mit einem Besen. Warum mit Vali?, fragten wir uns an diesem Abend und in den Nächten darauf, wenn wir in unseren Betten lagen. Wir fragten einander laut, und wir fragten uns leise, jeder für sich. Wenn ich mich zu Isti drehte, konnte ich sehen, wie er daran dachte, allein dadurch, wie er seine Lider bewegte. Uns gefiel, daß unsere Mutter genau so gelegen hatte wie wir jetzt, wenn auch neben Vali, Schulter an Schulter, zuerst in einem Bus, dann in einem Lager, dann in einem Zimmer über einer Spülküche, und wir trösteten uns mit dem Gedanken an die Briefe, die sie uns geschrieben hatte, und wir glaubten, daß es so gewesen war. Wir zweifelten nicht einen Augenblick daran, daß auf einem Postamt immer noch Briefe für uns lagen, Briefe, die anfingen mit Liebe Kata, lieber Isti. Wir dachten an die Schneegeräusche, die wir kannten, wir setzten sie in unseren Kopf, weil wir wußten, wie es sich anhört, wenn ein Schlitten fährt, wenn Stimmen im Schnee leiser werden. Wir lagen auf den Betten und hörten auf den fallenden Schnee in unserer Vorstellung, bis Isti aufstand, den Stuhl vorschob, aus der Dachluke sah und sagte, der Mond steht hinter den Hügeln, auf der anderen Seite und zeigt sich nicht, er ist zu feige, sich zu zeigen, warum ist er so feige. Vor dem Einschlafen sagte ich P zu Isti, und wir versuchten, darüber zu lachen, aber es gelang uns nicht.

All diese Dinge waren vor Jahren geschehen, vielleicht vor fünf, sechs Jahren, obwohl wir erst jetzt von ihnen erfuhren. Wir hatten damals den Winter in Budapest verbracht, bei Manci, vor einem Stück Mauer, und irgendwo, in einer Stadt, in der es immerzu regnete, war ein Päckchen für Isti und mich in die Welt geschickt und dann an einem anderen Ort abgefangen worden. Einer der Züge, auf den Isti und ich damals gespuckt hatten, hätte irgendwann tief unter den Füßen meiner Mutter in den Bahnhof fahren, ein Glas hätte in ihren Händen anfangen können zu zittern. Wenn ich gewußt hätte, meine Mutter ist bei einer Inge, meine Mutter sitzt wie wir in einem Auto, in einem Zug oder unter einem Kreis aus Neon, meine Mutter hat ihr eigenes Lied gesungen, ganz allein, nur in ihrem Kopf, so wie ich bei Zsófi mein eigenes Gebet gesprochen hatte, es hätte nichts geändert.

Isti und ich, wir waren im Rückstand, in einem Rückstand, den wir nicht mehr aufholen würden. Was wir jetzt erfahren hatten, war längst vorbei, längst Vergangenheit. Wir wußten nie, was mit unserer Mutter geschah, jetzt zum Beispiel, wenn wir hier am Tisch saßen, oder später, im Sommer, wenn wir im See schwammen, wenn wir bei Mihály über den Rasen sprangen oder hinter dem Haus im Schatten saßen. Was uns blieb, war, an sie zu denken – und wir dachten an sie. Wenn Ági spülte, stellte ich mir vor, wie sie Töpfe in einer Gaststätte abgewaschen hatte, wenn Zoltán rauchte, sah ich Vali mit einer Zigarette im Mund, die meiner Mutter die Haare aufdrehte, und wenn Virág vor dem Fenster stand, dachte ich daran, wie meine Mutter jeden Morgen nach einem Stück Blau gesucht hatte, in einem Himmel, der im Winter und Frühjahr gleich aussah.

Einen Namen behielt ich den ganzen Winter über auf meinen Lippen, jederzeit bereit, ihn für jedermann auszusprechen. Ich sagte ihn, wenn ich allein war, ich sagte ihn, wenn ich mit anderen war. Ich wiederholte ihn wie eine Formel, mit der ich glaubte, etwas beschwören zu können. Immer wieder sagte ich diesen Namen laut vor mich her, bei jedem Schritt, bei jedem Sprung. Ich rief ihn, ich flüsterte ihn, ich sang ihn, wenn ich abends allein zum See hinunterlief, ich legte meine Hände wie einen Trichter um meine Lippen und schrie ihn übers Wasser: Kata Ringlos.

Nach Wochen verabschiedete sich Großmutter von uns, mit Tränen und Tüchern, die sie aus den Seiten ihrer Taschen holte, aus ihrem Gepäck, aus ihrem Mantel, schon am Vormittag, schon bevor wir zum See hinunterliefen, und Isti schien sie zum ersten Mal gehen zu lassen, als sei es ihm gleich, ob sie da war oder nicht, ob sie bleiben oder irgendwann zurückkommen würde. Er warf sich nicht auf den Boden, er schrie nicht, er weinte nicht, er hoffte auch nicht mehr, sie würde ihn mitnehmen, wohin auch immer. Vielleicht hatte er sich von etwas verabschiedet, das es ohnehin nur noch in den Tagen und Nächten gegeben hatte, nachdem wir alles gehört hatten, – etwas, von dem wir nicht genau wußten, was es war, aber es war etwas, das uns mit der Welt davor oder der ersten Zeit, wie wir sie später nannten, verbinden konnte, wenn auch bloß in Gedanken. Vielleicht hatte sich Isti sogar von allem verabschiedet, was er bislang gewesen war oder was wir bisher gewesen waren. Ich weiß nur nicht wie.

Obwohl es viel zu kalt war, lag Isti auf seinem Bett, seit er am frühen Morgen aufgewacht war und die Decke zur Seite geschlagen hatte. Er weigerte sich, mit uns den ersten Tee zu trinken, und er sagte, er würde nicht mit uns zur Anlegestelle laufen, um dort Auf Wiedersehen zu sagen. Virág war in der Tür zum Dachboden stehengeblieben, auf der obersten Stufe der Stiegen, hatte es nicht gewagt weiterzugehen, hatte auf Isti eingeredet, vom Türrahmen aus, hatte erst versucht, ihn zu locken, mit Schokolade, die sie in ihren Händen gehalten und ihm entgegengestreckt hatte, hatte ihn dann gebeten, mit leiser Stimme, zu uns zu kommen, er solle es für sie tun, für sie, Virág, und hatte sich schließlich umgedreht, als wolle sie die Stufen hinabsteigen, zum Trotz, aus Enttäuschung, aus Ärger, und war doch stehengeblieben, um zu hören, ob Isti sich rührte – aber er rührte sich nicht.

Während wir anderen aßen, mit einem leeren Stuhl am Tisch, und selbst Ági nicht wußte, was reden, machte Isti über unseren Köpfen plötzlich einen Krach, als springe er, als stampfe oder schlage er auf den Boden. Virág schaute zur Decke, und Zoltán fragte, wer stört uns, wer klopft da oben? Später kauerte Isti unter der Dachluke, durch die etwas Licht auf ihn fiel. Er hatte die Bettdecke um seine Schultern gelegt, die Knie angezogen, die Beine umfaßt, als müsse er sie festhalten, als versuche er, kleiner zu sein, um sich zu verstecken, vor uns, vor diesem Tag, vor allem. Er wartete darauf, daß Großmutter endlich gehen würde, und wir mit ihr, und mit ihr alles, was sie erzählt hatte. Vielleicht glaubte Isti noch, wir könnten es loswerden, wegwerfen wie ein Ding, verschenken wie etwas, das wir nicht brauchten und nicht wollten. Vielleicht dachte er, Großmutter könne es wieder mitnehmen, so wie sie es auch gebracht hatte, wie ihr Gepäck, ihren Koffer, wie die Kartons, die Ági am Abend mit Weinflaschen und Kuchen gefüllt und zugeschnürt hatte, und wir, Isti und ich, wir könnten so tun, als sei all das nicht gewesen und wenn doch, wenn es doch gewesen sein sollte, als gelte es nicht uns, sondern anderen.

Isti rührte sich auch dann nicht, als mein Vater schon auf der Terrasse stand, bereit zur Anlegestelle zu gehen, und durch seine Zähne pfiff, wie nach einem Hund, um Isti zu bedeuten, es reicht, hör auf damit, komm mit uns, jetzt, sofort. Ági zog ihren Mantel wieder aus, legte ihren Schal ab, ihre Mütze, schlüpfte aus ihren Schuhen, ging die Stufen hoch zum Dachboden, und Zoltán fragte, was hat sie vergessen? Ági packte Isti, so wie er war, in seine Decke gehüllt, und trug ihn die Stiegen hinunter. Isti wehrte sich nicht, er ließ Arme und Beine hängen, als könne er sie nicht bewegen, als habe er das noch nie gekonnt, und Großmutter sagte, laß ihn, du wirst euch das Genick brechen, auf diesen Stufen, laß ihn. Aber Ági ließ ihn nicht. Sie trug Isti bis zum Fenster, setzte ihn dort ab, auf einem Stuhl, vor dem Glas, mit Blick auf die Reben, die uns etwas ängstigten um diese Jahreszeit, immer, wenn das Licht in einem bestimmten Winkel fiel. Ági nahm die Decke von Istis Schultern und legte sie langsam zusammen, ohne ihren Blick von Isti abzuwenden, zog ihm seine Jacke an, setzte ihm die Mütze auf, nahm seine Füße, erst den rechten, dann den linken, und steckte sie in Schuhe. Wie eine Puppe, die sie ins Fenster eines Ladens stellten, in Pápa oder Budapest oder Siófok, saß Isti da. Auf dem Weg zum Ufer lief er zehn Schritte hinter uns, mindestens zehn, versteckte sich hinter Mauern und Zäunen oder verschwand hinter Bäumen, als könne er wegbleiben, ohne daß wir es merkten. Jedesmal wenn er stehenblieb, drehte sich mein Vater um, machte eine Bewegung mit seinem Kinn, erst zu Isti, dann in Richtung See, und Isti ging langsam weiter, die Hände tief in den Hosentaschen, den Blick gesenkt, ein bißchen wie an einer Leine.

Virág löste am Kartenhäuschen den Fahrschein, die letzten Meter liefen wir ohne ein Wort, erst unten an der Fähre sagte Zoltán, die Männer lassen das Gitter hinab, und er sagte es, als wüßte er nicht mehr, wie ein Schiff anlegt, als habe er auch das vergessen. Isti war oben an der Mole vor der Kartenbude stehengeblieben und weigerte sich, noch einen Schritt weiterzugehen. Ági winkte ihm, gab ihm Zeichen, aber Isti wendete seinen Blick ab, als kenne er Ági nicht. Bevor Großmutter über das Gitter aufs Schiff ging, lief sie noch einmal zurück über die Mole, zwischen all den anderen, die zur Fähre wollten, und sie lief schneller als sonst, viel Zeit blieb nicht mehr. Virág drehte sich um nach ihr, dabei schlugen die Flaschen in der Kiste aneinander, und Ági sagte, sei vorsichtig, sonst zerspringt das Glas. Vor Isti blieb Großmutter stehen, die anderen eilten an ihr vorbei, und sie stand dort, ohne etwas zu tun, ohne sich zu bewegen, ohne zu reden, nicht länger als ein paar Sekunden, bestimmt nicht, aber uns kam es viel länger vor. Isti schaute zu Boden, Großmutter faßte sein Gesicht mit beiden Händen, er ließ es geschehen und sah hoch zu ihr. Sie sagte etwas, und Isti nickte, erst nur ein wenig, als sei es zu mühsam, als habe er keine Kraft dafür, dann etwas heftiger, etwas schneller. Großmutter strich über seinen Kopf, über sein Haar, und Isti begann zu reden. Ich konnte sehen, wie sich seine Lippen bewegten. Und dann nickte Großmutter, sie hörte nicht mehr auf damit, mit diesem Nicken, als wollte sie Isti bedeuten, jedes Wort, das du sagst, verstehe ich, jedes Wort, und Isti schob seinen rechten Fuß über den Boden, vor und zurück, ein paar Mal, und er redete und redete, und wir anderen, wir schauten auf die beiden und wagten nicht zu rufen, es ist Zeit.

Isti stand hinter uns, als wir dem Schiff nachwinkten, nur ein paar Schritte entfernt. Als einziger hob er nicht seine Hand, und es sah fast komisch aus, wie er seine Hände in den Hosentaschen vergrub, als wisse er nicht, was zu tun sei, wenn ein Schiff ablegt. Wir schauten der Fähre lange nach. Wir blieben noch, als sich die Mole und das Ufer ringsum geleert hatten und es wieder still geworden war, so still, daß wir hören konnten, wie Isti hinter dem Kartenhäuschen mit Steinen gegen eine Wand aus Blech warf. Zoltán trat einen Schritt vor, bis seine Fußspitzen über den Rand der Mole ragten. Er sagte, früher, als der See noch zufror, sei er im Winter auf einem Schlitten übers Eis geglitten, mit einem Segel, das über seinem Kopf flatterte und das er im Wind hatte festhalten müssen, ob auch wir uns daran erinnern?, und mein Vater sagte – ja.

Irén.

Isti hörte auf, Fragen zu stellen, ob und wann unsere Mutter zurückkommen würde, und die Geschichten, die Ági uns abends erzählte, ließ er nicht länger anfangen mit *Meine Mutter war* oder *Meine Mutter hatte*. Er fand auch keine Ausreden mehr dafür, daß unsere Mutter nicht hier, nicht bei uns war, Ausreden mit Thermalbädern oder kranken Füßen, wie wir sie uns einen ganzen Sommer lang ausgedacht hatten. Auf die Fragen, die ihm andere über unsere Mutter stellten, gab er keine Antworten mehr, er tat so, als habe man den Falschen angesprochen. Kata Ringlos war jemand, den Isti nicht kennen, von dem er nichts wissen wollte, jemand, den es nicht länger geben sollte. Kata Ringlos hörte auf zu sein, weil Isti es so wollte.

Isti war es jetzt gleichgültig, was geschah, mit uns, mit ihm, mit mir. Er nahm die Dinge, wie sie kamen, jedenfalls in diesen ersten Wochen, nachdem Großmutter sich verabschiedet hatte. Er stand mit mir auf, schlüpfte die Treppe hinunter, aß, was Ági ihm vorsetzte, rührte Zukker in den Tee, den Virág morgens in unsere Tassen goß, und bei allem sah er aus wie ein Gast, den man nicht geladen hat und mit dem man nicht zu reden weiß. Oft blieb Isti unter dem Dach, auf einem Stuhl neben unseren Betten, mit der Decke über den Schultern. Er saß, ohne etwas zu tun, ohne etwas zu sagen, mit gesenktem Kinn, den Blick auf den Boden geheftet, auf die Dielen aus Holz, als könne er darin etwas sehen, was anderen verborgen war, und er blieb so lange, bis Virág oder Ági ihn holten, vor sich die Stiegen hinunterschoben und im Zimmer vor den Ofen setzten.

Isti störte sich an nichts mehr. Es kümmerte ihn nicht, ob man ihn vergaß oder holte, ob man mit ihm sprach oder nicht. Selbst die Fische waren ihm gleich, die Virág ihm brachte, in einer Plastiktüte, weil sie glaubte, sie könnten ihn aufheitern. Isti nahm sie und trug sie hinunter zum See, wo er die Tüte umdrehte, die Fische in den See gleiten ließ und Virág die leere Tüte reichte, ohne Danke, ohne Bitte. Auch der Schnee war ihm gleich, der noch einmal fiel in diesem Winter und die Weinberge bedeckte, das Haus, in dem wir saßen, und uns, wenn wir hinaustraten auf die Terrasse und in den Garten. Ich mochte es, wenn es ruhiger wurde, wenn der Schnee die wenigen Geräusche dämmte, wenn er zu schlucken versuchte, was uns umgab: Ági, Zoltán, selbst meinen Vater. Die Welt wurde lautlos, wir konnten sie nur noch sehen, nicht mehr hören, und wir schauten sie an, wir schauten ihr zu, Virág, Isti und ich, wie sie sich drehte, vor dem Fenster, und wir fragten uns, ob wir etwas anderes hören könnten, wenn wir die Welt nicht mehr hörten.

Virág war es leid, hinter einem Postschalter Adressen in ein Heft zu schreiben, mit Orten, die sie nie würde sehen können, und sie fing an, unten am See in einer Bäckerei zu arbeiten, in einem Laden ohne Schilder, ohne Schrift, mit einem Laib Brot und zwei Tüten Paniermehl im Fenster. Als sie am ersten Abend mit weißen Händen und Haaren über den Kieselweg gelaufen kam, fragte Ági, wieso muß meine Tochter in einer Bäckerei arbeiten?, und Isti sagte, sie muß eben, vielleicht, weil er bei anderen gehört hatte, daß sie so antworten. Virág verkaufte die eine Sorte Brot, die es gab, und Hörnchen, die man schon am späteren Vormittag nicht mehr kriegen konnte. Die Hörnchen nahm sie mit einer Zange aus einer hölzernen Kiste, die sie morgens auf die Theke stellte, und das Brot holte sie aus dem hinteren Zimmer, in dem Irén zwischen Mehlsäcken an einem Tisch saß. Irén sah die Hefte mit den Abrechnungen durch, die sie unter dem Licht einer Lampe aufschlug, leckte Briefumschläge an und trug mit einem Kugelschreiber Zahlen in Listen ein, die ich manchmal an den Nachmittagen mit einem Lineal in eines ihrer Hefte zeichnen durfte. Ich weiß nicht, aber ein bißchen sah Irén aus, als würde sie dort zur Strafe sitzen.

Irén war wie jemand, der auftaucht im Leben anderer, ohne bemerkt zu werden, und auch genauso verschwindet. Sie war nicht älter als Virág, ihr helles Haar trug sie kinnlang, in der Mitte gescheitelt, und ihre Augen versteckte sie hinter einer Brille mit dunklen Gläsern, die im hinteren Zimmer, zwischen dem Weiß der Brote und des Mehls, fast schwarz aussahen. Irén hatte hohe Hüften, wenigstens nannte Ági es so, wenn die Röcke unter dem Gürtel nach oben rutschten und Falten warfen, und nach jedem Satz, den Irén sagte, und sie sagte selten etwas, sog sie ihre Backe in die Lücke zwischen zwei Zähnen, daß es schnalzte. Sie kaute auf ihrem Stift, klappte ihr Heft auf und wieder zu, als gehöre das zu ihrer Arbeit, dieses Auf- und Zuklappen, und dazwischen wischte sie mit ihrer flachen Hand über die Tischplatte und ließ eine Spur in den Resten von Mehl, die sich wie Staub auf den Tisch gelegt hatten. Hin und wieder rief sie nach Virág, und Virág schaute uns an, als wolle sie fragen, was ist jetzt schon wieder?, ging ins hintere Zimmer, um dann vor dem Tisch zu stehen wie eine Schülerin, und Irén zeigte auf irgendeine Zahl, die sie mit ihrem blaßroten Stift dick unterstrichen hatte, auf irgendeine Seite in ihrem Heft, auf der Virág etwas notiert hatte, vor Tagen, im Vorbeigehen, weil sie nichts anderes gefunden hatte, auf das sie hätte schreiben können, oder sie drehte sich um, lief vor zu den Säcken Mehl, zerrte einen heraus und sagte etwas, ganz leise, das trotzdem klang wie ein Vorwurf, wie eine Frage, die gar keine Antwort will.

Virág trug eine weiße Schürze, dazu aus hellem Stoff Schnürstiefel, die ihre Knöchel halten sollten, und ihr Haar versteckte sie unter einer Haube, die sie im Nakken mit einem Gummiband festzog. Isti und ich, wir besuchten sie, am liebsten an den eisigen Tagen, wenn die Scheiben beschlugen, wenn man im Laden wegen der heißen Luft kaum atmen konnte und Wassertropfen übers Fenster liefen. Wir verbrachten unsere Nachmittage dort, Virág und Irén erlaubten es, obwohl vor der Theke kaum mehr als drei Leute Platz hatten. Wir saßen im Fenster, mit angezogenen Beinen, neben den zwei Tüten Paniermehl, und schauten Virág dabei zu, wie sie Brot in Papier wickelte und Münzen in eine Schublade fallen ließ, die sie abends leerte, um das Geld ins hintere Zimmer zu bringen, wo Irén es zählte und in Briefumschläge steckte. Virág sah nicht aus, als gehöre sie hierher, sie sah aus wie verkleidet, so, als spiele sie bloß, und in diesem Winter spiele sie Bäckerin.

Wenn Virág hinter einem Vorhang verschwand, den sie mit bunten Wäscheklammern an ein Seil geklemmt hatte, öffnete Isti im Sitzen mit der linken Hand die Tür, damit sich das Glöckchen meldete, und wenn Virág zurückkam, sprang er auf und sagte, Guten Tag, bitte drei

Laib Brot, und Virág antwortete, wir haben kein Brot mehr, und Isti tat entrüstet, aber ich sehe doch, da hinten liegt welches, und Virág erwiderte kleinlaut, aber ich kann es Ihnen nicht verkaufen, und Isti fragte, warum nicht?, und Virág ließ sich etwas einfallen, warum nicht. Sie redeten und taten so, als seien sie jemand anderes, weil ihnen das immer gefiel: einen anderen zu spielen, besonders Isti gefiel es jetzt, und er bestellte achthundert Brote und achttausend Hörnchen, und Virág sagte, ja, ich notiere, Ihren Namen bitte, und dann schrieb sie ihn auf das Packpapier, und Isti hielt sich den Bauch vor Lachen, wenn er sagte, ich heiße László Abgebrannt, aber wenn Sie möchten, können Sie mich auch Keinfillér nennen, und Virág daraufhin verlangte, er möge bitte im voraus zahlen.

Konnten wir tagsüber nicht kommen, weil Ági uns nicht ließ oder weil unser Vater sagte, wir sollten bei Zoltán bleiben und dafür sorgen, daß der Ofen nicht abkühle, dann holten wir Virág am Abend ab und warteten im Laden, an der Theke, während Irén Geld zählte und Virág Haube und Schürze auszog, im hinteren Zimmer an einen Haken hängte, und zurückkam, um ihr Haar zu kämmen, vor einem kleinen Spiegel, den sie aus ihrer Tasche nahm und an die Hörnchenkiste lehnte. Irén drehte das Schild in der Tür, von dem Virág sagte, es sei überflüssig, weil doch jeder sehen könne, ob geöffnet sei oder nicht, auch ohne Schild, schloß die Tür ab, schaute noch einmal durchs Fenster, ob die Lichter auch wirklich gelöscht waren, obwohl sie schon zweimal nachgesehen hatte, und steckte den Schlüssel ein. Wir liefen einen Umweg, um Irén im Dunkeln nach Hause zu begleiten, und während wir redeten, lief sie schweigend neben uns her. Isti und ich, wir wußten nicht, warum sie nichts sagte, warum sie auf diesem Weg nie etwas sagte, und wir fingen bald an zu glauben, sie habe ein Gelübde abgelegt. Isti hatte diesen Einfall, und dann versuchten wir nicht länger, ihr etwas zu entlocken. Irén verabschiedete sich jedesmal schon am Zaun von uns, sie fragte uns nie, ob wir mit ihr kommen wollten, für ein Viertelstündchen, nicht länger, es war etwas, das ihr nicht einfiel. Sie dankte uns, weil sie nicht hatte allein gehen müssen, verschwand im Hof, hinter zwei, drei großen Kastanien, und wir schauten zwischen den Zaunlatten ins Dunkle, hörten auf ihre Schritte und blieben so lange stehen, bis das Licht in der Küche anging.

Als der letzte Frost vorbei war und der Frühling sich fast schon zeigte, mit einem Himmel, der heller wurde, blauer auch, mit halben, zögernden Geräuschen, auf dem Wasser, in den Bäumen, liefen Isti und ich jeden Tag, bevor wir zur Bäckerei gingen, hinunter zum See. Obwohl alle sagten, für das bißchen Sonne ist es zu viel Wasser, es wird dauern, ihr müßt warten, es ist zu früh, viel zu früh, zogen wir Schuhe und Strümpfe aus, steckten unsere Füße in die Wellen und prüften, ob sie wärmer wurden, irgendwann warm genug, um in den See zu springen. Isti ging ins Wasser, jeden Tag ein bißchen weiter, erst, bis es ihm an die Knöchel reichte, dann bis zu den Knien, dann bis zu den Schenkeln, hielt seine Hosen hoch, drehte sich um und rief, es ist schon viel wärmer, viel wärmer als gestern. Als er wieder neben mir am Ufer stand, preßte er seine Lippen aufeinander, die blau geworden waren, und wenn ich sagte, deine Lippen sind blau, sie sind lila, sie sind so dunkel, daß ich sie kaum noch sehen kann, erwiderte Isti, du lügst. Später, wenn wir bei Virág im Laden standen, zerrte Virág

Isti vor den Ofen, drückte ihn gegen die Kacheln, zeigte auf seine nasse Hosenbeine und hörte nicht auf zu schimpfen. Mit Isti, weil er sich im eisigen Wasser den Tod holen würde, und mit mir, weil ich ihn nicht daran hinderte.

Isti hörte nicht auf zu fragen, wie lange es dauere, bis der See warm genug sei und er schwimmen dürfe. Er fragte jeden von uns, weil er von jedem eine bessere Antwort erhoffte, eine, die endlich besagte, was er hören wollte, und wenn er sie nicht bekam, nicht von Virág, nicht von Irén, auch nicht von mir, dann sagte er, er werde Mihály fragen, wenn er das nächste Mal komme. Und dann warteten wir weiter, Isti und ich, so wie wir es den ganzen Winter über getan hatten, unter dem Dach, das undicht war, seitdem die Stürme daran gezerrt hatten, und durch das jetzt Wasser tropfte, wenn es regnete. Wir sprangen von einem fallenden Tropfen zum anderen, und Isti bedauerte, daß es so wenige waren, zu wenige, wie er sagte, um sie in einer Wanne aus Blech zu sammeln, wie wir sie manchmal in Höfen und Scheunen sahen, einer Wanne, in der wir ein, zwei Stöße schwimmen könnten, jedenfalls bis zum Sommer, jedenfalls bis wir wieder in den See springen durften.

Das einzig sichere Zeichen für den Frühling war, daß Tamás und Mihály Budapest wieder öfter verließen und häufiger an den See kamen, und Isti und ich, wir liefen jedesmal mit Virág hinunter zur Anlegestelle, um sie abzuholen. Wenn sie kamen, schaute am Abend davor jemand aus dem Dorf in der Bäckerei vorbei, um ein Brot zu kaufen und wie nebenbei zu sagen, übrigens, sie kommen, beide, morgen, am Nachmittag, nur so viel, und Virág sang daraufhin ein bißchen, Irén nahm ihren

Stift wieder in die Hand, den sie für einen Moment beiseite gelegt hatte, um auf das zu hören, was im Laden geredet wurde, und Isti fing schon an, in seinem Kopf Fragen zu stellen, die er am nächsten Tag auf der Mole wiederholen würde. Jedesmal wenn das Schiff anlegte und Tamás und Mihály ausstiegen, fragte er, ob man es sehen könne, wenn das Wasser wärmer würde, und Mihály sagte, ja, er könne es sehen, er habe es sogar schon gesehen, wie sich die Farbe ändere, vom Schiff aus, gewiß, und wenn Isti dann fragte, wie lange noch?, antwortete Mihály, nicht mehr lange.

An den ersten warmen Tagen holten wir Virág schon mittags von der Bäckerei ab. Wir sagten, wir verböten es ihr, bei diesem Wetter in dieser Luft zu stehen, nur um Brot in Papier zu wickeln, lieber solle sie einen Teller auf die Theke stellen, und wer ein Brot mitnehme, würde schon etwas Geld hineinlegen. Virág zog ihre Schürze aus, Isti suchte nach einem Teller, und wir gingen zum Haus am See, holten Stühle und stellten sie auf den Rasen, auf dem das Gras nur spärlich wuchs, so wie in den Sommern zuvor. Tamás zog die Blechtreppe aus dem Wasser, damit Isti sie mit grobem Papier abreiben und mit einem Hammer abklopfen konnte. Isti brauchte Tage. Hinter dem Haus hörten wir ihn hämmern und schmirgeln und feilen, und hin und wieder ging er in die Küche, mit dem Werkzeug in der linken Hand, ließ Wasser in ein Glas laufen und trank es in einem Zug leer, so wie er es bei Tamás und Mihály gesehen hatte, als sie Ágis Sommerküche gestrichen hatten. Wenn Isti sich dann an die Hauswand lehnte, mit dem leeren Glas in der einen, dem Werkzeug in der anderen Hand, und dabei schwer und laut atmete, damit wir es hörten, fragte Tamás, es dauert lange, bis man diese Treppe wieder ins

Wasser lassen kann, nicht?, und dann lachten wir, und Isti lachte mit uns, und er antwortete, ja, es braucht seine Zeit, was glaubt ihr denn? Isti wollte, daß es so lange dauerte, bis man die Treppe wieder ins Wasser lassen würde. Auf irgendeine Weise mußte er die Zeit füllen, irgendwie mußte er sie überbrücken, bis er wieder schwimmen durfte, und wie war ihm gleich.

An einem Sonntag, unten am See, nachdem wir vom Mittagstisch aufgestanden waren und die anderen ihren Kaffee im Stehen tranken, sprang Isti zum ersten Mal ins Wasser, obwohl alle gemahnt hatten, er dürfe nicht, niemand bade um diese Jahreszeit. Isti hatte sich ausgezogen, als wir uns umgedreht hatten, um auf die Weinberge ringsum zu schauen, als Ági etwas gesagt hatte wie, schon grün, diese Hügel. In Sekunden hatte er Hemd und Hosen abgestreift, um ins Wasser zu springen, und wir drehten uns um und schauten auf ihn, als er untertauchte, hochkam, schnaubte und die ersten Stöße schwamm, hastig, ungeduldig, immer noch wie ein Hund mit einem Stein am Fuß, vielleicht wegen der Kälte, vielleicht, weil er gar nicht anders schwimmen konnte. Ági schrie, jemand muß ihn aus dem Wasser holen, und Mihály rief, komm sofort zurück!, und es sollte streng klingen, aber es klang nicht streng, es gelang Mihály nicht, streng zu klingen, es hörte sich eher so an, als müsse er sein Lachen verbergen. Virág streifte ihre Schuhe ab, sprang ins Boot, um Isti aus dem Wasser zu ziehen, und Tamás eilte ins Haus und holte Handtücher. Als Isti wieder am Ufer stand und Virág ihn abtrocknete, schimpfte Ági und drohte Isti, sie werde seinem Vater alles sagen, daß er nicht auf sie höre, daß er in den See springe, zu dieser Jahreszeit, daß er sich benehme wie ein Schwachkopf. Isti schaute zu Boden, fast sah es aus, als schäme er sich, und dann erwiderte er, ohne seinen Kopf zu heben: Es wird ihm egal sein.

Einen Augenblick lang blieb es still, und alles, was wir hörten, war Istis Atem, der zu flattern schien, vielleicht, weil Isti fror, trotz der Handtücher, die Virág um seine Schultern gelegt hatte, vielleicht, weil er gesagt hatte, was er gesagt hatte, und weil wir glaubten, es sei die Wahrheit – wenigstens Isti und ich, wir glaubten es ganz sicher, wir wußten es sogar: Unserem Vater würde es egal sein. Mihály schaute auf die Wellen unter unseren Füßen, wie sie an Steine schlugen und brachen, und da noch immer niemand etwas sagte, fragte er – vielleicht bloß, um die Ruhe zu unterbrechen, vielleicht bloß, um unsere Gedanken zu verscheuchen –, wer ist dieses Mädchen, das mit dir arbeitet? Virág drehte sich zu ihm und sah ihn an, als habe sie nicht verstanden, als habe sie sich verhört, als könne sie nicht glauben, was Mihály da fragte, aber er blieb dabei, er wiederholte seine Frage, wer ist dieses Mädchen, das mit dir arbeitet?, und dann antwortete Virág, in einem Ton, den wir noch nicht kannten: es ist Irén, warum?

Beim nächsten Mal nahm sie Irén mit zum Haus am See, aber so, wie man etwas tut, das man nicht tun möchte, zu dem man gedrängt wird, und dann saßen sie nebeneinander auf ihren Stühlen, unter einer Sonne, die blaß blieb an diesem Tag, Irén mit ihrer dunklen Brille, in einem Rock, der Falten warf, und Virág in ihren bestickten Hosen, mit hochgebundenen Haaren und einem Blick, der auf Mihály fiel, zu oft, um noch verborgen zu bleiben. Irén schloß sich uns jetzt an, wenn wir die Bäckerei abends verließen, als sei es immer schon so gewesen, und dann liefen wir das kurze Stück zum Haus am

See, Virág mit ihrem tanzenden Schritt, und Irén so, als sei es ein langer, ein mühsamer Weg bis dorthin. Tamás und Mihály ließen ihre Arbeit liegen, ihre Bücher, ihre Zeichnungen und Stifte, trugen Stühle und Liegen hinaus, und bis es dunkel wurde, saßen wir unter einem Baum, am Wasser, mit Irén neben uns, still, ängstlich vielleicht, wie jemand, der bislang nicht gewußt hat, daß man so zusammensitzen kann.

Irén trank weder Bier noch Wein, und sie aß wenig. Jedesmal wenn ihr jemand etwas anbot, am Tisch oder auf einem Tablett, draußen, am Wasser, sagte sie, nein, und nur wenn Irén nicht dabei war, fragte Ági, woher dieser Bauch und diese Hüften kämen, wo Irén doch gar nichts esse, und sie sagte auch andere Dinge über Irén, Dinge, die so ähnlich klangen und bei denen Ágis Tonfall immer gleichblieb. Irén schwamm nicht, warum, wollte sie nicht sagen, auch wenn Isti sie immer wieder fragte. Schuhe und Strümpfe zog sie nicht aus, selbst als es schon so warm war, daß wir nur noch im Schatten lagen und dösten oder an der Hauswand lehnten, um auf den See zu schauen, der gegen Mittag blau wurde und gegen Abend wieder grün. Die Sonne schien Irén lästig zu sein, und trotzdem ging sie nicht in den Schatten. Sie setzte sich auch nie auf den Rasen, neben uns, auf eine Decke, sie blieb auf dem Stuhl sitzen, kerzengerade, wie es Mihálys Mutter von ihren Söhnen verlangt hatte, aber mit hängenden Schultern, und sie drückte Knie und Knöchel zusammen und ließ es nicht zu, daß sie sich wieder voneinander entfernten. Während unsere Haut dunkler wurde, mit jedem Tag etwas mehr, blieb Iréns Haut blaß, wie sie war, und auf dem Weg nach Hause und später, unter dem Dach, in unseren Betten, kurz vor dem Einschlafen, fragten wir uns heimlich, Isti und ich, wie Irén das machte, in der Sonne sitzen, ohne dunkler zu werden.

Wer weiß, was Mihály und Tamás an Irén fanden, was sie an ihr finden konnten, was überhaupt irgend jemand an ihr finden konnte. Aber als die Tage länger und die Nächte heller wurden, Ági wieder in der Sommerküche kochte und mein Vater öfter im Freien schlief, da schien es Irén zu sein, um die sich die Brüder prügelten. Irén, die sich die Ohren zuhielt, wenn sich die beiden brüllend ums Haus jagten, die sich krümmte wie unter Schmerzen, wenn Tamás und Mihály auf den Ledersack einschlugen, so, als müßte sie selbst diese Schläge aushalten, Irén, die auf die Wasserflecken auf ihrem Rock und ihren Strümpfen schaute wie auf etwas, das sie noch nie gesehen hatte, wenn Tamás und Mihály ins Wasser gesprungen waren und sie dabei naßgespritzt hatten. Irgendwann ließen die Brüder dieses Schlagen und Boxen Irén zuliebe sein, ohne daß sie darum gebeten hatte, und jetzt, wenn Isti und ich zum Haus am See gingen und auf dem letzten Stück Weg Schläge hörten, wußten wir, Irén war nicht da, und es gefiel uns, wenn es so war.

Virág sprang in diesen Tagen mit uns in den See, und wir schwammen hinaus, bis Isti zu keuchen anfing. Auf einer Sandbank ruhten wir uns aus, und wenn wir zurückschauten zum Ufer, saß Irén dort, auf einem Stuhl, den Tamás oder Mihály für sie in die Sonne gestellt hatte, in Rock und Bluse, mit Schuhen und Strümpfen. Wenn uns danach war, winkten wir ihr, und sie hob einen Arm, winkte zurück, aber es sah immer so aus, als wolle sie gar nicht. Virág setzte sich nicht in den Sand, sie blieb neben uns stehen und trat das Wasser mit ihren Füßen, und wenn Isti etwas in ihrem Blick entdeckte, von dem er glaubte, es gehöre nicht dorthin, von dem er wollte, daß es wieder verschwinde, sagte er, du bist die beste und schnellste und schönste Schwimmerin, als könne es Virág gefallen, wenn er so redete, als könne er sie trösten damit, und sie schaute Isti an und erwiderte, nein, du, du bist der beste und schnellste und schönste Schwimmer, so weit ich schauen kann, und dann legte sie ihre Hände wie einen Schirm über die Augen, drehte sich, um den See abzusuchen, und nur wenn Isti es nicht sehen konnte, zwinkerte sie mir zu. Später saß sie wieder auf der Wiese, die kein Grün hatte, sie saß mit dem Rücken zum See, mit dem Blick aufs Haus, in ihrem roten Badeanzug aus zwei Teilen, der auf ihrer Haut klebte, mit ausgestreckten Beinen, zwei Zehennägel bepinselt mit dunkler Farbe, mit nassen Haarsträhnen im Nacken, die viermal, fünfmal ein S auf ihre Haut schrieben, und Isti und ich, wir lagen neben ihr, wie junge Katzen, während Tamás und Mihály so taten, als hätten sie vergessen, wer das war: Virág.

Wenn die Brüder jetzt am Abend in der Bäckerei vorbeischauten, wußten wir nicht mehr, wen sie abholen wollten. Sie standen vor der Theke und riefen ins hintere Zimmer, Guten Abend, Irén, und Irén rief zurück, Guten Abend, stand aber nicht auf, vielleicht, weil sie immer noch nicht glaubte, sie könnte gemeint sein. Sie schrieb weiter Zahlen in ihre Hefte, und Tamás sagte, Irén, sei ehrlich, so viele Brote verkauft ihr doch gar nicht, so viel Mehl bestellt ihr nicht, und Irén erwiderte, doch, genau so viel, und sie versuchte ein Lächeln, das verschwand, kaum, daß sie es gezeigt hatte. Bis Ladenschluß spielten die Brüder mit Isti, und wenn jetzt noch jemand kam, um Brot zu kaufen, gingen sie einen Schritt zur Seite, damit sich die Tür öffnen ließ. Mihály versteckte hinter seinem Rücken ein Stück Papier in einer Hand, ballte beide Hände zu Fäusten, hielt sie Isti vors Gesicht, und Isti zeigte auf eine Faust, Mihály drehte und öffnete sie, und immer war sie leer. Isti und ich, wir rätselten, was Mihálys Trick dabei war, und auf dem Heimweg zupfte Isti ein Blatt von einem Baum, versteckte es in einer Hand, und bevor er mir seine Fäuste vors Gesicht hielt, ließ er das Blatt verschwinden, in seiner Hose oder unter seinem Hemd, aber nie sah es so aus wie bei Mihály, irgendeine Bewegung verriet Isti immer.

Solange Mihály und Tamás an der Theke lehnten, wischte Virág Regale ab und putzte das Glas der wenigen Vitrinen, was sie sonst nie tat. Sie zog die Schublade mit dem Geld auf, wühlte in den Münzen, schloß die Lade wieder, stieg auf ein Treppchen mit drei Stufen aus dunklem Holz, öffnete Schränke und Fächer, schob etwas von einer Seite zur anderen, schob es wieder zurück, kletterte das Treppchen hinunter und zog noch einmal die Lade mit den Münzen auf, als müsse sie in Bewegung bleiben, wie und mit was auch immer. Während Irén im hinteren Zimmer Geld zählte, nahm Virág ihre Haube ab, löste ihr Haar, und Mihály und Tamás schauten sie dabei an, daß wir, Isti und ich, einen Augenblick lang glaubten, sie seien doch wegen ihr gekommen. Isti durfte jetzt das Schild ins Fenster hängen und die Tür abschließen. Draußen steckte Irén den Schlüssel ein, sah noch einmal durchs Fenster, um zu prüfen, ob alle Lichter gelöscht waren, und dann schlenderten wir zum Wasser, Virág zwischen Tamás und Mihály, deren Gesichter von der Sonne dunkelrot geworden waren, Irén immer wenige Schritte hinter ihnen, neben Isti und mir, ausgerechnet neben Isti und mir.

Am ersten Strand, zwischen Schilf und Steinen, warteten wir, bis sich die Sonne senkte, den See dunkler färbte und den letzten Streifen Licht auf das Wasser setzte, und immer zeigte einer von uns auf die Wellen und sagte: Goldtreppe, oder: Himmelsleiter. Tamás und Mihály lagen auf dem Rücken, zählten Wolken, laut, zwanzig, einundzwanzig, Isti sprang ins Wasser und schwamm seine Bahnen. Das Plätschern des Wassers klang an solchen Abenden anders als sonst, fast wie ein Schneiden. Virág tat so, als beobachte sie Isti, aber ich konnte sehen, daß sie bloß auf die Wellen schaute, vorbei an Isti, mit einem Blick, mit dem sie sonst nur ins Nichts, ins Leere gestarrt hatte, noch im Sommer zuvor, vielleicht schon früher, jedesmal wenn Tamás und Mihály sich verabschiedet hatten und mit ihren Taschen auf dem Rücken in Richtung Anlegestelle gelaufen waren. Wenn Virág dann ihr Kleid, ihre Schuhe auszog, blieben die Blicke der Brüder auf ihrer Haut hängen, irgendwo zwischen Schultern und Beinen, und spätestens wenn Virág barfüßig über Steine balancierte und mit ausgestreckten Armen ins Wasser glitt, fand Irén einen Vorwand, warum sie nicht länger bleiben konnte. Tamás sprang auf, bot ihr an, sie nach Hause zu begleiten, und Mihály sagte, auch er würde sie gerne zurückbringen, und Irén stand zwischen beiden, schaute sie an, erst Mihály, dann Tamás, und sah dabei aus, als sei es ihr lästig, als wolle sie lieber allein gehen, allein bleiben, mehr noch, als wolle sie uns alle lieber nicht kennen und von nichts, von niemandem gestört werden, schon gar nicht von Mihály oder Tamás, aber dann sagte sie plötzlich doch: gut, gehen wir.

Wer schneller war, Mihály oder Tamás, brachte sie nach Hause, trug ihre Tasche, begleitete sie bis zum Zaun, bis ans Gartentor, und schaute ihr von dort aus nach, wenn sie über den Hof lief, vorbei an Kastanien, die längst schon grün waren, und wartete so lange, bis das Licht in der Küche anging, so wie wir es im Winter getan hatten. Jedenfalls stellte ich es mir so vor. Vielleicht standen sie auch eine Weile am Zaun, vor dem Tor, neben dem Graben. Und weil Tamás oder Mihály, je nachdem, wer an diesem Abend mitgegangen war, wußte, Irén würde ihn nicht ins Haus bitten, versuchte er, den Abschied hinauszuzögern, mit einer Frage, noch einer Frage, mit zwei Sätzen, die ihm noch einfielen, wenn Irén schon ihre Hand auf den Türgriff gelegt hatte. Vielleicht waren sie manchmal auch schon vorher, irgendwo auf ihrem Weg stehengeblieben und hatten zurückgeschaut. Auf den See, auf das Schilf, die Bäume oder sogar auf uns – vielleicht.

Ági.

Erst als der See schon so warm war wie das Wasser, das Ági morgens für uns in eine Schüssel goß, geschah etwas mit Irén, ohne daß wir genau wußten, ohne daß wir ahnten, was es war. Es war nichts Neues an ihr, das uns hätte auffallen können, und trotzdem konnten wir etwas an ihr sehen. Wir sahen es, wenn Mihály abends ans Bäckereifenster klopfte, wenn er die Tür öffnete und mit einem Schritt im Laden stand, wenn er Iréns Tasche hielt, wenn er Irén in die Jacke half und auf ihre Hände schaute, während sie die Tür abschloß. Wir sahen es unten am See, wo wir, Virág, Isti und ich, nur noch wie Zuschauer im Schatten saßen, wenn Mihály vor Irén kopfüber ins Wasser sprang, auftauchte und nicht hinausschwamm wie sonst, sondern in Iréns Nähe blieb, wie in einem Kreis, den er nicht mehr durchbrach, auf dem Rücken, mit den Fußspitzen über dem Wasser, und immer noch versuchte, sie zu überreden, schwimmen zu lernen – ihm zuliebe.

Wir sahen es nicht nur an Irén, sondern auch an Virág. Etwas zeigte sich in ihrem Gesicht, sobald Mihály im Laden vor der Theke stand, sobald er den Ton seiner Stimme änderte, wenn er mal mit Virág, mal mit Irén redete, sobald er lachte und irgend etwas falsch daran klang. Wir konnten es sehen, wenn er Virág schwimmen und laufen und auf dem Rasen liegen ließ, im Schatten oder in der Sonne, unbemerkt, wenn er neben ihr schwamm und mit ihr redete, jetzt nur noch das Nötigste, ganz anders als früher, ganz anders als noch wenige Wochen zuvor. Es zeigte sich, wenn Virág Isti auf einem großen Reifen über die Wellen zog, so schnell sie konnte, während Irén mit Mihály, am Ufer saß und beide auf nichts anderes schauten als auf sich selbst, nicht einmal auf die Schatten, die unter ihnen länger wurden, Irén nur auf Mihálys Bart und Mihály nur auf die schmale Stelle zwischen Iréns Augen. Abends am Wasser war es da, wenn das Licht von einer Öllampe kam, die Isti hatte anzünden dürfen, und Mihály Likör für Irén einschenkte, den sie dann ablehnte, wie immer. Einmal sagte Isti nachts, bevor wir unters Dach stiegen, dieses Etwas könne er hören, und als Virág ihn unten an der Stiege fragte, wie klingt es?, antwortete Isti, wie Steine, die einen Hang hinabgleiten, und Virág nickte, als habe sie genau das erwartet.

Isti und ich, wir warteten mit Virág. Wir warteten darauf, daß dieses Es vorbei sein würde, bald schon, und wir vertrieben uns die Zeit, wie wir sie uns immer vertrieben, lagen an Stränden, spielten Karten, legten Rot auf Rot und Schwarz auf Schwarz, kletterten auf Bäume, sprangen in den See, tauchten unter und öffneten die Augen, nur, um uns selbst zu zeigen, daß wir das konnten, daß wir das wagten: die Augen unter Wasser öffnen. Wir glaubten, bald wäre es ausgestanden, wie eine Krankheit, ein Wetter oder bloß wie ein Tag, der vergeht, ohne Aufsehen, so wie manche Tage vergehen. Zu den wenigen Dingen, von denen wir sicher sagen konnten, daß sie waren, wie sie waren, gehörte, daß nichts von Dauer war, wenigstens nicht bei uns, und allein deshalb, glaubten wir, müsse auch dieses Sitzen am Wasser, dieses Warten im Dazwischen irgendwann enden. Aber es hörte nicht auf, dieses Gefühl, es verließ uns nicht. Es blieb und klammerte sich an unsere Tage, an diesen einen Sommer, und es versteckte sich nicht länger, es zeigte sich, deutlicher sogar, nicht mehr nur in unserer Vorstellung, es zeigte sich, als wir Mihály und Irén zusammen sahen, hinter den letzten Häusern vor der Mole, wo das Gras flach war, obwohl dort niemand ging.

Auf unserem Weg zum Wasser entdeckten wir sie, an einem Tag, an dem Irén den Laden früher verlassen hatte, zum ersten Mal, seit wir sie kannten, an einem Tag, an dem sich die Luft nicht bewegte und der See keine Wellen schlug, an dem es selbst zum Schwimmen zu heiß war, wie Virág sagte, als sie abends die Tür zur Bäckerei schloß und Isti sie an ihrem Kleid in Richtung See zerrte. Hinter dem Kartenhäuschen waren wir stehengeblieben, nur wenige Schritte weiter. Isti hatte einen Stein aus seinem Schuh gefischt, war auf einem Bein gesprungen, wie man springt, wenn man zu fallen droht, und hatte sich gedreht beim Springen, auf seine Art, die Arme nicht ausgestreckt, sondern dicht am Körper. Stehengeblieben war er, plötzlich, mitten in seiner Bewegung, hatte seinen nackten Fuß gesenkt und seinen Schuh, den er in einer Hand hielt, mit einem Schlag auf den Boden geworfen, so laut man einen Schuh werfen kann, als wolle er auf sich, auf uns aufmerksam machen, als könne er mit diesem Ton beenden, was er sah: Mihály und Irén am Wasser, Mihály mit einer Mütze, die er ins Gesicht gezogen hatte, mit seinem roten Tuch um den Hals, vor ihm Irén, auf ihren Lippen ein blasses Rosa, wie das der Cremetorten, die sie in den Auslagen in Siófok zeigten.

Irén hatte ihre Arme um Mihálys Hals gelegt, ein bißchen zupfte sie an seinem roten Tuch, als müsse sie etwas tun mit ihren Händen, damit sie nicht nur auf

Mihálys Schultern lagen. Mit ihrem rechten Fuß strich sie über ihre linke Wade, wobei sich der Riemen ihrer Sandale löste, und wir, Virág, Isti und ich, wir standen so eine Weile, schauten auf Iréns Beine, ohne daß man uns bemerkte, und dann ging Virág die wenigen Schritte vor zu Irén, zog ihr die Sandale vom Fuß und warf sie vor unseren Augen ins flache Wasser, wo sie versank und auf dem Grund liegenblieb. Irén blieb still. Sie schimpfte nicht, sie forderte nicht, bringt meinen Schuh zurück. Sie streifte weiter mit ihrem nackten Fuß über ihre linke Wade, während andere sich neben uns und hinter uns stellten und über unsere Schultern auf die Steine blickten, die im Wasser aussahen, als bewegten sie sich. Jemand fragte, was ist?, und Virág erwiderte, ohne hochzuschauen, es ist bloß ein Schuh, der im See liegt, jemand hat seinen Schuh verloren.

Virág war blaß in den nächsten Tagen, trotz der Sonne, die in den Wochen zuvor ihre Haut dunkler gefärbt hatte, und wenn sie uns anschaute, was jetzt selten geschah, sah es aus, als strenge es sie sehr an. Sie lag auf ihrem Bett, unter dem Fenster, dessen Läden geschlossen blieben, in einem Hemd, das ihre Beine frei ließ und das sie nicht mehr wechselte, ohne Decke, ohne Kissen, auf einem hellen Laken, das Ági manchmal glattstrich und an den Enden wieder unter die Matratze steckte. Virágs Knie waren rot und an den Seiten aufgeschlagen, und Isti flüsterte, sie wird auf die Knie gefallen sein, sie wird sich die Knie aufgeschlagen haben, beim Beten, und als ich sagte, Virág betet nicht, sie betet nie, erwiderte Isti wie zum Trotz, doch, jetzt schon.

Ági brachte ihr, was sie brauchte, manchmal eine Tasse Tee, obwohl Virág sagte, sie trinke keinen Tee, nicht jetzt, nicht bei diesen Temperaturen, manchmal etwas Schokolade, die Virág nicht anrührte, und Isti und ich, wir standen im Türrahmen oder am Bett und schauten auf den Tee, auf die Schokolade, auf Virág, wenn sie sich aufsetzte, ihr Hemd glattzog, das hochrutschte und ihren Bauch zeigte, wenn sie mit zwei Fingern Obst von einem Teller nahm, den Ági für sie auf das Schränkchen gestellt hatte, mit zwei Äpfeln, zwei Aprikosen, zwei Birnen.

Virág weigerte sich, zum Haus am See zu gehen, auch wenn Isti sie immer wieder drängte, und als sie nach Tagen ihr Hemd über den Kopf zog, es zusammenfaltete, auf ein Kissen legte und das Bett verließ, als sei es ein Morgen wie jeder andere, liefen wir hinunter zum Wasser und fanden einen kleinen Strand, wo wir ab jetzt unsere Abende verbrachten, weit genug entfernt von der Bäckerei, dem Haus am See, der Anlegestelle. Aber es war nicht mehr wie vorher, nicht mehr so, wie wir es gekannt und gemocht hatten, Virág, Isti und ich, und es fiel uns schwer, so zu tun als ob, obwohl Isti und Virág gut darin waren, im So-tun-als-ob. Nachts spielten sie Tag und tagsüber Nacht, und im Winter konnten sie so tun, als sei es Sommer, die Mäntel ausziehen und in den See spazieren, und im Sommer so, als sei es Winter, auf der Veranda den Schal umlegen und die Zähne klappern lassen, wenn ihnen danach war. Wenn Virág sagte: Feuer, tat Isti so, als springe er über Flammen, und wenn Isti rief: Eis, schlitterte Virág mit rudernden Armen über eine spiegelglatte Fläche, die für andere unsichtbar blieb. Nur jetzt gelang es ihnen nicht, vorzugeben, alles sei anders, alles sei so, wie wir es haben wollten. Virág saß auf einem Tuch, sie blieb still und sah auf ihre Schuhe, die neben uns im Sand lagen, kämmte ihr Haar mit den Fingern, mit einer Bewegung, die immer gleich blieb, und Isti stieß sich im flachen Wasser mit den Füßen ab, sprang rücklings in die Wellen, vielleicht hundert Mal am Abend, vielleicht öfter, und sobald wir uns umdrehten, Virág und ich, rief er, ihr schaut ja gar nicht, warum schaut ihr denn nicht?

Auch Ági und Zoltán gingen nicht länger zu Mihály und Tamás, selbst mein Vater ließ es sein, obwohl er gleichgültig war in diesen Dingen. Wenn es dunkel wurde, saßen wir auf der Veranda, und wenn sich Zoltán und mein Vater Zigaretten anzündeten, konnten wir fast glauben, es wäre nie anders gewesen, wir hätten abends immer hier gesessen, nur wir. Wir hörten auf Mücken, wenn sie um ein Licht über der Tür kreisten, auf das Bellen der Hunde, auf die Stimmen weniger Spaziergänger, die hinter den Reben zum See liefen, und bei allem, was wir sagten, erwähnten wir nicht einen dieser Namen: Tamás, Mihály oder Irén.

Virág ging nicht mehr zur Bäckerei, auf die paar Forint pfeife sie, erklärte sie uns, und sie schickte Isti, damit er es ausrichte, und Isti ging und kam zurück, mit einer Tüte Hörnchen und einem Laib Brot. Virág hatte am Gartentor gestanden, Strähnen aus ihrem Knoten gezupft und sie um die Finger gedreht, sie schien auf etwas zu warten, was Isti ihr erzählen würde, aber Isti sagte bloß, es sei in Ordnung, niemand habe mehr mit ihr gerechnet, und dann sagte Virág, dieses Brot solle er unten am See an die Fische verfüttern, am besten gleich, und Isti ging wirklich, er drehte sich um und lief den ganzen Weg zurück, um an irgendeinem Steg Stücke aus dem Brot zu zupfen und sie auf die Wellen zu werfen, nur weil Virág es so wollte. Isti hatte auch Virágs Schürze und Schnürschuhe mitgebracht, und Ági stopfte sie in eine alte Tasche, die sie hinter dem Herd in der Sommerküche versteckte, obwohl Isti später darauf bestand, Ági habe sie zwischen die Dachbalken geschoben, über unseren Köpfen, wahrscheinlich, weil er es gerne so gehabt hätte.

Wieviel Zeit zwischen diesem und unserem ersten Sommer am See lag? Eher Jahre als Monate, wenn ich rechne, wie viele Briefe Großmutter noch zu uns an den See schickte, die Ági uns heimlich vorlas, weil auch sie wissen wollte, was mit meiner Mutter war und was mit den Brüdern Maté, nach Árpis Unfall in der Fabrik, nachdem Árpi und Pál die Stadt verlassen und irgendwo im Süden Arbeit in der Landwirtschaft gefunden hatten, weit weg von Säuren und Fabriken und weit weg von meiner Mutter und Vali. Ob Jahre oder Monate – einen Unterschied macht es nicht, auch nicht, ob alles so zusammenhängt, wie ich mich erinnere, ob es uns wirklich so gegeben hat, wie ich es denke, uns oder die anderen. Nur Ági, sie gab es sicher, und sicher habe ich sie damals mit Mihály in der Sommerküche sitzen sehen, kurz nachdem Virág das Tor hatte hinter sich ins Schloß fallen lassen und auf ihrem Motorrad den Hang hinuntergerollt war. Ági war an einem dieser Vormittage zum See gelaufen, als wir die Namen Mihály, Tamás und Irén schon nicht mehr nannten und Isti und ich nur noch heimlich in der Nähe des Hauses am See spielten. Vielleicht war es, nachdem Isti das Brot ins Wasser geworfen hatte, vielleicht auch schon, als Virág noch in ihrem Hemd hinter geschlossenen Läden gelegen hatte. Ági war hinunter ins Dorf gelaufen, mit einem Strohhut, wie sie ihn selten trug, in einem guten Kleid mit winzigen weißen Punkten, und Isti und ich, wir sahen sie, als sie hinter dem Haus am See verschwand, mit einer Kiste unter dem Arm.

Ági war gekommen, um Mihály zu bitten, neue Fenster in die Sommerküche zu setzen, und wenige Tage später kam Mihály den Weinberg hochgelaufen, mit einer Tasche voller Werkzeuge, die bei jedem Schritt aneinanderstießen. Isti und ich, wir sahen ihn von der Dachluke aus zwischen den Reben, und Isti rannte die Stiegen hinunter, Mihály entgegen, obwohl ich gesagt hatte, er dürfe nicht. Mihály packte Isti, warf ihn in die Höhe, fing ihn wieder auf, setzte ihn auf seine Schultern, rannte mit ihm durch den Garten, rund um die Sommerküche, über den Kieselweg bis zum Tor und wieder zurück, und ich stand an der Hauswand, neben der Veranda, schaute auf die beiden, und als Mihály mich sah, rief er sofort meinen Namen, dieses Ka-ti-ca, wie nur er das tat, und noch einmal, Ka-ti-ca, und ich schämte mich, weil ich seinen Namen nicht mehr gesagt hatte und ihn auch jetzt nicht sagen wollte. Nur Isti und Mihály, sie redeten und lachten, als sei nie etwas gewesen, als gebe es weder Irén noch Virág, weder eine Bäckerei noch einen Schuh im Wasser, als sei Mihály erst gestern bei uns gewesen und auch vorgestern und an jedem anderen Tag davor.

Mihály begann, die Fensterrahmen mit Zentimeterband auszumessen, und Ági sagte, es ist nicht das, es sind nicht die Fenster, und dann saßen sie in der Sommerküche, Ági schälte Kartoffeln und redete, putzte Bohnen und redete, setzte Wasser auf und redete, und Mihály hörte auf jedes ihrer Worte. Isti und ich, wir kauerten hinter der Tür, unter dem Fenster, das Mihály hatte vermessen wollen, und hörten auf Ági, die von Strafe redete, von einer Strafe, die längst schon ausreiche. Ich begriff erst später, von was Ági gesprochen hatte, Jahre später, als ich schon selbst eine Ahnung davon hatte, wie diese Dinge geschehen und was aus uns wird, wenn sie geschehen. Ági wußte, warum Mihály sich benahm, wie er sich benahm, und sie hatte keine Scheu, es ihm zu sagen. Bevor Mihály ging, fragte er, wann soll ich wiederkommen wegen der Fenster?, und Ági erwiderte: bald.

Und dann kippte etwas, etwas drehte sich, für Irén, für Virág, für Mihály, und daß es so war, lag an Ági. Sie hatte die Zeit zum Springen gebracht, in diesem Sommer, in dem sich erst nichts mehr bewegt hatte und jetzt wieder alles drehte, der See, die Reben, die Stege, alles, was vor unseren Augen begann und irgendwo dort endete, wo unser Blick nicht mehr hinreichte. Isti und ich saßen auf den Treppen vor dem Haus, wo die Weinranken jetzt schnell und dicht wuchsen, hörten auf Geräusche von der Straße, und sobald dort jemand lief, sobald dort jemand ein Fahrrad schob, faßte Isti meinen Arm, und wir rannten vor zum Tor. Virág schaute uns nach, von einem Fenster aus, Ági trat auf die Terrasse, mit einem Tuch in der Hand, selbst mein Vater verließ die Sommerküche, lief über den Kieselweg und zog Zoltán hinter sich her, aber nie war es Mihály, der am Haus vorbeilief, der sein Fahrrad über die Straße schob, es war nur irgendwer. Und dann standen wir am Gartentor, Isti und ich, die Hände aufs Holz gelegt, ließen den Fremden nicht aus den Augen, der sich noch einmal umdrehte und die Arme hob, als wollte er fragen, was seht ihr mich so an?

Niemand schickte uns, aber nachdem Mihály mit Ági in der Sommerküche gesessen hatte und dann nicht mehr gekommen war, obwohl Ági ihm gesagt hatte: bald, gingen Isti und ich ins Dorf, um uns hinter Bäumen und Büschen zu verstecken, mit Blick auf die Bäckerei, manchmal ganze Nachmittage lang, bloß um zu sehen, ob Mihály noch hierher kam. Irén verließ den Laden abends allein, hielt den Schlüssel in einer Hand, schaute durchs Fenster, ob alle Lichter gelöscht waren, und lief dann die Straße hinab, über der rechten Schulter die Tasche, über dem linken Arm ihre helle Jacke, die sie anzog, wenn es am Abend kühler wurde. Nach wenigen Schritten blieb sie stehen und schaute zurück, als habe sie etwas gehört, und Isti und ich, wir versteckten uns im Gras und legten unsere Köpfe auf den Boden, als könne Irén uns so nicht sehen. Auf dem Heimweg klopften wir den Dreck von unseren Kleidern, und Isti sagte, Mihály hat längst die Fähre genommen, ich weiß es.

In einer dieser Nächte wachte Isti auf, vielleicht durch einen Windstoß, der etwas über die Dielen rollen ließ, eine Flasche vielleicht, die wir umgestoßen hatten, zog den Stuhl vor die Dachluke, kletterte hinauf und sah hinaus in den Garten, und morgens am Küchentisch, auf den Ági den Tee für uns stellte, erzählte Isti, er habe Irén gesehen. In der Dunkelheit habe sie am Tor gestanden, mit ihrer Tasche über der Schulter und ihrer hellen Jacke, aufs Haus habe sie geschaut und seine Linien mit der Hand nachgezeichnet, erst das Dach, dann die Mauern, als letztes die Fenster und Türen, so, sagte Isti, hob seine rechte Hand und malte ein Haus mit Dach und Fenstern und Türen in die Luft. Ági rief nach draußen, zur Sommerküche hin, Kálmán, dein Kind ist mondsüchtig, und zu Isti sagte sie, wir werden die Dachluke schließen, sonst kletterst du noch hinaus.

Vielleicht war es falsch, so zu tun, als dürfe man Isti nicht ernst nehmen, als verlaufe er sich immer nur in seinem Kopf zwischen seinen Gedanken. Heute, Jahre später, ist das längst schon gleichgültig, sogar vergessen, aber damals hätte es etwas abwenden, etwas fernhalten können, von uns. An einem dieser hellen Abende, wie es sie nur im Juli gibt, ließen wir Zoltán allein, weil Virág das Warten beenden wollte, dieses Sitzen, Schauen, Hören und Hochspringen, sobald jemand hinter dem Haus über die Straße lief. Sie wollte es wegfegen, auch Istis Kippen mit dem Stuhl, das ihr nur noch lästig war, dieses Vor und Zurück, den Schlag auf die Fliesen, bei jedem Wippen, das Geräusch, wenn mein Vater mit einem Messer unter dem Wachstuch über die Tischkante fuhr, Zoltáns Singsang, bevor er im Sitzen einschlief und einknickte wie ein Zierkissen, und Ágis Ruhe, von der ich weiß, daß sie nur noch gespielt war.

Ági hatte sich geweigert, mit uns auszugehen, aber Virág hatte nichts gelten lassen, keinen Einwand, keine Ausrede und keinen dieser lauten Seufzer, die Ági jederzeit seufzen konnte. Virág hatte in ein Lokal am See gehen wollen, von dem Zoltán und mein Vater nichts hielten, mit einer Drei-Mann-Kapelle, die auf einem Podest spielte, mit Lichtern an einem Draht und Stühlen, die wir über den Kies schoben und die auf unseren Beinen Streifen in Rot und Weiß zurückließen. Kálmán müsse mit, darauf hatte Ági bestanden, zwei Frauen und zwei Kinder, wie sieht das aus?, hatte sie gefragt, und mein Vater war mitgegangen, vielleicht, weil er Lust hatte, uns zu überraschen, indem er einmal Ja sagte, wenn alle auf das Nein warteten, vielleicht, weil Virág ihn plötzlich dauerte, in diesen Minuten, an diesem einen Abend.

Virág hatte einen Schal um Ágis Schultern gelegt, hatte Schuhe mit Absätzen ausgesucht, die sie mit einem feuchten Tuch abwischte und vor Ágis Füße stellte, damit sie hineinschlüpfe. Auf der Veranda hatte sie Ági frisiert, mit einem schwarzen Kamm, den sie sich zwischen die Zähne klemmte, jedesmal wenn sie eine Strähne mit kleinen Nadeln aufsteckte, und Ági hatte es geschehen lassen. Auch, daß Virág ihr die Lippen mit einem Stift nachzog, den sie schon vor Jahren unter Handschuhen und Strümpfen in einer Schublade versteckt hatte. Zoltán schlief auf dem Bett, in Hemd und Hose, seit mein Vater und Ági ihn dorthin getragen hatten, weil er eingenickt war und den Kopf neben sein Glas auf das Wachstuch gelegt hatte.

Ági legte eine Decke über Zoltáns Beine, schloß die Tür hinter sich, hielt den Griff einen Augenblick lang fest, damit die Tür nicht wieder aufsprang, und dann gingen wir los, Isti neben mir, sein Haar mit der spitzen Seite des Kamms gescheitelt, mein Vater neben Ági, in dunklen Hosen und weißem Hemd, mit einer Zigarette im Mundwinkel, die er später erst anzündete, und vor uns Virág, in einigem Abstand, als seien wir Fremde, denen sie den Weg zeigen müsse, mit ihrem tanzenden Schritt, im blauen Kleid, das ihr über die Knie reichte, mit passenden blauen Schuhen, das Haar offen, die Lippen ohne Farbe, und jedesmal wenn sie sich nach uns umdrehte, weil sie glaubte, wir gehen zu langsam, rief Ági, warum scheuchst du uns so.

Mein Vater tanzte mit Virág auf großen Platten aus Holz, die man auf den Kies gelegt hatte, und er pfiff die Melodien mit, die sie spielten. Seit ihrem ersten Schluck Wein kreisten Virág und mein Vater umeinander, verschränkten die Arme vor der Brust, stemmten die Hände wieder in die Hüften, schoben die rechte, dann die linke Schulter vor, und bei jeder Bewegung trafen sich ihre Blicke genau in der Mitte. Virág drehte sich unter dem Arm meines Vaters, und Ági, Isti und ich, wir saßen unter hellgrünem Licht, tranken Sirup aus hohen Gläsern und schauten mal zu den Tanzenden, mal zur Kapelle, mal aufs Wasser, das sich kaum bewegte und kaum zu hören war. Ági zupfte an ihrem Schal, schob ihre Schuhe durch den Kies und hinterließ darin kleine Gräben. Zwischen leeren Stühlen saß sie so aufrecht, wie sie zu Hause nie saß, und später sagte Isti, ihr Hals sei an diesem Abend länger gewesen als sonst.

In den Tanzpausen legte sich Isti auf die Mauer, ließ die Arme hängen und spuckte auf Wellen, die unter ihm gelb und grün und rot aussahen, je nachdem, wie das Licht fiel. Mein Vater rauchte, redete mit den Musikern, ließ Wein für sie bringen, stieß mit ihnen an, sang Melodien vor, die sie mit wenigen Griffen nachspielten, und Virág saß neben uns am Tisch und sah aus, als warte sie auf etwas – so wie sie manchmal an der Mole aufs Schiff oder an einer Haltestelle auf den Bus wartete, ihr Kinn etwas zur Brust gezogen, die Beine übereinandergeschlagen.

Die Mücken störten uns nicht, nicht an diesem Abend, an dem nur wenig später die Glocken im Dorf läuteten und jemand über den Kies gelaufen kam, um uns zu holen. Isti rutschte von der Mauer, Ági sprang auf, die Musiker hörten auf zu spielen, Virág und mein Vater eilten los, mit den Männern aus dem Dorf, und Virág rief uns zu, laßt Ági nicht allein, laßt sie nicht aus den Augen, und Ági schaute ihnen hinterher, bis ein Kellner kam und fragte, ob sie nicht verstanden habe, weil sie sich nicht bewegte, weil sie nur auf den Boden schaute, erst auf Istis Füße, dann auf meine. Ági nickte, um ihm zu zeigen: doch, habe ich, aber sie hielt sich weiter fest an einer Stuhllehne und sagte, daß sie lieber bleiben wolle, lieber bleiben und warten, am Wasser sitzen, bis es vorbei, bis es ausgestanden war, unter diesem grünen Licht, das jetzt greller leuchtete, aber Isti zog sie an beiden Händen über den Kies, über die Holzplatten, hinaus aus dem Lokal, den Weg hoch, und ich drückte meine flachen Hände auf Ágis Rücken und schob sie, weil ich glaubte, so würde sie leichter, schneller laufen, und weiter oben, hinter den letzten hohen Bäumen, dort, wo der Weg hoch in die Hügel führt, konnten wir ein Licht sehen, hinter dem Weinberg, flach und breit, als habe man es ausgegossen. Isti ließ Ágis Hände los, und Ági legte sie auf ihre Lippen, und so standen wir, bis Ági ihre Hände fallen ließ und sagte, schnell, gehen wir.

Zoltán lehnte draußen an der Sommerküche und schaute auf die Flammen, jemand von der Anlegestelle war durchs offene Fenster in Zoltáns Zimmer geklettert, hatte ihn aus dem Bett gezerrt, zur Sommerküche gebracht und ihm befohlen, sich nicht zu rühren. Zoltán, ohne lange Hosen, ohne Schuhe, grub seine nackten Zehen in die Erde und schimpfte mit Isti und mir, weil er glaubte, wir hätten beim Spielen das Feuer entfacht. Virág schrie, die Reben!, laßt es nicht bis zu den Reben brennen!, dann warf sie mit meinem Vater die Regentonnen vor den Rebstöcken um, drehte den Hahn neben der Sommerküche auf und ließ das Wasser laufen, über den Boden, wo es ein paar Flammen löschte, ein paar kleinere. Im Haus fielen Holz und Putz und Steine von der Decke, und Ági gab meinem Vater Zeichen, und er gab ihr Zeichen, und dann schrie Ági den Männern aus dem Dorf Befehle zu, als könne sie nichts besser als Befehle schreien, als habe sie immer schon das getan und nichts anderes. Sie brüllte, man solle die Fässer aus dem Keller holen, trat mit ihrem Fuß gegen die Läden unter der Treppe, und dann rollten die Männer Weinfässer aus dem Keller über den Steg, hoch zur Terrasse, öffneten und kippten sie, und der Wein verteilte sich auf den Fliesen, rot und weiß, unter dem Tisch, an dem wir sonst saßen, schluckte ein paar Flammen und floß weiter über die Dielen durchs Zimmer bis zur Küchentür. Mein Vater riß die Vorhänge von den Fenstern, holte Decken aus der Sommerküche, Jacken, Schürzen, warf sie aufs Feuer, drückte uns Eimer und Töpfe in die Hände, alles, was er finden konnte, und wir, Ági, Isti und ich, wir füllten sie mit Wasser, trugen sie zum Haus, zu den Fenstern, die man eingetreten hatte. Zoltáns Hemd fing Feuer, weil Zoltán nicht vor der Sommerküche hatte stehenbleiben wollen, Ági goß Wasser über seinen Rücken, und Isti brachte Zoltán zum Tor. Dort hielten sie sich an den Händen und schauten auf uns, auf die Flammen, und Isti sah dabei so anders aus, ich weiß nicht wie.

Spät in der Nacht verabschiedeten sich die Männer aus dem Dorf, und wir setzten uns vor die Sommerküche auf den Boden, zwischen Töpfe und Eimer und Decken, die schwarz geworden waren. Ági sagte, nein, weinen werde sie nicht, keine Träne werde sie vergießen, und dann fing sie an zu weinen, schneuzte in ihr Kleid, wischte sich mit der flachen Hand übers Gesicht, zeichnete dabei Streifen auf ihre Wangen und wiederholte, nein, weinen werde sie nicht, nicht deshalb.

Mihály kam noch in dieser Nacht, und niemand wunderte sich, warum ausgerechnet jetzt, wo er sich all die Wochen zuvor nicht die Mühe gemacht hatte, den Hügel hinaufzugehen, wo er so getan hatte, als habe er vergessen, wer wir waren, als habe er das einfach vergessen. Isti lief zum Tor, er sagte, Mihály, ein Feuer hat unser Haus aufgefressen, und er sagte wirklich: *unser* Haus, ein Feuer hat es mitgenommen, als könne Mihály es nicht selber sehen. Mihály hatte zu spät davon gehört, von diesem Unglück, wie er es nannte, mit dem Fahrrad war er gekommen, drei Dörfer weiter war er gewesen an diesem Abend, auf seinem Weg zurück hatte ihn jemand abgefangen, unten am See, zwischen Anlegestelle und Tanzlokal, und gesagt, etwas sei geschehen oben auf dem Weinberg, und dann fragte uns Mihály, wer das Feuer gelegt habe, und es war komisch, weil keiner von uns daran gedacht hatte, jemand könnte das Feuer gelegt haben.

Am Morgen sprach Ági von einem Wunder, weil die Mauern standen und das Dach nur an den Seiten eingefallen war, und mein Vater sagte, ja, aber es klang nicht so, als würde er glauben, es sei ein Wunder, und dabei lief er über die Trümmer, und keiner rief ihm zu, er solle aufpassen und sich nicht schneiden, an diesen scharfen Kanten. Er kletterte über Putz, über Steine, Schranktüren, Tischbeine, über Scherben aus Glas, aus Ton, aus allem, was es in diesem Haus gegeben hatte, stieß sie beiseite, fluchte, nichts als Dreck, nichts als Kohlestücke, und als Zoltán vorschlug, sie zum Heizen für den Winter aufzuheben, sagte mein Vater, du bist ein Idiot, Zoltán, du bist ein armer kleiner Idiot, aber er sagte es ohne Bedauern, er sagte es in einem Ton, den nur Isti und ich kannten und von dem wir gedacht hatten, er sei nur für uns.

Der Wein, den sie aus den Fässern über die Fliesen gegossen hatten, war verdampft, geblieben war etwas, in das Isti mit seinen Füßen Kreise zog, etwas wie dunkle Marmelade, die wir morgens auf unsere Hörnchen gaben. Ági schimpfte, Isti solle aufhören damit und besser anfangen, die Glasscherben unter den Fensterrahmen zusammenzukehren, überhaupt alles zusammenzukehren, und als Isti sagte, es geht nicht, alle Besen sind verbrannt, erwiderte Ági, dann laß dir etwas einfallen, nimm deine Hände oder Füße, mir ist egal was, und Zoltán solle er mitnehmen, fuhr sie fort, damit er nicht länger in der ausgebrannten Küche stehe und huste, sie könne diesen Husten nicht ertragen, und Isti ging, zusammen mit Zoltán, fand etwas draußen im Weinberg und fing an, die Reste zusammenzuschieben, stemmte hin und wieder seine Hände in die Hüften, atmete laut und wischte sich über die Stirn, so wie er es bei anderen gesehen hatte.

Virág stand in der Tür zu ihrem Zimmer, hatte ihre Hände auf den Rahmen gelegt, rechts und links auf Schulterhöhe, schaute auf den Rest Bett, Kissen und Federn, den Rest Teppich darunter, und es dauerte, bis sie zu Isti sagte, auch hier solle er alles zusammenfegen. Mihály und mein Vater suchten Glutnester, und wenn sie eins fanden, gossen sie Wasser darüber und warteten, bis kein Rot mehr zu sehen war. Was von den Schränken übrig war, warfen sie zum Fenster hinaus in den Garten, dazu alles, was in der Küche geblieben war, Wäsche, Töpfe, Gläser aus der Speis und Gardinen, die auf den Böden lagen. Ági stand neben ihnen, mit schwarzen Händen und Füßen und einem Gesicht voller dunkler Flecken, und manchmal hob sie etwas hoch, drehte und wendete es, und dann sagte sie, sie komme nicht darauf, was es gewesen war, beim besten Willen komme sie nicht darauf.

An der Stiege erklärte mein Vater, wir dürften nicht mehr hoch unters Dach, der Boden würde unter unseren Füßen einbrechen, schon allein unter Istis Füßen. Er hielt Isti an den Schultern, fragte, hast du mich verstanden?, und Isti nickte, aber es war uns gleich, wir kletterten hoch, sobald die anderen draußen waren, sobald sie anfingen, die Sommerküche für die Nacht herzurichten und die Reben abzutasten, dort, wo das Feuer gelöscht worden war. An den Seiten hatte das Dach die Sicht auf den Himmel freigegeben, auf ein Blau, das sich jetzt, zwischen den Balken, in schmalen Streifen zeigte. Ich faßte Isti unter den Armen, hob ihn hoch, weil er ans Holz greifen und es noch einmal hören wollte. Er legte seine Hände auf die Balken über uns, dicht nebeneinander, und ließ seine Stirn auf die ausgestreckten Arme fallen. Was hörst du?, fragte ich, und Isti antwortete, nichts mehr. Bevor wir hinabstiegen, malte er Buchstaben in den Ruß, er sagte, etwas müsse er zurücklassen, wenigstens zwei Worte, und dann schrieb er ein *bis bald* in den Schmutz, und wir kletterten die Stiege hinab und gingen durchs leere Haus, das größer geworden war, viel größer, ohne Stühle, ohne Schränke, ohne Fenster. Isti lief die Größe des Tisches ab, vier Schritte hoch, zwei Schritte zur Seite und wieder vier Schritte zurück, dort, wo der Tisch gestanden hatte und wo wir gesessen hatten, noch am Abend zuvor. Später, als sich über unseren Köpfen etwas von der Decke löste, fragte unser Vater, seid ihr doch hochgeklettert?, und Isti und ich, wir erwiderten, nein, sind wir nicht, du hast es doch verboten.

Mihály schaufelte den Dreck vor den Fenstern in Fässer und Eimer und trug ihn vor zur Straße, und Isti und ich, wir halfen ihm dabei. Zoltán lief hinter uns, und wenn wir etwas verloren, hob er es auf und legte es zurück. Zoltán sah nicht aus, als wüßte er, daß es sein Haus war, in dem es gebrannt hatte und das wir ausräumten, vielmehr, als spiele er mit Isti und mir ein Spiel, bei dem wir die vollen Eimer so tragen mußten, daß nichts auf den Boden fiel, und bei dem es Punkte für Zoltán gab, wenn es doch geschah. Hinter der Straße, wo Virág auf uns wartete, kippten wir die Eimer Schutt in den Graben. Virág sagte, sie weigere sich, uns zu helfen, zuschauen würde sie uns dabei, nicht mehr, durch ihre Hände würde nicht eine Scherbe in diesen Graben wandern, und später, als wir die letzten Eimer brachten, sagte sie, wie kleine Soldaten seht ihr aus, du und Isti, wie kleine Soldaten. Sie schaute auf die Trümmer und fragte, was machen wir damit?, und Isti sagte, wir verbrennen es einfach, und dann fingen wir an zu lachen, so laut, daß Ági zum Tor gelaufen kam und schrie, schämt ihr euch nicht, so laut zu lachen.

Obwohl Mihály darauf bestanden hatte, daß wir unten am See blieben, wenigstens so lange, bis man wieder ins Haus konnte, schliefen wir in den nächsten Nächten in der Sommerküche auf zwei Liegen und auf dem Boden. Später schlief mein Vater unter freiem Himmel, er sagte, er habe zuviel Rauch und Ruß geschluckt, er müsse draußen an der Luft bleiben, und Isti und ich, wir durften neben ihm schlafen, auf einer Decke, von der aus wir zum Haus schauten, das seine gelbe Farbe verloren hatte. Ab und an kam Virág aus der Sommerküche, lief vor zum Haus, fegte mit den bloßen Füßen Dreck beiseite und legte ihre Hände an die Mauer. Immer löste sich dabei etwas, das an ihren Fingern klebenblieb, und Virág kam zurück und hielt ihre Hände vor unsere Augen. Ich weiß nicht, warum sie das tat, was sie uns zeigen wollte, vielleicht bloß den Putz, ich weiß es nicht.

Ági und Zoltán wollten auf die andere Seite des Sees ziehen, von der aus weder der Weinberg noch die Reste des Hauses zu sehen sein würden, aber Virág ließ es nicht zu, sie schimpfte, wie wir sie selten schimpfen hörten, und Ági gab nach, weil sie keine Kraft hatte, dagegenzuhalten, wie sie erklärte, und fortan blieben wir in einem halben, vielleicht in einem Drittel Haus, mit einem eingefallenen Dach, das schon bald niemanden mehr störte, auch Ági nicht, die sagte, irgendwann würde es schon irgendwer ausbessern. Schlimmer schien ihr, daß die Schränke verbrannt waren und mit ihnen alle Stoffe und daß sie und Virág abends ihre Kleider in einer Schüssel auswaschen mußten, um sie am nächsten Tag wieder anzuziehen, und daß sie immer so aussahen, als würden sie zum Tanz gehen, hinunter an den See, in dieses Lokal, das sie gar nicht mochten.

Nach dem Feuer hatte sich der Putz von den Wänden gelöst, und was nicht abgefallen war, hatte Mihály mit einem Hammer weggeklopft, bis sich die Steine gezeigt hatten. Virág saß wie zum Trotz zwischen Wänden ohne Farbe und Fenstern ohne Glas, auf einem Stuhl, den sie aus der Sommerküche geholt hatte, und es war ihr gleich, wenn jetzt noch etwas herabfiel, auf ihre Schultern oder auf ihr Haar. Erst als Zoltán Wochen später fragte, warum die Wände so dunkel seien, fingen wir an, sie zu weißen, vermischten den Ruß mit weißer Farbe, bis auf den Wänden ein helles Grau blieb, wie oft wir auch mit den Pinseln darüberfuhren. Virág ließ eine Ecke schwarz, und als Ági fragte, warum willst du dich erinnern, wenn wir es alle vergessen wollen?, sagte Virág, ich will es eben, vielleicht, weil sie auf irgendeine Weise hoffte, Mihály und dieses Feuer gehörten zusammen, weil Mihály uns jetzt wieder häufiger besuchte, abends mit uns auf einer Decke vor der Sommerküche saß, wie bei einem Picknick, und weil er uns jedesmal etwas mitbrachte, von dem er sagte, er habe es gefunden und verrate uns nicht wo, sechs Tassen, zwei Stühle, eine kleine Truhe und wieder zwei Stühle.

Isti und ich, wir ahnten, daß wir in einem Drittel Haus keinen Platz haben würden, wir wußten es, wenn wir abends vom See zurückkamen, durch den Weinberg tobten und stehenblieben, um aufs Haus zu schauen, in dem Virág, Ági und Zoltán jetzt im Dunkeln saßen, weil Ági verboten hatte, Kerzen anzuzünden. Es würde vorbei sein: der Dachboden, der See, dieses breite Blau, eingepaßt zwischen Grün, die Sommer hier. Wir waren uns sicher, spätestens, als Ági uns vorschlug, in der Sommerküche zu bleiben, und mein Vater dazwischenfuhr, seine Kinder wohnten nicht mit Blick auf eine Ruine.

Unten an der Anlegestelle sagte man, Mihály sei es gewesen. Daß Tamás kurz vorher allein die Fähre genommen hatte, um nach Budapest zurückzukehren, hielt man für ein sicheres Zeichen, und Mihály machte sich nicht die Mühe, den Verdacht zu zerstreuen, allein, weil man zwei Dörfer weiter schon glaubte, Zoltán sei es gewesen und schuld hätten Ági und Virág, die ihn allein gelassen hatten, und vielleicht war es wirklich so gewesen: Zoltán war abends aufgewacht, war aufgestanden, um seine Hosen auszuziehen, hatte bei Kerzenlicht gesessen und dann vergessen, die Flammen auszupusten, bevor er wieder eingeschlafen war.

Isti und mir, uns war es gleich, wie oder wer es gewesen war, ob Mihály, in einem Taumel, oder ein anderer, Tamás vielleicht, in einer Wut, in einer Laune, aus einem Grund, der kein wirklicher Grund war, oder Zoltán, weil ihm die Hitze gefiel, das Licht, die Funken, von denen man später sagte, bis zum Ufer hätten sie geleuchtet. Uns wunderte nur, daß bei allem Gerede unten am See und in den Dörfern auf der Straße nach Siófok oder Badacsony ein Name nie fiel: Irén.

Noch jahrelang wurde davon gesprochen, wer es hätte sein können und warum. Sobald es einen neuen Verdacht gab, gab es auch eine neue Geschichte dazu, und sie wurde weitergesponnen in den Häusern am See und an den Ufern, beim Baden, beim Spazieren, beim Rudern. Nur wir, Isti und ich, wir hörten auf zu fragen, wer es gewesen sein könnte, weil es nichts änderte, nicht für uns. Alles, was wir wissen wollten, war, wieviel Zeit uns blieb, bis wir aufbrachen.

Anna.

Am Abend vor der Abreise verabschiedeten wir uns vom Wasser. Mein Vater hatte versprochen, mit uns hinauszuschwimmen, ein letztes Mal, und es war eines der wenigen Versprechen, die er gab und hielt, vielleicht, weil er sehen konnte, wie es Isti schmerzte, wie er sich unter Schmerzen zu winden schien, seit wir wußten, wir fahren, vielleicht, weil es jeder sehen konnte, selbst Zoltán, der fragte, was ist mit diesem Jungen?

Unser Vater lief vor uns zum See hinunter, ohne Hemd, ohne Schuhe, mit einem Handtuch, das Virág in der Sommerküche gefunden und um seinen Hals gelegt hatte. Er lief so schnell, daß Isti und ich glaubten, er wolle uns abhängen, er wolle ohne uns weiter, auch am nächsten Tag das Schiff, den Zug ohne uns nehmen. Hinter einer Reihe von Häusern zeigte er uns einen kleinen Strand, den Isti und ich nie entdeckt hatten: tanzende Boote, zwei auf hellem Sand und die Äste eines Baumes, die übers Wasser ragten. Unser Vater setzte sich, lehnte sich an ein Boot, stieß den Rauch seiner Zigarette in die Luft, auf seine Art, die sein Gesicht versteckte, und schaute auf den See, aufs Wasser, weit hinaus. Er schien einen Punkt gefunden zu haben, auf den Wellen, die sich kaum zeigten bei diesem Wetter, und es kümmerte ihn nicht, wenn Isti und ich auf den Baum kletterten, uns wie Affen an die Äste klammerten und schreiend in den See fallen ließen.

Erst als sich die Sonne senkte, stand er auf, stieß sich von einem Steg ab und landete kopfüber im See, tauchte auf, rief unsere Namen, und Isti und ich, wir liefen ins Wasser, so schnell, daß es hochspritzte, bis zu unseren Schultern, und dann schwammen wir hinaus, diesmal nebeneinander, auf gleicher Höhe, unser Vater kein bißchen schneller als Isti und ich, und ich wußte nicht, war es, weil wir schon besser schwammen, war es, weil er langsamer geworden war oder weil er wirklich auf uns wartete. Auf der Sandbank fing Isti an zu reden, er sagte, er brauche kein Zimmer, kein Bett, keine Decke, nichts brauche er, nicht einmal ein Kissen zum Schlafen, und das Dach würde er ausbessern, Mihály würde ihm dabei helfen, sicher, Mihály habe es schon versprochen, und er redete und redete und zählte Dinge auf, die er nicht brauchte, alles, was ihm einfiel, alles, was es in Ágis Haus gegeben hatte, noch vor wenigen Wochen, Teekannen, Porzellantassen, Löffel, Stühle, Betten, Schränke, Hosen, alles, von dem er glaubte, es würde helfen, unseren Vater umzustimmen, es würde ihn abhalten davon, den See zu verlassen.

Unser Vater lag neben Isti auf dem Rücken, auf seine Ellbogen gestützt, schaute auf seine Füße wie auf etwas, das nicht zu ihm gehörte, schaute wieder zum Ufer, und alles, was er sagte, war, es ist gut, wenn du kein Zimmer und kein Bett brauchst, dort, wo wir sein werden, wird es das nicht geben, und dann stand Isti auf, ging vor zum Wasser, drehte sich um zu uns, breitete seine Arme aus, ließ sich fallen, mit dem Rücken aufs Wasser, tauchte unter und schwamm hinaus, weg von uns, bis er kaum noch zu sehen war und unser Vater ihm endlich folgte, ihn zurückholte, mit einem Arm neben sich durch die Wellen zog und wieder auf den Sand setzte. Isti weinte, und er wollte nicht, daß wir es hören, er versuchte, dabei still zu bleiben und wenig und leise zu atmen. Ich konnte sehen, wie es ihn anstrengte, wie sich seine Schultern bewegten, auf und ab, nicht nur, weil er geschwommen war. Ich setzte mich zu ihm ans Wasser, dorthin, wo es sich mit dem Sand mischt, und sagte, du wirst einen Schluckauf kriegen, wenn du es unterdrückst, und einen Schluckauf, den willst du doch nicht, und dann hörte Isti auf, es zu unterdrücken, er weinte einfach weiter.

Später, als wir wieder am Ufer standen, nahm unser Vater das Handtuch, das er über ein Ruder gelegt hatte, reichte es Isti, und Isti schüttelte den Kopf, nein, er brauche kein Handtuch, ein Handtuch sei eines der Dinge, die er nicht brauche. Ein letztes Mal liefen wir durch die Weinberge zurück, an den Rebstöcken vorbei, und ich heftete meinen Blick auf Isti, auf seinen Nacken, auf das Wasser, das von seinem nassen Haar tropfte, und wagte nicht, mich umzudrehen und auf den See zu schauen, aus Angst, er könnte nicht mehr da sein.

Am Abend saßen wir auf der Terrasse, an zwei kleinen Tischen, die Mihály gebracht hatte, damit wir unsere Teller nicht länger in der Hand oder auf dem Schoß halten müßten, wie er sagte, mit einer Platte aus Karos und Beinen aus Holz, die man ausklappen konnte. Isti hatte sie jeden Tag bestimmt hundertmal aus- und wieder eingeklappt, vor und nach den Mahlzeiten, hatte die Tische hin und her getragen, sie mal auf der Terrasse, mal im Garten und mal im Haus aufgestellt, im großen Zimmer, das nach dem Feuer noch größer geworden war. Ági breitete ein weißes Tuch über die Tische, das einzige, das sie in der Sommerküche aufbewahrt hatte, und Isti verteilte Teller und Besteck, langsamer als sonst, weil er glaubte, noch könne er etwas ändern, noch könne er die

Zeit bremsen. Er aß langsamer als sonst, um die Zeit, die gemessene Zeit seiner Geschwindigkeit anzupassen, und Virág und Mihály schauten ihm dabei zu und ahmten es nach, wurden langsam wie er, und nach jedem Bissen sah Isti auf Mihálys Armbanduhr, um zu prüfen, wie die Zeit verging, ob wirklich langsamer, ob sie aussetzte, zögerte wie wir, wenigstens für einen Augenblick, und weil niemand etwas sagte und wir die Messer auf den Tellern hörten, fragte Zoltán, warum seid ihr so still, warum spricht keiner?

Als Mihály sich verabschiedete, liefen Isti und ich mit ihm vor zur Straße, und Isti stellte ihm eine letzte Frage, ob ein Haus wirklich im Boden versinke, wenn es zuviel regne, und Mihály antwortete, nein, wer erzählt euch solchen Unsinn? Er hob uns hoch, erst mich, dann Isti, der seine Hände an Mihálys Bart legte und daran zog, als wolle er jetzt noch prüfen, ob er echt sei. Ich hielt mich fest an Mihálys Hemd, faßte den Stoff mit meinen Fingern, und Mihály hielt Isti, schaute hinunter zum See, der jetzt dunkel und ohne Bewegung war, und dann sagte er, keine Angst, ihr werdet das Schwimmen nicht verlernen, man kann es gar nicht verlernen, versteht ihr? Und Isti und ich, wir nickten, sagten, ja, das verstehen wir, blieben am Tor stehen, die Hände aufs Holz gelegt, um Mihály hinterherzuschauen, als er losging und sich alle paar Meter umdrehte, winkte und rief: Man kann es nicht verlernen, versteht ihr? Ganz unten, am Ende des Weges, drehte er sich ein letztes Mal um, bewegte seine Arme so, als kraule er durch die Luft, zeigte hinter sich zum Wasser und ruderte noch einmal mit den Armen, und Isti sagte, man kann es nicht verlernen, Kata, verstehst du?

Virág hatte die ganze Nacht über allein auf der Veranda gewartet, auf einem Stuhl, unter einer Decke, und als Isti sich am Morgen zu ihr setzte, stieg ein Schwarm weißer Mücken auf und tanzte. Isti griff nach ihnen und Virág sagte, wie Schneetreiben sieht es aus, nicht? Obwohl genügend Zeit blieb, liefen wir am Morgen schneller als sonst zur Mole, ohne Koffer und Taschen, nur mit einer Kiste, in die Ági Brot und Kuchen gepackt hatte und die mein Vater jetzt mit beiden Händen vor seiner Brust trug. Virág löste die Fahrscheine, reichte jedem von uns einen, aber Isti versteckte die Hände hinter seinem Rücken und schüttelte den Kopf. Es fiel Isti schwerer, sich vom Wasser zu verabschieden als von Virág oder Ági oder Zoltán. Er schaute auf den See, der neben der Mole zu flach war, um darin zu schwimmen, auf die Steine, dort, wo Virág Iréns Schuh ins Wasser geworfen hatte. Er achtete nicht mehr auf uns, und er hörte Virág nicht, die fragte, Isti, willst du dich nicht von uns verabschieden?

Die Männer vom Schiff kletterten auf die Mole, sie wußten, heute würden wir fahren, drückten meinem Vater die Hand, wünschten uns Glück, und als mein Vater zwei Schritte mit ihnen lief, löste sich Isti von uns und sprang in seinen Kleidern ins Wasser, in dieses flache Wasser, das rund um die Anlegestelle schmutzig war, tauchte mit dem Kopf unter und schwamm ein paar Stöße zwischen den Steinen. Mein Vater brüllte, du steigst aus dem Wasser, sofort!, und er hob seinen Arm und deutete zum Ufer, als müsse er Isti zeigen, wo das Ufer war, und die Männer vom Schiff und Virág und ich, wir mußten lachen, über Isti, wie er versuchte zu schwimmen, in diesem flachen Wasser, zwischen Steinen und Pfählen, und über meinen Vater, der nichts tun konnte als brüllen.

Erst als jemand vom Kartenhäuschen schimpfte, dies sei kein Ort zum Baden, stieg Isti aus dem Wasser, und Ági hielt meinen Vater zurück, bis sie sicher war, er würde darauf verzichten, Isti zu ohrfeigen. Virág und Ági drückten Isti an sich, es war ihnen gleich, ob sie naß wurden davon, Ági fuhr sogar durch Istis Haar und knetete es ein wenig, um es zu trocknen. Zoltán schaute hinab, auf die kleine Pfütze zu Istis Füßen, in die das Wasser von seinen Kleidern tropfte, und weil mein Vater sich nicht rührte, sagte Ági zu Zoltán, zieh dein Hemd aus, und Zoltán zog es über den Kopf, ohne es aufzuknöpfen, Virág zog Isti, der sich nicht wehrte, die nassen Kleider aus, und Ági streifte Isti das Hemd über, an dem es aussah wie ein Mantel. Virág nahm Istis Hand, bevor er über das Gitter an Bord ging, fragte, wer wird jetzt für mich trainieren?, und Ági umarmte meinen Vater, und so standen sie eine Weile, und dann sagte sie seinen Namen, nur: Kálmán, und wieder: Kálmán, nur soviel. Vom Schiff aus schauten wir ans Ufer, so lange, bis vor meinen Augen gelbe und schwarze Punkte tanzten. Isti sagte, wie ein Haus sehen sie aus, wie ein kleines Haus mit einem Dach über dem Kopf, wie sie so stehen, Zoltán als Größter in der Mitte, und mein Vater sagte, kein Mensch kann aussehen wie ein Haus, was redest du.

Ich hatte nicht sagen können, Auf Wiedersehen, wir schreiben, wir sehen uns. Ich hatte Virág nicht umarmt, und auf dem Schiff wußte ich nicht mehr, ob sie mich umarmt hatte, dort unten, auf der Mole. Ich war nicht wie die anderen losgelaufen, um mich dann, kurz bevor ich an Bord gegangen war, umzudrehen, zu winken und zu rufen. Ich hatte nur darauf geachtet, meine Füße aufs Gitter zu setzen, beim Gehen nicht zu rutschen, hatte auf das Wasser unter meinen Füßen geschaut, und darauf, wie das Gitter es in winzige Vierecke teilte. Isti schien Virág vergessen zu haben, sobald unser Zug aus Siófok hinausfuhr, so wie er alles vergaß, weil er es vergessen wollte, und ich, ich wußte nicht, wie ich aufhören sollte, an sie zu denken. Daran, wie sie im Schnee vor Mihálys Fenster gestanden hatte, hinter Isti und mir, wie sie am Ufer die Zeit genommen hatte, wenn Isti schwamm, und wie sie das mit ihrem Haar machte, wenn sie es an den Seiten um ihre Zeigefinger drehte, bevor sie es hochsteckte.

Am Bahnhof von Siófok eröffnete uns mein Vater, daß wir dorthin fahren würden, wohin er schon vor Jahren hatte fahren wollen, damals, als wir Vat verlassen hatten: zu seiner Mutter, an den äußersten Punkt des Landes, wie er sagte, vor der nächsten Grenze, weit hinter Miskolc. Damals hatte Isti im Zug geweint und geschrien, unser Vater hatte die Nerven verloren, wir waren in Budapest geblieben, und Isti und ich, wir hatten seitdem gehofft, alles käme anders, und heute glaube ich, auch unser Vater hatte sich alles anders gewünscht, als es gekommen war. Er saß uns gegenüber, unter Ágis Kiste, die in einem Netz über seinem Kopf zitterte, jedesmal wenn der Zug bremste, und ich hatte das Gefühl, Isti und ich, wir waren bloß zwei Zusätze, die an ihm, an seinem Leben klebten und die er nicht mehr loswurde. Wir gehörten zu ihm, auf irgendeine Weise war es so, und er duldete uns, wie er alles um sich herum duldete, gleichgültig, was es war. Damals wußte ich nicht, ob sein Leben an ihm vorbeiglitt oder ob er es war, der durchs Leben glitt, ohne Anstrengung. Schon wie er Fäden kappte, wie er sie zerschnitt, mühelos, wie er Spuren verwischte, Fährten, denen ohnehin niemand hätte folgen können, um uns zu finden, und ich weiß nicht, ob es mich jetzt, wenn ich daran denke, stören soll, daß es so war, ob es mich überhaupt jemals gestört hat. Ich glaube, wir hatten uns gewöhnt an dieses Kommen und Gehen, an dieses Aufhören und Anfangen, wie man sich gewöhnt an etwas, von dem man weiß, es wird bleiben, ob man möchte oder nicht. Wir störten uns selbst an der Langsamkeit nicht mehr, mit der unser Leben ablief, was immer das auch war, wo immer es sich abspielte.

Isti war am Bahnsteig eingeschlafen, auf einer Bank, unter der Mittagssonne, hatte auf der Seite gelegen, sein Kopf auf seinem ausgestreckten rechten Arm. Hin und wieder war der Blick eines Fremden an ihm hängengeblieben, im Vorbeigehen, weil Isti nichts anhatte als ein Männerhemd, das ihm bis zu den Knien reichte, vielleicht auch, weil Isti aussah, als sei er davongelaufen. Das Schwimmen hatte ihn erschöpft, auch der Abschied, den er hatte vermeiden, übergehen wollen, dann der Blick aufs Wasser, vor uns, hinter uns, das Warten und Schauen, ein letztes Mal, und später, auf einer Tafel, die Abfahrtszeiten der Züge, die wir leise vor uns hersagten, jeder für sich. Als der Zug einfuhr, brachte unser Vater erst die Kiste ins Abteil und ging dann zurück, um Isti zu holen, den er so trug, daß seine Füße immer wieder hängenblieben in einer Tür, an einem Griff, an einem Haken. Isti wachte auf, als es schon dunkel war, legte seine Hände ans Fenster, ohne etwas zu sagen, und tat so, als könne er draußen, hinter unserem Spiegelbild, etwas erkennen. Unser Vater verließ das Abteil, und Isti sagte, er wolle das Weinen verlernen, er wolle aufhören damit, und er drehte sich nicht um zu mir, er schaute weiter auf sein Spiegelbild, durchs Fenster in die Dunkelheit, und ich erwiderte, gut, laß es uns verlernen.

Wir legten uns quer über die Sitze, hörten auf das Drehen der Räder und schauten auf Istis nasse Schuhe unter dem Fenster. Vor Jahren waren wir diese Strecke gefahren, Isti hatte keine Erinnerung daran, aber ich hatte sie, Isti war so klein gewesen, daß ihn unsere Mutter in ein Kopfkissen hatte wickeln können. Die Mutter unseres Vaters war nie zu uns nach Vat gekommen, weil sie ihrem Sohn nicht verziehen hatte, daß er gegangen war und sie zurückgelassen hatte, an diesem Ort, an dem es immer roch, als habe es geregnet, ohne daß es geregnet hatte, und an dem der Mond aussah wie die Hälfte einer Zitronenscheibe.

Unser Vater begrüßte seine Mutter wie ein Läufer, der weit vor den anderen das Ziel erreicht. Über die Gleise war er gelaufen, fast gesprungen, und Isti und ich, wir waren ihm gefolgt, durch die Dunkelheit, immer drei, vier Schritte hinter ihm. In einen schmalen Weg mit einer Reihe Pappeln waren wir eingebogen, hinter den letzten Häusern, unser Vater hatte ein Gartentor geöffnet, die Kiste abgesetzt, und jetzt lief er über den Hof, hob die Arme hoch, als warte er auf Beifall, auf Glückwünsche. Einen Augenblick lang sah es aus, als würde seine Mutter anfangen zu klatschen, aber dann ließ sie ihre Hände doch fallen, auf ihre Hüften, und blieb stehen, im Türrahmen, und tat nicht einen Schritt auf uns zu, um uns zu begrüßen, und Isti fragte leise, warum kommt sie nicht?

Ihre Haut war fast durchsichtig, und ihre Umrisse waren so unscharf, als würde sie verschluckt werden von dem, was sie umgab. Es war schwer zu sehen, wo sie aufhörte und wo das andere begann, das Zimmer, das Haus, der Hof, die Straße, das Dorf. Sie ging jetzt leise, fast schwebend, zeigte uns den Weg, erst durch die Küche, dann ins Zimmer, in dem nichts war außer zwei Betten, einem Sofa und einem Schrank, und sie ging um die Betten herum und sagte in die Luft: die Kinder sind da, und dann ging sie am Schrank entlang, als wollte sie uns zeigen, daß sie so laufen konnte, wie sie lief. Dann, später, legte sie Wert darauf, daß auch ich es versuchte, daß auch ich genauso leise ging, weil sie glaubte, eine Dame erkenne man daran, daß sie nicht zu hören sei, und manchmal erschraken wir, Isti und ich, weil sie plötzlich hinter uns oder neben uns stand und wir sie nicht hatten kommen hören.

Wenn sie ihre Hände von der Tischplatte nahm, hinterließ sie Abdrücke mit ihren Fingern, und wenn sie mich am Arm faßte, waren ihre Hände kalt, auch wenn die Tage heiß waren. Sie trug Schwarz, schwarze Strümpfe, Schuhe und Kleider, an jedem Tag ging sie so, und sie hatte helles Haar, von dem Isti sagte, es sehe aus wie Zuckerwatte. Wenn sie es kämmte, band sie einen gelben Frisierumhang unter ihrem Kinn fest, und dann verbrachte sie Stunden vor dem Spiegel, kämmte ihr Haar über den Scheitel, von rechts nach links und wieder von links nach rechts. Wenn am Gartentor jemand nach ihr rief, streifte sie den Umhang ab, zog die guten Schuhe an und ging leise über den Hof. Bevor sie morgens den Kaffee aufsetzte, legte sie einen Putzlappen vor den Herd und ein Stück Stoff in die Küchentür, auf das wir unsere Schuhe stellten, bevor wir ins Zimmer gingen. An heißen Tagen schloß sie die Fensterläden, und wenn Isti klagte, es sei zu dunkel, sagte unser Vater, wenn du es hell willst, geh raus auf die Straße. Und wir gingen hinaus, nicht, weil wir es hell wollten, sondern weil wir hinaus wollten, weg von diesem Hof, von diesem Zimmer und den Stoffstücken in den Türen, hinaus auf die Straße, wo wir Spinnweben suchten und uns fragten, warum sie hier so anders aussahen als in Vat oder in Szerencs oder am See.

Niemand nannte seine Mutter beim Vornamen, nur mein Vater tat es, er nannte sie einfach Anna, und Isti und ich, wir machten es genauso, auch wir sagten einfach Anna zu ihr, und Isti sprach fortan von unserem Vater als Kálmán, aber nur, wenn uns niemand hören konnte. Anna schien es nicht zu stören, daß wir sie Anna nannten, obwohl sie sich sonst an allem störte und für alles Regeln aufstellte, die wir einzuhalten hatten. Wir wußten nicht, ob es ihr ernst war, wenn sie sagte, mit dem Fahrrad fahrt ihr nur ins Dorf, nicht weiter, wenn ihr Kirschen pflückt, eßt nicht davon, und wir wußten nicht, was wir tun sollten, wenn Anna morgens sagte, ihr dürft nicht auf dem Sofa schlafen, und dann abends, wenn wir uns aufs Bett legten, ihr dürft nicht auf dem Bett schlafen.

Annas Haus war der erste Ort, an dem wir, Isti und ich, kein Bett für uns hatten, wir schliefen auf dem Sofa, auf einer Decke mit zehn roten Rosen, die Isti noch in der ersten Nacht gezählt hatte, so wie wir die Ecken jedes neuen Zimmers zählten, bevor wir einschliefen, weil wir immer noch glaubten, dann würde wahr werden, was wir in der Nacht darauf träumten. Wir schliefen Kopf an Fuß und Fuß an Kopf, und jedesmal, wenn Isti sich umdrehte, drehte ich mich auch um.

Anna erlaubte nicht, daß wir mit dem Messer vom Brot schnitten, und sie hatte Angst, ich würde zuviel Kaffee in die Kanne füllen oder das Wasser vergessen oder die

Kanne nicht vom Herd nehmen, wenn der Kaffee kochte. Sie ließ uns nicht aus den Augen und beschwerte sich bei unserem Vater, daß sie uns nicht aus den Augen lassen könne. Sie schaute durchs Fenster zu uns in den Hof und auf die Straße, sie lief hinter uns her, wenn wir in Gräben sprangen, wenn wir hinter der Scheune, hinter den nächsten Häusern verschwanden, und sie rief unsere Namen, wenn wir uns versteckten, so leise, als sei es gar kein Rufen, abwechselnd Kata, Isti, Kata, Isti, so lange, bis es uns zuviel wurde und wir uns zeigten.

Anna schimpfte, wenn Isti beim Trinken den Löffel in der Tasse ließ, und sie mahnte unseren Vater, wenn sein Besteck auf dem Teller zu hören war und sein Haar beim Essen in die Stirn fiel. Sie sagte, nicht den Mund führt ihr zum Löffel, sondern den Löffel zum Mund, und sobald sie sich wegdrehte, legte Isti einen Löffel auf die Tischkante und schnappte mit dem Mund danach. Manchmal, wenn Anna redete, wenn sie sagte, was wir durften und was nicht, hielten Isti und ich Gläser vor unsere Augen, durch die wir schauten wie durch eine Linse, hinter der alles kleiner wurde, der Tisch, die Teller, die Messer, das Brot, unser Vater, selbst Anna, während sie redete und redete, und dann standen wir auf, sagten: Verzeihung, weil Anna uns gemahnt hatte, unsere Sätze mit *Verzeihung* zu beginnen, Verzeihung, wir haben uns den Hals verrenkt, kippten die Köpfe Richtung Schulter und liefen stundenlang im Kreis durch das Zimmer, um den Küchentisch, über den Hof, in die Scheune und wieder zurück, bis Anna zu meinem Vater sagte, deine Kinder sind verrückt, du hast verrückte Kinder.

Wenn Anna am Nachmittag auf der Küchenliege einschlief, spielten Isti und ich vor dem Kleiderschrank, auf den Anna einen großen Spiegel geklebt hatte. Isti riß die Schranktür auf und schlug sie zu, und ich stand hinter ihm, nur um zu sehen, ob sich etwas änderte, an mir, an uns, jedesmal wenn Isti die Tür öffnete, zuschlug und wir uns im Spiegel sehen konnten. Aber immer sahen wir gleich aus, und irgendwann sagte Isti, dieses Schrankspiel langweile ihn, nahm einen Apfel von einem Teller und warf ihn durchs Zimmer, und ich fing ihn auf, mit einer Hand, im letzten Moment. Wenn etwas fiel und zerbrach, sah Anna es sofort, wenn sie aufwachte. Sie bemerkte etwas auf dem Boden, sie sah, daß im Regal etwas fehlte, obwohl wir Tassen und Gläser zusammengeschoben hatten, und dann schickte sie uns hinaus, mit einem Ton, als wollte sie es gar nicht.

Hinter dem Gartentor riefen Isti und ich, wir sind entkommen, wir sind geflohen, wir riefen es uns zu, wir riefen es anderen zu, wir riefen es in die nächsten Gärten und in die Luft über uns, setzten die Füße schulterbreit nebeneinander und liefen mit winzigen Schritten weiter, als hätten wir Ketten an den Füßen, und Isti machte ein Geräusch, von dem er glaubte, so müsse eine Kette rasseln. Er lief bis zur Zugstation und weiter über die Gleise, schneller als ich, drehte sich zu mir um und rief, Kata, wir müssen diese Ketten loswerden, bevor wir auf den Zug springen, und ich rief zurück, ja, das müssen wir.

Manchmal schnappten wir uns Annas Fahrrad und fuhren über die Felder, obwohl Anna es verboten hatte. Wenn Isti mit den Rädern steckenblieb und stürzte, stand er gleich wieder auf, fuhr weiter, und ich lief hinter ihm her, rufend, stolpernd, zerrte ihn vom Fahrrad und fuhr dann selbst wenige Meter, bis Isti mich herunterstieß. Abends waren die Reifen ohne Luft, der Lenker war verbogen, und wenn wir das Rad an die Mauer lehnten, sagten wir, wir waren es nicht, die Dorfkinder waren es. Anna glaubte es, weil sie alles glaubte, was anfing mit *die Dorfkinder*, und weil sie jedesmal auf die Straße rannte und schrie, wenn diese Kinder Steine gegen den Hundezwinger warfen, wenn sie die Katzen festhielten, um Büchsen aus Blech an ihre Schwänze zu hängen. Dieses Scheppern, wenn die Katzen über den Hof liefen und die Büchsen hinter sich herzogen, verließ uns nicht, es blieb, es gehörte zu Anna und ihrem Haus. Auch daß Anna jedesmal sagte, bevor man die Katzen ertränkt, sollte man diese Kinder ertränken, auch das gehörte dazu.

Wenn es Anna zuviel wurde, wenn wir ihr zuviel wurden, weil mein Vater seit Stunden und Tagen auf dem Rücken lag und tauchte, weil er plötzlich verschwand und wir nicht wußten, wo er war, weil er nie etwas zurückließ, keine Notiz, kein Zeichen, keinen Zettel, und es immer aussah, als käme er nicht mehr wieder, nie mehr, kaufte Anna Fahrkarten für den Zug nach Miskolc, von dem Isti und ich alle Abfahrtszeiten kannten. Sie schob uns zu den Sitzen, sagte, lauft nicht durch den Zug, und Isti und ich, wir blieben auf einer Bank vor dem Fenster, schauten hinaus auf Maisfelder, und Isti zählte laut, was vor unseren Augen vorbeizog und sich bewegte. Er ließ sich Zeit, der Zug fuhr langsam, er zählte: Pferd, drei, und Fahrrad, vier, und Bus, fünf, und dann zählte er Bäume mit, und Zäune, sagte, Baum, sechs, und Zaun, sieben, und ich erklärte, du kannst den Baum und den Zaun nicht mitzählen, sie bewegen sich nicht, und Isti erwiderte, doch, sie bewegen sich, ich sehe es doch.

In Miskolc kaufte Anna für sich ein Magazin am Trafik und für uns an einem großen Fenster Eis, das man aus Blechfässern kratzte und das nur wenige Schritte weiter auf unsere Hände tropfte und über unsere Arme lief. Anna ging ohne Ziel, sie ging über die einzige breite Straße, die Miskolc teilte in ein Rechts und ein Links, dann über die vielen kleinen Straßen dahinter, über hohe Bürgersteige, in ihren schwarzen Schuhen und Strümpfen, trotz der Hitze, immer ein Stück vor uns, als habe sie es eilig, als sei dies kein Ausflug, sondern eine Aufgabe, als müßten wir die Stadt in einer bestimmten Zeit ablaufen, jeden Weg, jede Straße, und als seien Isti und ich zu langsam dafür, viel zu langsam. Anna wollte nicht auf uns warten, vielleicht war auch das eine ihrer Regeln, nicht zu warten auf andere, schon gar nicht auf jemanden wie Isti, von dem sie glaubte, er würde nur so tun, als könne er nicht schneller.

Anna nahm uns mit in eine Konditorei an der großen Straße, mit gelben Buchstaben auf den Scheiben und roten Gardinen, die zur Seite gezogen waren. Anna zahlte, legte die Kassenzettel aufs Buffet, Isti trug unser Tablett zum Tisch, den Anna ausgesucht hatte, am Fenster, unter einem gelben K, und dann saßen wir vor unseren Gläsern Kastanienpüree, mit Sahne, weil Isti danach verlangt hatte. Anna redete kaum mit uns, sie schaute hinaus, auf die leere Straße, auf der sich nichts bewegte, auf der es mitten im Sommer aussah wie vereist. Isti starrte auf das Püree in seinem Glas, auf die winzigen Wege darin, er konnte sich vertiefen und schauen, wie er auf vieles bloß schaute, und er fing erst an zu essen, als Anna sagte, hör auf zu warten, dein Nachtisch löst sich auf. Wenn Anna wegsah, tauchte Isti seine Finger ins Glas, schmierte Püree auf die Tischplatte, rund um den

Aschenbecher, wischte mit Papiertüchern die Hände ab, und erst als er alle Tücher verbraucht hatte, auch die vom Tisch neben uns, diese dünnen, kleinen, kaum größer als ein Mund, klappte Anna ihre Handtasche auf, nahm ein Stofftaschentuch heraus, gab es Isti und zischte, genug damit.

Manchmal wollte Anna nicht in den Zug zurück steigen, obwohl sie Fahrscheine besorgt hatte und wir schon am Gleis warteten. Sie wollte nicht in die Dunkelheit hineinfahren, nicht durch die Dunkelheit nach Hause laufen, und wir verließen den Bahnsteig, ohne Widerwort, gingen zurück über die große Straße, diesmal langsamer, bogen irgendwann in einen Weg und blieben über Nacht bei Annas Freundin, in einem dieser Mietshäuser, mit einem Tor, aber vielen Wohnungen und Türen aus Glas, hinter denen alles verschwimmt. Wir saßen auf dem Boden, vor dem Glas, die Rücken an der Wand, die Knie angezogen, warteten, bis jemand die Treppen hochstieg, taten so, als könnten wir erraten, wer es war, und sagten Namen, die uns einfielen, wenn sich hinter dem Glas etwas bewegte, das uns erinnerte, an etwas, an jemanden. Wir sagten *Virág, Zsófi, Ági*, und Anna rief aus dem Zimmer, was wollt ihr erraten, ihr kennt doch niemanden, und dann standen wir auf, liefen durch die kleine Wohnung, in der es nach Katzen roch, überall, neben dem Eingang, in der Küche mit zwei Schränken an der Wand, und im Zimmer, wo Anna und ihre Freundin auf dem Sofa saßen, mit roten Mokkatassen in den Händen, die Beine übereinandergeschlagen. Selbst draußen auf dem Gang roch es so, und wo wir uns hinsetzten, blieben Haare an unseren Kleidern kleben, kurze rote Katzenhaare, und wir fragten uns, warum es Anna nicht störte, ihr schwarzes Kleid übersät mit roten Katzenhaaren.

Wenn wir am Tag darauf zurückfuhren, Isti mit einem letzten Eis in der Waffel, vor dem Fenster im Zug, wieder Dinge zählend, die an uns vorbeizogen, Gatter, acht, Brunnen, neun, und Anna mit ihrem Magazin unterm Arm, in dem sie noch Wochen später lesen und blättern würde, wenn wir aus dem Zug stiegen, in den Abend liefen, durch ein Licht, das blaßrosa war, brachte Anna uns nur bis zum Tor und spazierte dann allein an den Feldern entlang und über die Straße hinunter zum Friedhof. Jedesmal wenn wir aus Miskolc zurückkamen, lief sie so, wurde kleiner mit jedem Schritt, langsamer auch, und immer sah es aus, als habe sie etwas vergessen und wolle umkehren, um es zu holen, aber dann ging sie doch weiter, und Isti und mir, uns tat sie leid, wenn wir ihr nachschauten, wenn wir sie so gehen sahen, ohne daß wir gewußt hätten, warum.

Schon am nächsten Tag war es, als seien wir nie weg gewesen, als hätten wir nie den Zug genommen. Anna verlor kein Wort darüber, sie sagte unserem Vater nichts davon, der im Hof auf und ab lief und den wir zum ersten Mal so sahen, und allein deshalb glaubten wir, müßten auch wir es hüten wie ein Geheimnis, zwischen Anna und uns. Alles, was uns daran erinnerte, in einem Zug gefahren zu sein, in einer Konditorei und später hinter einer Glastür gesessen zu haben, war Annas Kleid, voll mit Katzenhaaren, das sie noch am Abend wie zum Andenken in den Hof gehängt hatte, wo es jeder sehen konnte, der am Zaun vorbeilief, und das sie erst Tage später abnahm, als unser Vater fragte, wie lange wollen Sie dieses Kleid zur Schau stellen, Anna?

Meist sagte Anna nicht mehr als zwei Worte – dieses Leben, sagte sie, nur so viel. Sie sagte es im Vorbeigehen, wenn sie Mais vor die Hühner warf, wenn sie den Hunden die Reste in den Zwinger stellte, sie sagte es am Morgen, wenn sie die Tür zum Hof öffnete, und am Abend, wenn sie sich aufs Bett setzte und mit einer Faust in ihr Kissen schlug, bevor sie ihren Kopf darauf legte. Sie sagte es, wenn sie mit meinem Vater redete, und sie sagte es im Dorf, wo man sich an der Wegkreuzung traf, um schlechte Nachrichten zu erzählen. Anna sagte: dieses Leben, wenn sie etwas einleitete, wenn sie etwas abschloß, und immer sprach sie diese beiden Worte wie eine Drohung aus, als sei das Leben genau das: eine Drohung.

Wenn es das gab, wenn es das geben konnte, dann hatten wir, unser Vater, Isti und ich, für dieses Leben, das auf irgendeine Weise doch uns gehörte, etwas wie eine stille Abmachung getroffen, die uns verband. Unser Vater nahm uns mit, er suchte Häuser für uns, in denen sich irgendwer um uns kümmerte, und Isti und ich, wir fragten dafür nicht länger, wann unsere Mutter zurückkommen würde oder wann wir zu ihr fahren würden, auch wenn wir hätten fragen wollen, ich bestimmt mehr als Isti. Wer uns verlassen hat, dem fahren wir nicht nach, sagten Isti und ich, und wir sagten es wie etwas, an das wir nicht glaubten, aber von dem wir uns überzeugen wollten, und je öfter wir es sagten, desto eher konnten wir es für wahr halten. Was uns gehörte und was wir zu kennen glaubten, war wenig, und es aufzugeben, war unmöglich. Unser Leben, so wenig es seit langem auch war, war doch unser Leben, und wir weigerten uns, dieses Etwas in Gefahr zu bringen. Wir hatten Angst, selbst das könnte uns verlorengehen, wenn wir es für einen Moment verließen.

Ich gab nur vor, nicht mehr an meine Mutter zu denken. Ich dachte an sie, wenn ich aufwachte, und abends auf dem Sofa, vor dem Einschlafen, wenn wir im Dunkeln lagen, wenn Isti mit sich selbst redete und mit einer Hand Kreise an die Zimmerdecke malte, dachte ich an sie, an Vali und die anderen, und immer öfter zwang ich mich, auch am Tag daran zu denken, auch, wenn es hell war, weil die Bilder zu verschwinden anfingen. Wenn ich über die Felder lief, legte ich meine Hände auf die Augen, preßte sie an die Schläfen, trommelte gegen meine Stirn, aus Angst, nicht mehr zu wissen, wie es gewesen war, mit uns, mit ihr. Bei Isti war ich mir nicht sicher, vielleicht hatte er die Bilder verbannt, in diesem Sommer, hier, irgendwo an einem der äußersten Punkte des Landes, wo der Himmel eher weiß als blau war, vielleicht hatte er sich von unserer Mutter verabschiedet, vorher schon, vielleicht war es ihm gelungen, sie zu strafen für etwas, das sie getan hatte, ohne dazusein. Wenn Anna ansetzte, uns auf ihre Art zu trösten, wenn sie von unserer Mutter redete, davon, daß sie zurückkehren würde, eines Tages, weil Anna sicher war, niemand könne allein bleiben, sagte Isti, wer will das hören, wir bestimmt nicht.

Aber ich, ich dachte weiter an sie, weil ich nicht aufhören konnte damit, weil etwas in mir genau das nicht zuließ. Auch als der Herbst kam, dachte ich an sie, der Herbst und mit ihm dieses Grau, das sich ausbreitete, in der Luft, über den Dächern, als wir nicht atmen konnten, ohne den Rauch, den Ruß zu schmecken, und Isti sagte, es riecht nach Verbranntem. Ich dachte an sie, wenn wir mit Anna in der Küche saßen, wo jetzt die Fenster beschlugen, während im Hof die Krähen dieses Geräusch machten, bei dem man weiß, es wird Winter, und als der erste Schnee fiel, dachte ich an sie, weil auch auf sie irgendein Schnee gefallen war.

Meine Angst um Isti hatte zugenommen, sie wurde schlimmer als in den Sommern am See, schlimmer als meine Angst um ihn, wenn er geschwommen war oder Hühnchen gegessen hatte. Isti wußte nicht mehr, ob er schlief und träumte oder ob er wachte, und ich sollte es ihm sagen, aber wenn ich erklärte, du bist wach, wir reden doch, deine Augen sind offen, fing Isti an zu weinen und fragte, warum lügst du, ich schlafe doch. Isti sah keine Gesichter mehr, er konnte sie nicht erkennen, erst, wenn jemand anfing zu reden, konnte er auch dessen Gesicht sehen, und wenn ich ihn fragte, und mein Gesicht?, schüttelte Isti den Kopf. Er sagte, die Dinge schmecken nach Glyzerin, nach Seife, nach Handcreme, er spuckte sein Essen aus, zurück auf seinen Teller, und als unser Vater es aufgab, ihn dafür zu ohrfeigen, wußte ich, Isti war auf dem Weg in eine Art Vogelfreiheit. Unser Vater blieb ruhig, selbst als Isti den Zwinger öffnete und die Hunde freiließ, in einer dieser Nächte, als wir Kopf an Fuß und Fuß an Kopf auf dem Sofa lagen und Isti aufwachte, weil er die Hunde bellen hörte und dieses Bellen nicht mehr ertragen konnte. Er stand auf, ging ohne Schuhe über den Hof, ließ die Hunde aus dem Zwinger, öffnete das Tor zur Straße, und dann liefen sie ins Dorf, und Isti schrie so laut er konnte, bellt nur, soviel ihr wollt, bellt nur.

Am Morgen verlor unser Vater kein Wort darüber, und Anna legte ihm wie zum Dank ihre Hand auf die Schulter. Als Isti am Abend nicht zurückkehrte, war es Anna, die mit mir ins Dorf ging, um ihn zu suchen, die jeden Weg ablief und in jedem Hof nachschaute, ob Isti sich dort versteckte. Wir fanden Isti hinter der Zugstation, in einem Verschlag hinter den Gleisen, wo sie Kisten stapelten, und erst als Anna ihn drängte, weil sie Istis rote und blaue Flecken sah, und seine Hosen, die zerrissen waren, gab er zu, sich mit den Dorfkindern wegen der Hunde geprügelt zu haben, die durch die Gärten getobt waren, ihre Spuren in den Schnee gesetzt und Zäune zerbissen hatten. Anna sagte, sie würde sich bei jedem entschuldigen, ihr würde etwas einfallen, Isti solle sich nicht sorgen. Sie würde sagen, die Hunde hätten sich selbst aus ihrem Zwinger befreit, die Tür schließe schon eine Weile nicht, man müsse sie richten, und dann ging Isti mit uns zurück, und ich, ich wunderte mich, daß Anna solche Dinge sagen konnte. Als unser Vater Isti sah, stand er auf, prüfte Istis blaue Flecken, nahm sein Gesicht zwischen die Hände, und ich bin sicher, er tat das zum ersten Mal. Er stellte keine Fragen, lief ohne Mantel ins Dorf, obwohl es kalt war, viel zu kalt. Anna hat man später erzählt, Kálmán habe sich die Kinder vorgenommen, jedes einzelne, und sie schaute so komisch, als sie uns sagte, früher sei es auch so gewesen, genau so.

Auch Kálmán hatte sich als Junge geprügelt, genauso, wilder noch, blutiger sogar. Alles hatte ihm als Grund gereicht, auch den Kindern im Dorf hatte alles als Grund gereicht, um sich mit ihm zu prügeln, und es hatte niemanden gegeben, der sich vor Kálmán gestellt hätte, Anna hatte es jedenfalls nicht getan. Sie hatte gesagt, ein Junge ohne Vater dürfe sich nicht prügeln, einfach, weil er keinen Vater habe, der sich vor ihn stellen könne, und jetzt sagte sie, ihrem Mann habe sie viel verziehen, das Rauchen, das Trinken, auch daß er nächtelang in Miskolc geblieben und zurückgekehrt war mit einem Katzenhaar am Kragen, über das beide kein Wort verloren. Aber sie hatte ihm nicht verziehen, daß er zu früh gestorben war und ihr nichts als ein Holzkreuz und zwei Paar Schuhe hinterlassen hatte. An einem Riemen aus Leder hatte er sich erhängt, auf dem Heuboden, über Annas Kopf, nur um sie allein zu lassen, wie sie sagte, mit einem Hof, von dem sie nichts wissen wollte, und einem Jungen, der sich mit jedem Kind im Dorf prügelte, daß Anna sich schämen mußte.

Annas Mann, Miklós, unser Großvater, hatte auf dem Heuboden gehangen, während Anna unten durchs Zimmer gegangen war, im Bett geschlafen, in der Küche Teewasser aufgesetzt und geglaubt hatte, ihr Mann sei in Miskolc. Sie hatte sich gewundert, daß am Tisch ein Stuhl fehlte, aber erst als sich ein Schuh von Miklós' Fuß gelöst und Anna einen Schlag gehört hatte, war sie auf den Dachboden gestiegen. Sie war an der Hauswand entlang durch den Garten gelaufen, war die Leiter zum Dach hochgeklettert, und sie hatte keine Angst gehabt, erst, als sie die Tür zum Dach öffnete und Miklós' Schuh sah und dann seine Füße, vielleicht einen Meter über den Dielen. Anna hatte es nicht geschafft, den Knoten zu lösen, und Kálmán hatte kommen müssen, um das Leder zu durchtrennen.

Jemanden aus dem Dorf hatten sie gerufen, der geholfen hatte, Miklós hinunterzutragen und aufs Bett zu legen, und Anna sagte, die Uhr an der Wand sei in diesem Moment stehengeblieben, sie habe sie seitdem nicht mehr aufgezogen, und Isti schaute auf die Uhr und sagte, Viertel nach vier, als sei es neu für uns, daß diese Uhr nur eine Zeit zeigte und wir sie nicht aufziehen durften. Obwohl Anna und Kálmán vorgegeben hatten, Miklós sei im Bett gestorben, hatte sich der Pfarrer geweigert, ihn zu begraben. Anna hatte gefleht, geweint, geschrien, hatte ihm Geld geboten, war irgendwann aus Erschöpfung eingeschlafen, auf der Küchenliege, in Kleidern, in Schuhen, und später hatte der Pfarrer sie geweckt und ihr versprochen, Miklós doch zu beerdigen, und Anna wußte, Kálmán hatte mit ihm gesprochen, während sie geschlafen hatte.

Anna hatte Kálmán auf einem Stapel Tücher zur Welt gebracht, im Bett, das sie mit ihrem Mann geteilt hatte, lange bevor er in einen Zug zu steigen und in einem Krieg zu kämpfen hatte. Anna hatte am Gleis gestanden, vor dem Zugfenster, mit Kálmán, der kaum größer gewesen war als Isti jetzt, und beide hatten sie Miklós' Hände gehalten, jeder eine, und als sich der Zug in Bewegung setzte, hatte Kálmán gerufen: komm zurück!, und Miklós hatte versprochen, ich komme zurück. Anna hatte den Krieg verflucht, der sie geängstigt hatte, viel mehr noch, als er schon vorbei war und sie im Dorf erzählten, alle aus der Partei werde man erschießen oder aufhängen, auch Miklós.

Zwischen den Kriegen hatte Miklós zu den reichen Bauern gehört, dann hatte man ihm alles genommen, und es wäre besser gewesen, ihn zu erschießen, uns alle zu erschießen, sagte Anna, verloren hatten sie alles, sagte sie, als könne man Felder, Wälder, Tiere verlieren, und dann habe Miklós angefangen zu trinken, und dafür habe er auch den Rest noch verkauft, die Möbel, die Wäsche, das Geschirr. Anna war allein geblieben, weil sie dachte, einen auf Erden und im Himmel, einen im Leben und im Tod, und jetzt, sagte Anna, kehre Miklós zurück, fast jeden Tag, um neben ihr auf dem Bett zu sitzen, das sie geteilt hatten, oder auf einem Stuhl davor. Da sitze er und schaue ihr zu, in der Küche und im Stall laufe er an ihr vorbei, er sitze mit uns am Tisch, gehe plötzlich neben uns, besonders an der Kirche, dort tauche er oft auf, nur um ein Stück mit ihr zu gehen, erzählte Anna, und nicht einmal mein Vater sagte, hören Sie auf damit, lassen Sie das, nur Isti fragte, warum laufen Sie zum Friedhof, wenn Miklós doch jeden Tag zu uns kommt?

Und so lebten wir in diesem Winter, mit Anna und mit Miklós, der bei uns war, ohne daß wir ihn sehen konnten, der auf dem Bett saß, der neben uns lief oder hinter dem Taubenhaus durch den Garten, nur, um in Annas Nähe zu sein. Isti fing an, mit ihm zu reden, und irgendwann erklärte er, Miklós habe gesagt, morgen käme ein Brief, ein wichtiger Brief, und ich wußte nicht, ob Isti nur mit uns spielte, aber der Postbote brachte am nächsten Morgen wirklich einen Brief, und er trug ihn so, als wüßte er, was darin stand, als wüßte er, daß er ihn so zu tragen hatte, wie er ihn trug, mit beiden Händen, als sei er schwer, dieser Brief.

Ich griff nach ihm, mein Vater nahm ihn mir aus den Händen, weil er nicht wollte, daß ich die Briefe laut las, weil er erst sehen wollte, was dort geschrieben stand, und dann las er den Brief leise, für sich. Anna umfaßte die Stuhllehne mit nassen Fingern, Isti drängte: was ist es?, und unser Vater sagte, es ist etwas mit Jenő, Jenő ist nicht mehr da, er hat uns verlassen, er ist weg, und er sagte all das sehr leise. Isti fragte, wo ist er?, aber er fragte nur so. Er wußte, wo Jenő jetzt war, und ich, ich wußte es auch.

Kálmán.

Wir fuhren zu Zsófi, schon wenige Tage später, erst mit dem Zug, dann mit dem Bus, auf einer Asphaltstraße, über die wir vor Jahren gelaufen waren, ohne Schuhe, Isti und ich, unter diesem flachen Himmel, der hier näher war als anderswo und an diesem Tag so blau, daß Anna sagte, dieses Blau schmerze in ihren Augen, warum trage der Himmel ausgerechnet heute dieses Blau?

Zsófi kam über den Hof zum Tor gelaufen und rief unsere Namen, als sei sie überrascht, uns zu sehen, obwohl Anna ihr geschrieben hatte, wir kommen, und dann rief sie, Anikó, Pista, kommt raus, seht, wer da ist. In der Küche hatte Zsófi ein Foto von Jenő aufgestellt, das sie zu oft in den Händen gehalten hatte, in einem Rahmen aus dunkelrotem Holz, davor zwei brennende Kerzen. Jenő sah aus, wie ich mich an ihn erinnerte, mit weißem Hemdkragen, dunklem Haar, in der Mitte gescheitelt, seine Augen ein bißchen so, als habe ihn etwas erschreckt, das Kinn zur linken Schulter gezogen, so wie es die Photographen jetzt wünschten. Anikó sagte, Zsófi sitze Tag und Nacht davor und achte darauf, daß die Flammen nicht ausgehen, sobald eine Kerze abbrenne, zünde sie die nächste an. Zsófis roter Strich am Hals war blaß geworden, er war kaum mehr zu sehen, und manchmal legte Zsófi einen Finger darauf, als wolle sie uns zeigen, daß er noch da war. Zsófi rauchte, sie machte es nicht länger zum Geheimnis, jetzt, da ihr alles gleich war, auch was irgendwer von ihr denken oder sagen würde. Jedesmal wenn sie an ihrer Zigarette gezogen hatte, legte Zsófi sie neben Jenős Bild in einen Aschenbecher aus hellem Porzellan, als sei sie zu schwer, um sie zu halten.

Warum ist er jetzt gegangen?, fragte Zsófi, als wüßten wir eine Antwort darauf, ausgerechnet jetzt, da Pista die Federn vom Speicher geholt hat, jetzt, da der Boden bedeckt war mit Federn, die sie um diese Zeit des Jahres putzten, weil es sonst nichts zu tun gab. Warum jetzt?, fragte Zsófi, als hätte es für Jenő einen besseren, einen richtigen Zeitpunkt geben können, um dieses Haus zu verlassen, und mit ihm alles, was Jenő bisher umgeben hatte. Wie Schnee lagen die Federn auf dem Boden, keiner hatte sie mehr angerührt, seit Jenő gegangen war, und Isti pustete in den Haufen, bis zwei, drei Federn hochstiegen, warf seinen Kopf in den Nacken, pustete wieder und wieder, bis die Federn zur Decke flogen und Zsófi und Anikó ihnen nachschauten.

Seit Jenő weg war, hatte Pista nicht mehr mit Zsófi gesprochen, auch nicht mit Anikó, als wolle er alle strafen, die weiter in diesem Haus wohnten – ohne Jenő. Ihnen gebe er die Schuld dafür, daß Jenő gegangen war, sagte Zsófi, wo sie doch keine Schuld hätten, wenigstens nicht mehr als Pista selbst, der Jenő, seinen erwachsenen Sohn, noch am letzten Tag am Ohr gezogen habe und jetzt den Heiligen spiele. Vielleicht rede er mit Karcsi, fuhr sie fort, Karcsi, der nach Pista sehe, wann immer er Zeit habe, der bei ihm sitze, hinter dem Gemüsegarten, in der Gartenlaube, wo Pista schlief, seitdem Jenő weg war, weil er nicht länger in einem Haus schlafen wollte, in dem es Jenő nicht mehr gab. Trotz der Kälte blieb Pista in der Laube, sagte Zsófi, unter einem Dach, das den Regen durchließ, auf einer

Liege, die sie schon vergangenen Winter habe ins Feuer werfen wollen. Auch in den letzten Tagen habe er dort geschlafen, trotz dieses Regens, der so lange gefallen sei, bis er den Schnee weggeschwemmt und alles, den Garten, das Haus, den Hof und den Himmel darüber, in ein einziges großes Grau getaucht habe. Und jetzt, wenn Zsófi durchs Küchenfenster rief, Pista, du kannst nicht in der Gartenlaube schlafen, nicht im Winter, nicht in diesem Winter, erwiderte Pista nichts, er zischte nicht mal mehr durch die Zähne. Er lief über den Hof, durch den Garten, über einen Weg aus Steinplatten, der die Beete zerteilte, bis zur Laube, blieb unter dem Vordach stehen, drehte seinen Kopf zu uns und schaute uns an, als gäbe es uns nicht.

Als Zsófi sicher gewesen war, Jenő würde nicht mehr zurückkommen, hatte sie in der Nacht darauf angefangen, sich zu kratzen, und wir, wir konnten sie hören, nachts, wenn wir im Zimmer nebenan in den Betten lagen und Zsófi in der Küche an ihren Beinen kratzte, vor dem kleinen Altar, den sie nicht mehr verließ. Morgens zog Anikó Zsófis Rock bis zu den Knien und die Ärmel ihrer Strickjacke hoch, um uns zu zeigen, wie sehr sich ihre Mutter gekratzt hatte, und Zsófi seufzte und stöhnte und tat, als könne sie nichts dafür, als werde sie gezwungen, es zu tun, von irgendwem, durch irgendwas, und Isti sagte zu mir, Pista schläft in der Gartenlaube, weil er dieses Kratzen nicht länger hören will, und ich, ich will es auch nicht hören.

Zsófi erzählte, Jenő sei so anders gewesen gegen Ende. Am Tag habe er vor dem Regal mit den Büchern gelegen und gesagt, die Buchstaben zögen sich zusammen, sie würden winzig, und jedesmal wenn er hinschaue, sprängen sie von den Buchrücken, und jetzt wisse er, sie bewegen sich, sie hüpfen. Dieses springende S, das sich ans Ende des Wortes gesetzt habe, könne er nicht vergessen, hatte Jenő gesagt, und Zsófi hatte geschrien, er solle aufhören mit diesen Dingen, die ihr den Kopf verdrehten, und jetzt sagte sie, nie hätte sie Jenő so anschreien dürfen. Jenő sei immer mit derselben Frage, die er laut vor sich hersagte, durchs Zimmer gelaufen, er habe gefragt, ob es sich gelohnt habe zu sterben, und Zsófi wußte nicht, was er gemeint, von was er gesprochen habe, und es nicht zu wissen bringe sie um den Verstand, an nichts anderes denke sie mehr. Hier, diese Bilder habe Jenő gesammelt, sagte Zsófi, klappte ein Buch auf und zeigte uns Bilder, die jemand aus der Zeitung geschnitten und zwischen die Seiten gelegt hatte, und wir wunderten uns, woher Jenő diese Bilder hatte, von diesen großen Köpfen aus Stein, die zwischen Trümmern auf einer Straße lagen.

Jenő hatte sich nicht verabschiedet, und Zsófi hatte ihm nicht nachschauen können, an einer Straße, an einem Bahnsteig oder auch nur von ihrem Fenster aus. Auf sein leeres Bett hatte sie gesehen, am Morgen, als sie glaubte, Jenő sei bloß über Nacht weg und komme wieder, spätestens gegen Mittag. Nichts habe Jenő mitgenommen, außer einer weißen Taste, die er mit einer Stange aus dem Klavier gebrochen habe, und Isti ging zum Klavier, hob den Deckel und sagte, wie eine Zahnlücke sieht es aus. Zsófi hatte gehört, als Vali damals gegangen war, habe ihr Vater am Fenster gestanden und ihr nachgeschaut. Er habe gewußt, sie würde nicht zurückkommen, und ihr so lange nachgesehen, bis sie an der Kreuzung stehengeblieben war, einen Augenblick lang gewartet hatte und dann abgebogen

war, und dieses Bild, wie Vali die leere Straße hinabgelaufen war, in ihrem langen Mantel, ganz auf der rechten Seite, dicht an den Bäumen, obwohl ihr niemand
entgegenkam, dieses Bild sei so anders gewesen, auch
wenn Vali so gelaufen sei wie immer, und jetzt fragte
Zsófi, warum sie kein letztes Bild von Jenő habe, an
das sie jederzeit denken könne, warum nicht? Sie
könne nur noch beten für Jenő, und ja, sie bete für ihn,
auch wir sollten für ihn beten, hier, vor seinem Foto,
sagte Zsófi, wer weiß, wo er jetzt sei, auf welchem
Weg, bei welchem Wetter, in welcher Stadt. In Wien
habe Jenő eine Anschrift, fuhr Zsófi fort, auch zu Kata
könne er, vielleicht habe er das vor, Gott gebe, daß er
das vorhabe, Gott gebe es.

Zur Polizei habe man sie bestellt, erklärte Zsófi, und
nichts habe sie sagen können. Was hätte sie sagen sollen,
außer daß Jenő weg war? Man kann ihnen nichts sagen,
und trotzdem bestellen sie einen, wiederholte sie, wie
dich, Kálmán. Isti und ich, wir wußten nichts davon,
daß unser Vater bestellt worden war, um zu reden, um
zu erzählen, wie alles gekommen war und warum, und
Zsófi sprach jetzt so darüber, als dürfe man darüber
sprechen, als habe unser Vater nichts dagegen, als dürften es plötzlich alle hören, selbst wir, Isti und ich, daß er
vor Jahren hatte erklären müssen, wo unsere Mutter war
und warum, daß sie ihn wieder und wieder bestellt hatten, weil sie wissen wollten, warum unsere Mutter allein
und er nicht mit ihr gegangen war, und weil sie davon
überzeugt waren, er würde ihr folgen, wir alle, mein
Vater, Isti und ich, würden ihr folgen, bald schon.

Unser Vater stellte sein Glas ab, stand auf, um zu Pista
in die Gartenlaube zu gehen, und Zsófi sagte, geh nur,

solange Karcsi nicht da ist, und unser Vater sah sie an, als wolle er fragen, was kümmert mich Karcsi. Zu uns sagte Zsófi, niemals habe Kálmán über diese Dinge nachgedacht, auch Pista nicht, selbst sie nicht, Zsófi, niemand hätte über diese Dinge nachgedacht, nicht bevor man auf Wachen bestellt wurde, um zu erklären, wer wo war, ganz gleich, ob man etwas wußte oder nicht. Bevor unsere Mutter gegangen war, hatten sie noch anders darüber gedacht, sagte Zsófi, noch 1953, als es mich schon gab, nach den ersten Wochen des Jahres, als der Winter kaum vorbei war und Zsófi und Kálmán sich an einem kalten, hellen Tag in Budapest getroffen hatten, weil sie beide dort zu tun hatten. Sie waren durch die Stadt gelaufen und irgendwann stehengeblieben, weil man stehenzubleiben hatte in dieser Minute, weil alles und jeder stehenblieb, Bahnen, Busse, Menschen, zu Fuß, auf Fahrrädern, weil es so bestimmt worden war, über Lautsprecher oder Sirenen. Jeder stand und schwieg, nicht nur hier, sondern im ganzen Land, selbst in den Ländern ringsum, im Norden, Osten und Süden, in Fabriken, auf Straßen, in der Stadt, auf dem Land, und dann hatten auch sie gestanden und geschwiegen, Zsófi und Kálmán, wie alle anderen. Etwas war zu Ende gegangen, ein Leben war vorbei und mit ihm eine Zeit, eine Zeitrechnung, und Zsófi und unser Vater hatten etwas gespürt, etwas, das der Trauer ähnlich war, das fast Trauer gewesen war, und erst später, Jahre später, als sie schon mehr wußten, als alle schon mehr wußten, hatten sie sich dafür geschämt, daß sie so etwas hatten empfinden können.

Zsófi schaute beim Reden auf die Kerzen vor Jenős Bild, als wolle sie all das Jenő erzählen und nicht uns. Sie sagte, hier habe sie Schmerzen, und legte eine Hand auf die Brust über ihrem Bauch, der dort saß wie eine Kugel, und hier ein lautes Pochen, sagte Zsófi, und legte eine Hand auf die Stirn. Anna sagte, Zsófi, du mußt schlafen, leg dich hin, Kata und ich, wir werden aufpassen, daß die Flammen nicht ausgehen, aber Zsófi schüttelte den Kopf, sie könne keinen Schlaf finden, erwiderte sie, es sei nicht nur wegen der Kerzen. Wenn sie sich aufs Bett lege und die Augen schließe, sehe sie immer nur Jenő, Jenő, wie er rennt, atmet, stolpert und fällt, und sie denke nach über ihn, sie könne nicht mehr aufhören, über ihn nachzudenken, und dann sagte sie zu Anna, bei Jenő sei es nicht so gewesen wie bei Kálmán, als er so alt war wie Jenő jetzt. Nie sei Jenő von einem Mädchen angefaßt worden, das wußte Zsófi. Wenn er über Nacht wegblieb, sei er nie bei einem Mädchen gewesen, sondern bloß in der Schule, für die er einen Schlüssel hatte, seit er dort Stunden gab. Er habe bis zum Morgen Klavier gespielt, und manchmal habe Zsófi vor ihrem Weg zur Zugstation vorbeigeschaut, Tee in einer Kanne gebracht und Jenő geweckt, wenn er am Klavier eingeschlafen war, mit seinem Kopf auf den Tasten. Kein Mädchen habe Jenő gemocht, auch darüber denke sie nach, warum nicht, und sie wisse nicht einmal, ob Jenő überhaupt irgendein Mädchen gemocht habe. Bei Kálmán war es immer anders gewesen, sagte Zsófi und schaute dabei zu Anna, alle Mädchen hatten ihn gemocht, eben weil er nichts von ihnen wissen wollte, und unsere Mutter habe genau das umgekehrt, sie sei die einzige gewesen, die nichts von ihm habe wissen wollen.

Kálmán, erwiderte Anna, war es gleich gewesen, wenn er eine Verehrerin hatte, und er hatte einige. Am liebsten habe er in der Küche gelegen, an die Zimmerdecke gestarrt und geraucht und die Tage vergehen lassen, sich nicht gekümmert, ob Winter war oder Sommer, ob Tag oder Nacht. Er habe die Tage vergehen lassen, als sei ein solcher Tag nichts, und wenn jemand ans Fenster klopfte oder vom Tor aus seinen Namen rief, weil man ihn mitnehmen wollte, zum Spaziergang, zum Tanz, ins Kino, hörte Kálmán nichts, kein Klopfen, kein Rufen. Er blieb liegen, und es war Anna, die das Küchenfenster öffnete und hinausrief, Kálmán kann nicht, er hat Besseres zu tun, er muß liegen und rauchen, und sie wiederholte es, wieder und wieder, weil sie glaubte, es würde Kálmán ärgern, wenn sie so redete, und er würde aufstehen und mit den anderen gehen. Anna hatte wissen wollen, an was Kálmán dachte und was er in Gedanken sah, wenn er so lag und rauchte. Erst hatte sie geglaubt, er denke an Miklós, aber nur, weil sie nie aufhörte, an ihn zu denken, und irgendwann wußte sie, daß es nicht Miklós war, an den Kálmán dachte, daß es einfach nichts und niemand war, an was er dachte, einfach nur nichts und niemand.

Nach zwei Sommern machte sich niemand mehr die Mühe, die Straße hinabzulaufen, bis zu Annas Haus, um Kálmán zu fragen, ob er mitkommen, ob er dabeisein wolle, und während die anderen zusammensaßen, an den Samstagen, vor der Konditorei, wo ihr Eis in der Sonne schmolz, in einem Garten, unter einem Vordach, in einem Tanzlokal, fuhr Kálmán mit dem Rad zum Fluß, immer an dieselbe Stelle, die er gefunden hatte, versteckt hinter zwei Weiden. Die Hände auf dem Rükken, Beine und Füße gestreckt, sprang er kopfüber von einem Steg ins braune Wasser, schwamm seine Bahnen ohne Angst und legte sich später ans Ufer, um auf die Wellen zu schauen, bis es dunkel wurde, bis er das Wasser nicht mehr sehen, sondern nur noch hören konnte, und neben dem Plätschern der Wellen irgendwann einschlief.

Jahre zuvor hatte Miklós ihm verboten, in der Dunkelheit zu schwimmen, aus Angst, er werde hinabgezogen, von einem der vielen Strudel, und Kálmán hielt sich an dieses Verbot, auch später noch. Morgens, wenn er aufwachte, von den Vögeln, vom Licht, vom Wind, sprang er vom Steg ins Wasser, wieder und wieder, schwamm an den Strudeln vorbei, ließ sich treiben von der Strömung, hielt sich fest an Zweigen und Ästen, die übers Wasser ragten, und es dauerte, bis er sich aufs Rad setzte und zurückfuhr, über verlassene Wege, durch gelbe Felder in den Mittag hinein, bis er das Tor öffnete und sein Rad über den Hof schob, wo Anna gewartet hatte, seit dem frühen Morgen, und wo sie jetzt stand und schimpfte, warum kommst du nicht nach Hause und schläfst in deinem Bett, willst du, daß die Mücken dich auffressen?

Anna konnte nicht mehr sagen, was Kálmáns Grund gewesen war, zu gehen und sie zurückzulassen, ohne Kuß, ohne Zeichen, ohne Nachricht, in einem leeren Haus, mit einer Leiter an der Mauer, die zum Dachboden führte, aber in einem dieser Sommer sprang Kálmán auf einen Zug, auf den erstbesten, der vorbeifuhr und ihn wegbrachte von hier, von Anna und den anderen im Dorf, und er stieg erst aus, als er sicher war, hier würde ihn niemand mehr kennen und niemand mehr ansprechen. Es war der erste Sommer, in dem Kálmán ohne Haus, ohne Dach und ohne Anna war, und es gefiel ihm, durchs Land zu ziehen, auf Züge zu springen, die Orte zu wechseln, die Plätze, die Gesichter, wann immer er wollte. Er schlief unter Bäumen, an Flüssen und auf Feldern, lief über Gleise und blieb, wo ihm das Blau des Himmels gefiel, das Grün der Felder, wo immer ihm etwas sagte: bleib.

Erst nach Wochen schrieb er Anna, die vor dem Spiegel ihr Haar kämmte, weil ihr nichts Besseres einfiel, um die Zeit loszuwerden, und die jeden Abend betete, Kálmán möge zurückkommen. Er schickte eine Karte, die eine Kirche mit zwei gelben Türmen zeigte und auf der nichts weiter stand als, Ich lebe: Kálmán. Anna klemmte die Karte in den Türrahmen neben das Fliegengitter, um sie sehen zu können, jedesmal wenn sie nach draußen ging. Sie blieb eine Weile davor stehen, schaute auf die zwei gelben Türme, steckte die Karte in die Tasche ihrer Schürze, wenn sie im Hof arbeitete, und nahm sie abends mit ins Zimmer, um sie aufs Kissen neben ihren Kopf zu legen und ein letztes Mal zu sehen, bevor sie das Licht löschte, während Kálmán in Wäldern schlief, am Morgen wieder auf Züge sprang und über Feldwege lief, als müsse er jemandem entkommen.

Isti und mir gefiel, wie Anna redete, mit dieser Stimme, die jetzt weder laut noch leise war, und was sie erzählte, von unserem Vater, der irgendwann, vor vielen Sommern, lange bevor es uns gab, durchs Land gezogen war, allein, über Felder, durch Dörfer, an Flüssen entlang, in die er hin und wieder sprang, um zu schwimmen, und wir glaubten, Anna erfand es für uns, jetzt, in diesem Augenblick, bevor sie es aussprach, weil Isti und mir noch nie etwas so gut gefallen hatte, das man uns erzählte. Anna sagte, wenige Wochen später habe Kálmán noch eine Karte geschickt, mit dem Tor eines Bahnhofs darauf und dem Namen des Städtchens über beiden Türen. Arbeit habe er gefunden, schrieb er, beim Entladen der Züge, aber als Anna las, Ich werde hier bleiben: Kálmán, wußte sie, daß es weder dieser Ort noch der Bahnhof noch die Arbeit war – sondern ein Mädchen.

Kálmán war unserer Mutter an den Gleisen begegnet, wenn man es begegnen nennen will, sagte Anna. Sie war aus dem Zug gestiegen, an ihm vorbeigelaufen, ohne ihn zu bemerken, obwohl ihn jedes Mädchen sofort bemerkte, auch wenn er mit anderen zusammenstand, auch da fiel er auf, gerade dann, vielleicht bloß, weil er schwieg, während die anderen redeten, und weil die anderen nichts sagten, während er sprach. Kálmán hatte es gestört, ihr nachzuschauen, ohne gesehen zu werden, an jedem Tag, an dem sie aus ihrem Zug stieg und auf den Bahnsteig sprang, immer zur gleichen Zeit, mit derselben Bewegung, mit einer kleinen Tasche unter dem Arm, ihm den Rücken zuwendete, den Bahnsteig hinablief und die Türen zur Halle öffnete, wenn es kein anderer für sie tat, um dann hinter dem Glas zu verschwinden.

Nach Mittag hatte Kálmán immer wieder auf die Uhr über den Bänken geschaut, auf ihre schwarzen Zeiger, deren Bewegung er hören konnte, um zu prüfen, ob es Zeit war, ob ihr Zug bald einfahren würde, und es verwirrte ihn, diese Dinge zu tun, die er noch nie getan hatte, es wunderte ihn, daß er, ausgerechnet er, Velencei Kálmán, gegen Mittag unter einer Uhr stand, bloß um auf ihre schwarzen Zeiger zu schauen, um zu sehen, ob sie sich auch wirklich bewegten. Er fand Ausreden, um seine Arbeit liegenzulassen, zum Gleis zu gehen und dort zu warten, bis sich ihr Zug zeigte, und als wieder

Tage vergingen, ohne daß sie ihn wahrnahm, wußte er nicht, war es seine Wut, war es sein Stolz, aber er stellte sich hinter die Glastür, damit sie ihn sehen würde, wenn sie vom Bahnsteig kam und die Türen öffnete, als könne er so ihren Blick einfordern. Selbst da lief sie an ihm vorbei, ohne ihn anzusehen, aber jetzt schien es Kálmán, als sehe sie nicht bloß ihn nicht, sondern als sehe sie nichts, was sie umgab, weil sie lief, als sei sie eingehüllt in etwas, das sie an den anderen vorbei und dann hinaustrug.

Kálmán wartete. Er wartete vor dem Zug, vor der Tür, aus der sie stieg, dieselbe Tür an jedem Tag, und manchmal ging er ihr nach, bis zum Portal, das auf Annas Postkarte zu sehen war, bis hinters Portal sogar, bis dorthin, wo die Busse abfuhren und sich verteilten, auf die wenigen Straßen zu den nächsten Dörfern. Er folgte ihr, weil er etwas an ihr entdeckt hatte, das er nicht vergaß und das man sehen konnte, wenn sie mit jemandem sprach, wenn sie glaubte, etwas fallen gelassen zu haben, und deshalb stehenblieb, ihren Kopf senkte und zu Boden schaute, und weil er es mochte, wie sie ihr Haar trug, kürzer als andere, über der Stirn und an den Seiten festgesteckt mit kleinen Klammern, weil sie niemandem gefallen wollte, wie sie ihm später sagte, jedenfalls nicht wegen der Haare.

In diesem Sommer, in dem es nicht regnete, seit Wochen nicht, sah er ihr dabei zu, wenn sie in ihren Bus stieg, wenn sie über den schmalen Gang zwischen den Sitzen lief, bis zu ihrem Platz, hinter schmutzigen Scheiben, und er schaute dem Bus nach, der sie wegbrachte, unter einem weißen Himmel, der alles einsperrte und zudeckte und von dem man sagte, er würde sich nicht öffnen, nicht in den nächsten Monaten. Unter diesem weißen Himmel, unter dem man auf Regen wartete, trug Kálmán Kisten, Werkzeuge und Schilder die Gleise hinab, die so heiß waren, daß man sich daran hätte verbrennen können, und diese fünf, vielleicht zehn, vielleicht zwölf Minuten jeden Tag, an dem er unsere Mutter sah, fügte er über Wochen zusammen, bis er ein Ganzes hatte, in dem nichts mehr fehlte, in dem sich immer das gleiche abspielte, der gleiche Sprung, der gleiche Schritt, der gleiche Gang unter dem gleichen weißen Himmel.

An einem freien Sonntag ließ Kálmán sich überreden, sein Zimmer, das er mit zwei anderen teilte, zu verlassen. Das Zimmer war in einem Haus, in dem die Arbeiter der Bahn wohnten, weit hinter den Gleisen, mit kleinen Fenstern und Tüchern davor, wegen der Sonne. Kálmán verließ das Zimmer, um mit den anderen zu tun, was sie taten, wenn sie frei hatten, wenn der Tag ihnen gehörte: von Dorf zu Dorf ziehen, zu Fuß, mit den Rädern, mit dem Bus, im Schatten sitzen, erst auf einem der Plätze, unter Bäumen, später dann im Wirtshaus, in den Abend, in die Nacht hinein. Und dort, auf einem dieser Plätze, am Nachmittag, als die Sonne nachließ, sah er unsere Mutter, die neben einer Freundin über den einen großen Schatten spazierte, den die Bäume und die Kirchtürme warfen. Langsam ging sie, langsamer als sonst, auf ihn und seine Freunde zu, und einer der anderen grüßte sie, fing an, mit ihr zu reden, fragte nach der Mutter, nach der Kusine, nach der Arbeit, und Kálmán stand dabei, mit verschränkten Armen, ohne etwas zu sagen, auf diesem Platz, vor einer gelben Kirche, unter dem Weiß des Himmels, das jetzt, in diesen wenigen Minuten, näher gekommen war, um sie wie unter einer Glocke festzuhalten.

Kálmán blieb still, weil sie nur mit den anderen sprach und nicht mit ihm und weil er zu sehen glaubte, daß sie auch nur mit den anderen sprechen wollte und nicht mit ihm. Nachts, nachdem er mit den anderen zurückgelaufen war, über die Straße, auf der kein Bus mehr fuhr und die jetzt so warm war, daß Kálmán die Schuhe auszog, um mit bloßen Füßen den Asphalt zu spüren, nachdem sie zurückgekommen waren auf ihr Zimmer, wo sie wegen der Hitze Fenster und Türen geöffnet hatten, nachdem Kálmán sich aufs Bett geworfen hatte, auf dem Rücken liegengeblieben war und zur Decke geschaut hatte, immer noch ohne zu reden, erst da fragte einer der anderen, was ist mit dir, was hast du, bekommt dir die Sonne nicht?

Jetzt, da er ihren Namen kannte, da er sie schon ansprechen konnte, trafen sie sich und sahen sich, wie man sich trifft und sieht, wenn nichts mehr zufällig ist, wenn man nichts mehr an den Zufall abgibt, aus Angst, er könne die Dinge noch wenden. Sie sahen sich an den Sonntagen, wenn Kálmán mit den anderen das Zimmer verließ, um sich die Zeit zu vertreiben, jetzt nicht mehr ziellos, und wenn sie mit ihrer Freundin durch den Nachmittag spazierte, immer zur gleichen Zeit über die gleichen Schatten. An den Wochentagen nickte sie ihm zu, mit einer winzigen Bewegung, die für andere unsichtbar blieb, wenn sie aus ihrem Zug stieg, die Stufen hinabsprang und ihn entdeckte, zwischen anderen, hinter den Gleisen, am Bahnsteig, an der Glastür, am Portal, das sie hinausließ auf den Vorplatz, wo sie den Bus nahm. Manchmal schien es ihm, daß sie ihn in der Menge suchte und langsamer lief, daß sie zögerte und vorgab, etwas finden zu müssen, in ihrer Tasche, ihrer Jacke, damit er sie ansprechen könne, aber sobald er sich ihr näherte, ging sie schneller und verschwand.

Nach Wochen, als sie sich wieder vor der Kirche gegenüberstanden, er redend, diesmal ohne Scheu, sie schweigsam, fiel von diesem weißen Himmel ein Tropfen auf ihr Gesicht, der erste Regen seit Wochen. Während die anderen sich versteckten, blieben sie stehen, in der Mitte des Platzes, breiteten die Arme aus, hielten die Handflächen nach oben, und schauten hoch, in den Regen, der anfing zu fallen, auf die Dächer ringsum, die Kirche, die Bäume, die Steine und auf sie. Als Kálmán sein Hemd auszog und es um ihre Schultern legte, ließ sie es geschehen, und als der Regen wenig später anfing zu peitschen, sagte sie zum ersten Mal, er dürfe sie nach Hause bringen. Und dann liefen sie an den Feldrainen entlang, über die Straße, die noch warm war, mit den Schuhen in ihren Händen. Den Bus hatten sie nicht nehmen wollen, nicht jetzt, lieber stellten sie sich in den Dörfern unter, um wieder zu Atem zu kommen, unter einem Baum, einem Dach, in einem Tor, und ringsum öffnete man die Türen, kam aus den Häusern und den Höfen gelaufen, hinaus auf die Straße, um den Regen zu sehen, wie etwas, das man nicht kannte, etwas, das fremd war, von dem man nicht wußte, wie es fällt und klingt, und irgendwer rief, seht nur, wie es regnet, endlich – endlich regnet es.

Später standen sie am Tor, in nassen Kleidern, die an ihren Körpern klebten, ihre Schuhe in den Händen, nicht bereit, sich zu verabschieden, trotz des fallenden Regens, und weil er es ablehnte, sie so, mit schmutzigen Füßen, im Unterhemd, ins Haus zu begleiten, rief sie, Mutter, kommen Sie bitte, hier ist jemand, der den Re-

gen gebracht hat, und unsere Großmutter öffnete die
Tür, lief mit einem Schirm über den Hof, schaute unseren Vater an, wie er dort stand, vor dem Tor, in seinem
klebenden Unterhemd, mit nackten Füßen, und sagte,
danke, daß Sie den Regen gebracht haben, Gott segne
Sie, und sie sagte es so, als sei unser Vater jemand, der in
diese Gegend gekommen war, um Regen zu bringen, als
könnte er das, als könnte das irgendwer, Regen bringen.
Unsere Mutter stellte ihn vor, sie sagte, das ist Kálmán,
Velencei Kálmán, und sie erklärte, bald werde auch sie
so heißen, Velencei nämlich, Frau Velencei Kálmán Vár-
hegyi Katalin, und dann wiederholte sie diesen Namen,
immer wieder, diesen langen Namen, mit zweimal V
und zweimal K, als wolle sie ihn einüben, als wolle sie
hören, wie er klinge, ob so wie in ihrer Vorstellung, und
unserem Vater gefiel es, wie sie ihn erst verknüpfte, diesen neuen Namen, und dann in die Welt setzte, als habe
sie auf nichts anderes gewartet, als diesen Namen zu sagen, hinein in diese Nacht und diesen Regen, der immer
noch fiel. Kálmán mochte es, wie sie ihn betonte, ihren
neuen Namen, so, wie nur sie die Worte betonte, und
jetzt, da Anna es erwähnte, erinnerte ich mich, wie sie
die Worte betont hatte, anders als unser Vater, als wir, als
alle anderen im Dorf und in den nächsten Dörfern.

Kálmán war ohne Eile durch den fallenden Regen zu-
rückgegangen, diesmal über die Felder, wo die nasse
Erde an seinen Füßen und Hosen haftenblieb. Irgendwann war er stehengeblieben, um zurückzuschauen, auf
das Haus, auf das Tor, an dem er soeben noch gestanden
hatte, und er hatte gesehen, wie die Lichter im Haus an-
und wieder ausgingen, bis auf eines, und er hatte gewußt, er würde nicht mehr zurückkehren in sein Dorf,
er würde hier bleiben, ohne Anna, ohne Haus, ohne Hof

und ohne Fluß, in dem er würde schwimmen können, und es störte ihn nicht, es war ihm gleich, jetzt, da er daran dachte.

Unsere Mutter ließ ihr Haar für ihn wachsen, ohne daß er danach gefragt hätte, und schließlich gab sie zu, ihn schon am ersten Tag bemerkt zu haben, schon am allerersten Tag, und jetzt sagte Anna, es sei ein Fehler gewesen, das zuzugeben. Er war ihr aufgefallen, als er am Gleis gestanden hatte, und dann hatte sie nach ihm gesucht, an jedem weiteren Tag hatte sie mit ihrem Blick nach ihm gesucht. Auch als er den Bahnsteig verlassen und sich erst hinter die Glastür, dann ans Portal und schließlich auf den Vorplatz gestellt hatte, hatte sie ihn gesehen. Sie war in ihren Bus gestiegen, hatte Platz genommen und sich ganz langsam umgedreht, als müsse sie sich dazu zwingen, durchs hintere Fenster zu ihm zu schauen, und als er noch immer dort stand, die Hände tief in den Taschen, den Blick auf den Bus gerichtet, hatte sie gewußt, es war wegen ihr.

Wenn es das geben könne: Glück, sagte Anna, dann hätte es eine Zeit gegeben, in der ihnen das Glück gehörte, allein ihnen, als habe sich jedes verfügbare Glück einsammeln lassen, als habe es sich anderen entzogen, um allein ihnen zu gehören. Kata habe ihrem Mann die Streichhölzer aus der Hand genommen, sie ausgepustet und den Fleck unter ihrem rechten Auge damit nachgezogen, und abends hätten sie am Tisch gesessen und sich einfach nur angesehen, bloß angesehen, und hin und wieder habe Kálmán ein Forintstück über seinen Handrücken springen lassen, vom kleinen Finger zum Daumen und wieder zurück. Später, als es mich und Isti schon gab, hätten sie für Isti gesungen, beide, in der

Küche, vor seinem Bett, manchmal ganze Abende, und meine Mutter hätte Kissen auf ihrem Kopf balanciert, um uns zum Lachen zu bringen, und jetzt, da Anna diese Dinge erzählte, fiel mir ein, meine Mutter war ohne Mantel, ohne Schirm durch den Regen gelaufen, im Hof, vor den Ställen und auf dem Weg, der ins Dorf führte, wann immer ihr dieser Regen stark genug schien, und mein Vater hatte in der Tür gestanden und ihr dabei zugesehen, und das Komische war: Es hatte ihn nicht gestört, es hatte ihm gefallen.

Irgendwann zerbrach etwas, sagte Anna, wie manchmal etwas zerbreche, ohne daß man ungeschickt sei, ohne daß man es wolle, es geschehe einfach. Irgendwer habe dieses Glück wieder eingesammelt, es entzogen, ohne die beiden zu fragen, ob sie genug davon gehabt hätten, ob es ihnen ausgereicht habe. Irgendwann gehe es allein ums Ertragen, fuhr Anna fort, um nichts anderes mehr, aber fürs Ertragen sei Kálmáns Frau nicht gemacht, und jetzt sagte sie wieder: Kálmáns Frau, so wie sie es sonst immer tat, anstatt: eure Mutter oder Kata oder Katalin. Auch sie hätte es ertragen müssen, wie es ihr bestimmt war, erklärte Anna, und dann verstummte sie, als gebe es dazu nichts mehr zu sagen, als wolle sie uns mit diesem Satz entlassen, und wir schauten auf Jenős Bild, vor dem Zsófi jetzt neue Kerzen anzündete, und ich, ich dachte an meine Mutter und an diese Zeit, die Anna hierher, zu uns geholt hatte und die ich sehen konnte, ohne die Augen zu schließen.

Isti sagte, im Hof kämpfen zwei Tauben, und ich glaube, er sagte es nur, weil er fliehen wollte, hinaus wollte, weg von Anna, von Zsófi, von Jenő, der ihn nicht kümmerte, so wie er jetzt war, schwarz und weiß und eingerahmt, und weil er nichts mehr hören wollte von einer Zeit, in der unsere Mutter spazierenging auf einem Schatten und ihr Haar wachsen ließ, von einer Zeit, in der uns etwas umgeben hatte, das später abhanden gekommen war und von dem wir nicht wußten, warum und wohin. Isti stand auf, obwohl Anna sagte, es ist zu kalt, was willst du draußen, du wirst dich erkälten. Er öffnete die Tür, und vor ihm, vor den Stufen, stand ein kleiner Junge, mit dicker Mütze, die unter dem Kinn zusammengebunden war, in Stiefeln, die bis zu den Knien reichten, und er schaute so, als habe er darauf gewartet, daß man ihm die Tür öffne. Éva, die hinter ihm gestanden hatte, kam jetzt näher und legte eine Hand auf seinen Kopf, auf seine Mütze, sah dabei aber aus, als wolle sie sich lieber umdrehen und gehen. Sie sagte nichts weiter als, hallo, Isti, du bist es also, und Isti ging die Stufen hinab und erwiderte, ja, Éva, ich bin es, hallo.

Unser Vater hatte Pista in seiner Laube allein gelassen. Jetzt lief er durch den Garten, wir konnten den Rauch seiner Zigarette sehen, seine Schritte hören und dann das kleine Tor hinter dem Stall, das er ins Schloß fallen ließ. Éva rührte sich nicht, und sie schaute uns so an, als wolle sie fragen, ist das euer Vater, ist das wirklich euer Vater? Isti nickte, ohne daß sie etwas gesagt oder gefragt hätte, und als Éva sich umdrehte, war unser Vater schon am Taubenhaus, nur wenige Schritte hinter ihr, und lief weiter, unbeirrt, ohne zu zögern, als sei bloß eingetroffen, was er ohnehin erwartet hatte, und ich weiß nicht, vielleicht sagte er, hallo, Éva, aber ich glaube, er sagte nichts. Éva schaute auf seine Schuhe, als müsse sie sehen, daß er wirklich auf sie zulief und daß wirklich er es war, der über den Hof ging, über diese Steine, mit diesen Schritten, in diesen Schuhen, und dann erst schaute sie hoch in sein Gesicht, und sie schaute so, als habe sie auf unseren Vater gewartet, seit langem, und wenn nicht auf ihn, dann auf genau diesen Augenblick.

Unser Vater sah hinab auf den Jungen, der zurückschaute, ohne Angst, ohne Scheu, und er schnappte ihn, hielt ihn hoch, vielleicht, weil er glaubte, etwas tun zu müssen, irgend etwas, in diesem Augenblick, auf den Éva sicher gewartet hatte. Er hob den Jungen über seinen Kopf, der Junge lachte, und Éva schaute hoch zu ihm, und dann streckte sie ihre Hände nach ihm aus, um ihn aufzufangen, wenn er fallen würde. Isti und ich, wir hatten unseren Vater noch nie so gesehen, niemals hatte er ein fremdes Kind hochgehoben und über seinen Kopf gehalten, nicht einmal mit uns hatte er das getan, und jetzt standen wir hier, vor Zsófis Tür, auf ihren Stufen und schauten in ihren Hof, auf unseren Vater, auf Éva, auf den Jungen, und der Hof sah auf einmal verdreht aus, verzerrt, auseinandergenommen und wieder zusammengesetzt, aber anders, falsch, nicht mehr so wie vorher, so als stünde nichts mehr da, wo es hätte stehen sollen, wo es hingehörte. Ich weiß nicht, ob Isti es merkte, jetzt, da er zu Éva schaute, daß sie etwas verloren hatte, etwas von dem, das sie gewesen war. Vielleicht war es nur die Farbe ihres Haars, die anders war, die aussah wie keine Farbe mehr, oder es war die Art, wie sie den Kopf bewegte, wie sie sich überhaupt bewegte, so als habe sie das verloren, was sie zusammengehalten hatte, was alles an ihr zusammengehalten hatte, Arme, Beine, Hals und Kopf und das andere, als sei es jetzt nur noch lose zusammengefügt, lose aufgezogen an einem Faden, und ich weiß nicht, vielleicht hatte auch unser Vater etwas verloren, in diesem Augenblick wenigstens sah er so aus.

Éva ging nicht, ohne uns zu sagen, daß wir kommen sollten, und Isti und ich, wir liefen zu ihr, sobald uns Zsófi ließ, und ich wunderte mich, daß wir das Haus und den Weg nicht vergessen hatten, daß man Häuser und Wege nicht vergißt. Zsófi hatte uns erzählt, damals hätten sie vor Évas Füßen ausgespuckt, und zur Taufe habe niemand gratuliert, nur Pista, Zsófi, Jenő und Anikó seien gekommen. Éva habe all das ertragen, und wozu?, hatte Zsófi gefragt und dabei Anna angeschaut, wo sie jetzt zwar immer noch an einem Tisch säßen, Éva und Karcsi, aber Éva nicht mehr koche für ihn, und der Junge reiche ihm manchmal etwas unter dem Tisch, aber nur wenn Éva es nicht sehe. Und dann hatte Zsófi zu uns gesagt, geht nur, geht.

Vielleicht blieben wir in diesem Winter bei Zsófi, weil unser Vater keinen Grund fand, ihr Haus zu verlassen, vielleicht nur, weil Zsófi sagte, Jenős Bett ist jetzt frei, warum sollt ihr nicht darin schlafen. Ich glaubte, Anna war es recht, daß wir bei Zsófi blieben und sie uns nicht länger in ihrem Haus hatte, in das wir ohnehin bloß den Straßendreck gebracht hatten. Als wir sie zum Bus begleiteten, achtete sie wieder darauf, daß ich keine zu großen Schritte machte und unser Vater nicht vor, sondern neben uns lief, auf gleicher Höhe, und am Bus umarmte sie uns, wie nur sie umarmte, so als wolle sie jede Berührung vermeiden. Isti küßte sie auf die Wangen, und dann küßte er neben Anna in die Luft, und sagte, Küß die Hand, Miklós, und Anna fing sofort an zu weinen, wie nur sie weinte, ohne Ton, und wir wußten nicht, warum sie jetzt weinte, da sie uns loswurde, und unser Vater sagte, es ist gut, Anna Anna, als sei das ihr Name, es ist gut, als könne er sie damit trösten. Als der Bus kam, sah Anna einen Augenblick lang aus, als müßten wir sie zwingen einzusteigen, aber als sich die Türen öffneten, mit diesem lauten, springenden Ton, nahm sie die Stufen, ohne sich noch einmal umzudrehen, und setzte sich ans Fenster, ohne zu uns zu schauen, die kalten Hände auf der Lehne des Vordersitzes, den Blick nach vorne, auf die Straße gerichtet.

Ich habe mich zu oft gefragt, warum wir in diesem Winter bei Zsófi geblieben und nicht zurückgefahren waren, zu Anna, zum See oder zurück nach Vat, warum wir ausgerechnet hier geblieben waren, nur, weil man uns ein Bett gab und meinem Vater wieder Arbeit in der Schokoladenfabrik. Ich glaube, ich habe Jahre damit verbracht, mich das zu fragen, weil ich keine andere Frage im Kopf hatte, ich glaube, ich hatte über Jahre nichts anderes in meinem Kopf, und vielleicht hat sogar mein Vater Jahre damit verbracht, sich das zu fragen. Ich weiß nicht, ob es jetzt noch eine Rolle spielt, warum wir geblieben waren, vielleicht spielt es keine mehr, auch das Fragen nicht, vielleicht läßt auch das irgendwann nach.

Isti und ich, wir vertrieben uns die Zeit draußen, im Dorf, auf den Feldern, den Wiesen, und vielleicht weiß ich diese Dinge nur noch, weil es mein letzter Winter mit Isti war und weil sich die kleinen Dinge einprägen, wenn man an das andere, das sie umgibt, nicht denken kann. Isti, Anikó und ich suchten Schneehaufen, die man an den Wegkreuzungen zusammengeschoben hatte, sprangen von einem zum nächsten, warfen blind Schneebälle über Zäune, warteten auf ein Schimpfen, ein Bellen, und liefen dann weiter über vereiste Felder, spielten Rutschen und Fallen, wie wir es nannten, und schubsten und stießen uns, um zu rutschen und zu fallen. Wer elfmal fiel, hatte verloren, aber wenn Isti fiel, rief er, es zählt nicht, fand Ausreden, warum nicht, und stellte neue Regeln auf, wie es ihm paßte. Er sagte, wenn ich gleich zweimal hintereinander falle, zählt das zweite Mal nicht, oder: du darfst mich nicht stoßen, wenn ich nach dem Aufstehen noch keine zwei Schritte gegangen bin, und so redete er, bis ich erklärte, so spielen wir nicht, und dann erwiderte Isti, gut, wenn du willst, hast du gewonnen.

Isti versuchte, das Eis mit seinen Absätzen zu zerhakken, er stieß Muster ins Eis, kleine Splittermuster, denen er Namen gab, und jedesmal wenn wir wieder an ihnen vorbeiliefen, nach Stunden oder erst nach Tagen, sagte er ihre Namen, die er nicht vergaß, weil die Muster im Eis für ihn genauso aussahen, wie er sie nannte: Lok, Drachen, Schiff. Wenn Schnee gefallen war und Isti sie nicht mehr finden konnte, schimpfte er, sie haben meine Bilder geklaut, der Schnee hat meine Bilder geklaut, und er glitt übers Eis, über den Schnee, schob ihn mit Füßen und Händen beiseite, manchmal über Stunden, ohne davon müde zu werden, bis ich ihm zurief, es war nicht hier, es war woanders, und dann wandte sich Isti zu mir und hob Schultern und Arme, als wolle er fragen, was soll das, wo sind sie, sag es mir.

Jetzt, wenn wir bei Zsófi saßen, vor dem Ofen, mit Blick auf Jenős Bild, unter uns die weißen Federn, vor uns das Fenster, dahinter der fallende Schnee, Pista, der durch den Garten lief, mit meinem Vater, beide rauchend, wenn sie stehenblieben, redeten, ohne den Schnee zu bemerken, den Rauch in die Luft stießen – dann hatte ich das Gefühl, wir lebten auf einem Kreisel, auf seiner Spitze, dort, wo man ihn dreht und losläßt, und wir, wir drehten uns mit ihm, immer auf der einen Stelle, immer unter demselben Himmel. Es lag nicht daran, daß wir bei Zsófi waren, hier, in ihrer Küche, umgeben von Eis, von Splittermustern darin und von Schnee, der sie bedeckte. Es lag daran, daß Jenő nicht mehr da war und ich auf irgendeine Art wußte, warum.

Isti.

Isti sagte mir, er sei froh, nicht länger mit Anna über die einzige große Straße von Miskolc laufen und nicht mehr jeden Satz mit *Verzeihung* anfangen zu müssen, wo es doch nie etwas zu verzeihen gab. Er war glücklich, in Flußnähe zu sein, und wenn wir über die Felder liefen, tat er so, als könne er den Fluß hören, als könne er ihn riechen, sog die Luft durch die Nase ein und sagte: Wasser, Kata, ich rieche es: Flußwasser. Zsófi hatte uns verboten, zum Fluß zu gehen. Sie sagte, das Eis auf dem Wasser sei zu dünn, wir dürften zum Spielen nicht dorthin, und ich weiß nicht, warum ich glaubte, Isti würde sich daran halten, er würde nicht dorthin gehen – ich glaubte es einfach.

Isti war übers Eis gelaufen, vielleicht gesprungen, ein Stück unter seinen Füßen hatte sich gelöst und war mit Isti wenige Meter den Fluß hinabgetrieben, bis es auseinanderbrach – jemand von der Zugstation hatte es Zsófi später so erzählt. Wie ein Pinguin, hatte man gesagt, und als Zsófi es uns erzählte, schimpfte Pista, Kinder treiben nicht auf einem Stück Eis übers Wasser, nicht in unserer Gegend, wer behauptet das. Eine Fremde hatte Isti gefunden. Auf ihrem Rad war sie gefahren, am Fluß entlang, und hatte ihn entdeckt, auf einem Steg, hinter ein, zwei Büschen, die dunkel und kahl waren um diese Zeit des Jahres. Zuerst hatte sie ihn für etwas gehalten, das die Angler im Herbst vergessen hatten, eine Tonne, eine Kiste, in die sie ihre Schnüre und Netze legten, aber dann hatte Isti sich bewegt. Er hatte seine

Hände durch den Schnee geschoben, der Schnee war vom Steg aufs Eis gefallen, und die Fremde war von ihrem Fahrrad gestiegen, hatte es in den Schnee kippen lassen, wo seine Räder weiterdrehten, und war zum Ufer gelaufen, zu Isti, der dort in nassen Kleidern saß und auf den Fluß schaute, dahin, wo er nicht zugefroren war, auf die Wellen zwischen dem Eis, das die Zweige und das Schilf festhielt. Es sei sonderbar gewesen, sagte die Frau später, dieser Junge habe nicht gefroren – trotz der Kälte, trotz seiner nassen Kleider.

Sie hatte auf ihn eingeredet, bis sie schließlich glaubte, er höre nicht, dann hatte sie angefangen, mit den Händen zu reden, ihm Zeichen zu geben, hatte ihn gepackt, hochgezogen, und Isti war aufgestanden und mit ihr gegangen, als habe er nur darauf gewartet, daß irgendwer ihn entdeckte und hochzog, an seinem Kragen. Die Frau hatte ihren Mantel um Isti gelegt, hatte Isti aufs Fahrrad gesetzt, hinter sich, auf den Gepäckträger, und als sie losgefahren war, hatte sich Isti an ihrem Kleid festgehalten. Später sagte mir Isti, als er sich umgedreht hatte, um zurückzuschauen, habe der Fluß nicht mehr ausgesehen wie etwas, das sich bewegte, nur noch wie ein Streifen habe er ausgesehen, ein dunkler Streifen, der sich durch ein Weiß zieht, und der Steg sei größer geworden, nicht kleiner, je weiter die Frau und Isti sich von ihm entfernten.

Über einen Hof waren sie gefahren, jemand hatte eine Tür geöffnet, die Frau hatte Isti in eine Küche geschoben und gesagt, dieses Kind habe ich gefunden, unten am Fluß, kennt ihr es. Sie hatten Isti die nassen Kleider ausgezogen, ihn neben den Ofen gesetzt, jemand hatte Decken, Kissen und Socken gebracht, Wasser aufgesetzt, und erst als die Fremde ihre Hand immer und immer wieder auf Istis Stirn gelegt und gefragt hatte, was machen wir mit diesem Jungen, was machen wir bloß mit diesem Jungen, hatte er angefangen zu reden. Seinen Namen hatte er nicht verraten wollen, er habe keinen, hatte er gesagt, und die Frau hatte erwidert, sie glaube ihm nicht, schließlich habe jeder einen Namen, wenn nichts anderes, dann wenigstens das: einen Namen, aber Isti hatte den Kopf geschüttelt und wiederholt, nein, ich nicht.

Der Dorfarzt, den sie hatten kommen lassen, erkannte Isti. Er wußte noch, er hatte ihm Tropfen verschrieben, damals, als wir Pest verlassen hatten und bei Zsófi geblieben waren, Tropfen, die Isti vielleicht genommen, vielleicht dem Hund gegeben hatte, und dann schickten sie jemanden, der mit dem Fahrrad zu uns fuhr, nicht am Fluß entlang, sondern über die Landstraße und Felder, weil es der schnellere Weg war, durch die Dunkelheit, mit dem Licht der Lampe, das aufs Eis und die kleinen Steine fiel, die darin eingeschlossen waren. Zsófi war von ihrem Altar aufgestanden, als sie hörte, wie jemand ihren Namen rief, schon an der Wegkreuzung, wieder und wieder, jedesmal lauter: Zsófi! Zsófi!, und ich weiß nicht warum, aber noch bevor ich hörte, daß man Zsófis Namen rief, hatte ich schon gehört, daß jemand mit dem Fahrrad über die Wegkreuzung fuhr, obwohl man es von hier, von Zsófis Küche aus gar nicht hören konnte.

Pista holte Isti noch an diesem Abend, obwohl der Arzt es verboten, obwohl er gesagt hatte, Isti müsse bleiben, wo er war, wenigstens über Nacht. Zsófi hatte gesagt, dieses Kind bleibt nicht bei Fremden, nicht über Nacht, sie hatte sich in die Tür gestellt und hatte in den Garten, zur Laube hinübergerufen, Pista!–Pista!–Pista!, schnell hintereinander, und Pista war losgefahren, mit einem Traktor, sofort, ohne etwas einzuwenden, ohne zu fragen und ohne das Tor hinter sich zu schließen. Zsófi, Anikó und ich, wir hatten ihm nachgesehen, vom Zimmerfenster aus, dessen Läden wir aufgestoßen hatten, und Zsófi hatte geflucht, weil es ihr zu lange dauerte, bis Pista an der Kreuzung abbog und unter einem schwarzen Himmel verschwand.

Jetzt saß Isti oben, neben Pista, in einem viel zu großen Mantel, ein bißchen wie ein Clown sah er darin aus, mit roten Wangen, sein Kopf an Pistas Schulter, die Augen geschlossen. Zsófi und ich standen im Hof, Zsófi mit einem Federbett zwischen den Armen, hinter dem man sie kaum sehen konnte, und ich mit einer Mütze in der Hand. Als Zsófi den Traktor hatte kommen hören, war sie mit mir hinausgegangen auf die Straße, und die letzten Meter vor der Einfahrt waren wir neben dem Traktor hergelaufen, und Pista hatte geschimpft, was soll das, wollt ihr auch krank werden? Er sprang ab, streckte seine Arme nach Isti aus, und Isti ließ sich nach vorne fallen, in Pistas Arme. Pista trug ihn über den Hof, Zsófi legte das Federbett um beide und lief jammernd hinter ihnen her, und ich sah auf Istis Füße, die an Pistas Schenkel schlugen, ohne Schuhe, in fremden Socken.

Pista ging durch die Küche, zum ersten Mal, seit Jenő weg war, vorbei an dem kleinen Altar, für den er keinen Blick hatte, und brachte Isti ins Bett, in das Zsófi Flaschen mit heißem Wasser gelegt hatte. Anikó hängte Istis Kleider neben Zsófis Küchentücher und stellte seine Schuhe vor den Ofen, wo Zsófi sie mit Zeitungspapier ausstopfte, damit sie besser trockneten. Pista holte meinen Vater aus der Schokoladenfabrik, später, als es Nacht wurde und Isti anfing, nach ihm zu fragen. Erst hatte mein Vater geschimpft, warum er jetzt noch mitgehen solle, wo Isti doch schon zu Hause sei, aber als er ihn sah, blieb er vor seinem Bett stehen und verließ das Zimmer nicht mehr, auch nicht in den nächsten Tagen und Nächten. Er stand dort und schaute auf Isti. Wenn jemand an der Tür klopfte, jemand aus der Schokoladenfabrik, winkte mein Vater ab, und Zsófi ging und redete im Hof, und dann hörten wir das Tor ins Schloß fallen, und Zsófi kam zurück mit einer Tafel Schokolade, die sie auf den kleinen Tisch neben Istis Bett legte.

Unser Vater wartete darauf, daß Isti aufwachte oder einschlief, daß er etwas sagte oder aufhörte zu reden, daß er sich aufsetzte oder wieder hinlegte. Er wartete, ohne zu drängen, ohne zu ermüden, und Zsófi und ich wunderten uns, daß ausgerechnet mein Vater vor Istis Bett stand und wartete. Hin und wieder beugte er sich vor, legte einen Arm auf die Decke oder eine Hand auf das Kissen, als könne Isti davon gesund werden, wenn seine Hand dort lag, und wenn Isti die Augen öffnete, nickte mein Vater ihm zu, ohne daß Isti etwas gesagt oder gefragt hätte. Wenn Zsófi glaubte, unser Vater könne nicht mehr stehen, schob sie einen Stuhl ans Bett, sagte: Kálmán, nichts weiter als: Kálmán, zeigte mit dem Kinn zum Stuhl, und dann setzte sich mein Vater, ganz langsam, als müsse er sich erst daran erinnern, daß er das konnte: sitzen, als habe er es vergessen.

Zsófi legte Tücher in eine Schüssel, die sie mit Wasser gefüllt hatte, trüb wie aus einer Regentonne, und wickelte sie um Istis Beine. Sie wechselte Istis Kissen, wenn es naß geworden war, zog die Decke wieder hoch bis zu seinem Kinn, wenn Isti sie im Schlaf weggetreten, wenn er sie verloren hatte. Sie faßte an Istis Füße, in viel zu kurzen Abständen, um zu fühlen, ob sie heiß, ob sie kalt waren, fragte meinen Vater, was brauchst du, was soll ich dir bringen?, und wenn er sagte: nichts, fing sie wieder an, nasse Tücher um Istis Waden zu legen. Ich saß neben meinem Vater, wir schauten auf Zsófi, auf die Schüssel, aufs Federbett, auf Isti, sein nasses Haar, das der Schweiß verklebt hatte, auf seinen Kopf, der klein aussah in diesem Kissen, wir hörten auf sein Atmen, das zu laut war, und wenn mein Vater sagte, leg dich hin und schlaf, erwiderte ich, nein, ich schlafe nicht, ich bin nicht müde. Mein Vater ließ mich auf dem Stuhl einschlafen, und erst wenn ich aufs Federbett kippte, mit dem Kopf neben Istis Füße, erst dann trug er mich in die Küche, wo ich auf der Liege schlief in diesen Tagen, weil man nicht wollte, daß ich weiter neben Isti schlief.

Für uns war der Tag, an dem Isti ins Wasser fiel, ein Tag gewesen wie jeder andere. Vielleicht war das Licht anders gewesen – oder ich glaube es jetzt nur, weil ich es gerne so hätte. Zsófi hatte die Kerzen vor Jenős Altar gewechselt, Pista hatte vor der Gartenlaube gestanden und geraucht, mein Vater war mit dem Fahrrad zur Fabrik gefahren, und Zsófi hatte wie jedesmal zu ihm gesagt, nimm Jenős Schal, es ist kalt draußen. Anikó, Isti und ich hatten für Zsófi Nüsse geknackt, Isti hatte mit einem Hammer auf sie geschlagen, bis sie durch die Küche sprangen, und Anikó und ich hatten sie aufgehoben, ihre Schalen entfernt und sie gemahlen. Anikó hatte das Klötzchen gehalten, ich hatte die Kurbel gedreht, und Isti hatte zugesehen, wie die Nüsse wie Sand in den Teller rieselten.

Am Nachmittag war Isti aus dem Fenster gestiegen, nicht, weil ihn niemand sehen durfte, sondern weil es ihm besser gefiel, als einfach nur durch die Tür zu gehen, wie es jeder tat. Er war die Straße hinabgelaufen, dann weiter, bis zu Évas Haus, wo Licht in der Küche brannte, und weiter, über die Felder, hinunter zum Fluß, wo er das Schilf zur Seite schlug, um auf den Steg zu kommen, der mit Schnee bedeckt war, seit Tagen. Später habe ich immer wieder versucht, diesen Tag in meinem Kopf zusammenzufügen, die fehlenden Stücke zu finden und einzusetzen, die fehlenden Bilder zwischen Istis Sprung aus dem Fenster und seinem Sprung ins Wasser, aber es gelang mir nicht. Irgend etwas fehlte. Irgendwo blieb eine Stelle leer, immer.

Niemand schimpfte mit Isti, als er uns erzählte, wie er zum Fluß gelaufen war, obwohl Zsófi es verboten hatte. Keiner wunderte sich, als er uns erklärte, in seinem Kopf sei es längst schon Frühling gewesen, der Schnee, die Kälte, das Eis, all das sei ihm nicht aufgefallen, er habe es nicht bemerkt, einfach nicht bemerkt, und niemand staunte, als Isti sagte, er habe sie übers Wasser laufen sehen, seine Mutter, und er habe ihr bloß folgen wollen. Nur Zsófi flüsterte, es sei das Fieber, und später sagte sie zu Pista, eine Ahnung hätte sie gehabt, ein Gefühl, nicht nur an diesem Tag, sondern immer schon, und als sie das sagte, drehte sich mein Vater zu ihr, sah sie an, mit einem Blick, den ich nicht kannte an ihm, und fragte, was meinst du damit, Zsófi: eine Ahnung?

Isti fing an, so zu husten, daß unser Vater durchs Haus brüllte, warum gebt ihr ihm nichts gegen diesen Husten. Isti versprach, weniger zu husten, leiser, und als unser Vater das Zimmer verließ, fragte mich Isti: was ist mit ihm, warum ist er so wütend? Als sich das Dunkle unter Istis Augen veränderte, schickte Zsófi ein Telegramm an den See, das sie uns nicht lesen lassen wollte, und Ági, Zoltán und Virág nahmen das nächste Schiff, den Zug, den Bus, und es paßte nicht, sie hier zu sehen, in dicken Mänteln, Mützen und Stiefeln, wo sie doch in den Sommer, an den See gehörten und nicht hierher, auf Zsófis Hof, zwischen Traktoren und Beete, oder in Zsófis Küche, wo sie jetzt auf Jenős Foto schauten und nebeneinander vor der Kredenz standen, als wüßten sie nicht wohin, als seien sie falsch hier. Virág sagte, im Sommer besucht ihr uns wieder am See, und du, Anikó, du kommst auch, und sie sagte es mit dieser leichten hellen Stimme, aber es klang nicht leicht und hell, es klang, als glaubte sie gar nicht daran, daß wir sie besuchen würden, diesen Sommer. Zoltán legte den Mantel ab, zog die Stiefel aus und ging ins Zimmer, und weil Isti schlief, flüsterte er, dieser Junge, ich kenne ihn, was ist mit ihm?, und mein Vater sagte, natürlich kennst du diesen Jungen, es ist Isti, in deinem Haus hat er gewohnt, und dann schauten alle zu Boden, und Zoltán erwiderte, ach so, es ist Isti, er hat in meinem Haus gewohnt.

Wir saßen vor Istis Bett, wir taten nichts anderes mehr. Wir vergaßen die Arbeit, die Tiere, den Hof, die Traktoren, wir vergaßen sogar zu essen. Ági holte Stühle für uns, Pista und Zoltán schoben den Tisch mit dem Wasserglas und der Schüssel heran, die Liege, auf der ich schlief, und Schemel und Hocker für unsere Füße. Sie richteten alles so ein, daß wir nicht mehr wegmußten von Isti, daß wir bleiben konnten, um ihn anzuschauen, ganz gleich, was geschah, ganz gleich, was er tat, ob er die Augen öffnete oder schloß, ob er atmete oder einen Moment lang nicht atmete. Nur mich schickten sie hin

und wieder in die Küche, weil ihnen einfiel, daß ich Isti
so nicht sehen sollte, und ich kam zurück mit Dingen,
die wir gesammelt hatten, in Schuhkartons, die Anna
uns gegeben hatte, und legte sie auf den kleinen Tisch
neben die Schüssel oder auf Istis Kissen: Steine, Federn,
Glasscherben, und dann sagte ich zu Isti, da, deine Glasscherben, und Isti hob sie hoch und legte sie wieder
zurück, als wollte er mir diesen einen Gefallen tun.
Manchmal schliefen wir ein, aus Erschöpfung, weil es
Nacht wurde, weil der Morgen kam, manchmal gleichzeitig, manchmal nacheinander, mein Vater auf dem
Stuhl, das Kinn auf der Brust, die Arme auf der Lehne,
Virág neben Isti auf dem Bett, ihr Kopf neben seiner
Hand, ihre Hand auf dem Federbett, als wollte sie ihn
umarmen, Anikó und Zoltán auf dem Boden, zwischen
Staubflocken, mit angezogenen Knien, Ági neben mir
auf der Liege, ihre kalten Hände über Kreuz in die Ach-
seln geklemmt, ich, mit dem Kopf an Ágis Rücken, und
Zsófi im Stehen, im Türrahmen, wo sie blieb, damit sie
beide sehen konnte: Isti im Bett und Jenő hinter den
Kerzen.

Istis Finger wurden blau, und Ági und Virág fingen an,
sie zu reiben, diese blauen Finger. Virág zog ihren Ring
aus, legte ihn in ein Schälchen neben Istis Bett, und wir
hörten, wie der Ring auf dem Porzellan zitterte, vielleicht ein, zwei Sekunden lang. Ági sagte zu Isti, er solle
sein Köpfchen für sie heben, nur einmal, damit sie sein
Kissen austauschen könne, aber Isti konnte es nicht heben, und Ági sagte, gut, du brauchst es nicht, wir lassen
es einfach so, wie es ist, du brauchst es nicht zu heben,
wir lassen es einfach so. Mein Vater trat einen Schritt
zurück, fing an zu reden, mit Zoltán, ausgerechnet mit
Zoltán, und er sagte: mein Sohn kann seinen Kopf nicht

mehr heben, und Zoltán wiederholte, ja, dein Sohn kann seinen Kopf nicht mehr heben.

Zsófi gab Pista ein Zeichen, und Pista lief hinaus in den Hof, nahm das Rad und fuhr ins Dorf, um den Arzt zu holen, und wir anderen, wir blieben bei Isti, ich auf der einen Seite des Bettes, hinter Ági, um mich zu verstekken, vor dem, was jetzt geschah, mit Isti und mit uns. Auf der anderen Seite des Bettes drehte Virág Knoten in ihr Haar, die sie ausriß und auf den Boden warf, wo sie liegenblieben und aussahen wie winzige Spinnen. Zsófi hob ihre Hand, tippte sich an die Stirn, an die Schultern, fing an so zu beten, daß wir es kaum hören konnten, und mein Vater zischte, was betest du, laß das Beten, und ich konnte sehen, wie seine Lippen zitterten. Ági legte eine Hand auf den Mund, und mit der anderen Hand hielt sie immer noch Istis blaue Finger.

Als man Isti wegtrug, ließ mein Vater es geschehen, obwohl er gedroht hatte, er würde es nicht zulassen. Virág hielt meinen Kopf fest und meine Hand, und Ági und Zsófi hatten sich vor mich gestellt, als wollten sie mich verstecken. Wir gingen in den Hof, über Steinplatten durch den Garten, Virág hielt immer noch meine Hand, sie ließ sie nicht mehr los, oder ich war es, die ihre Hand nicht mehr losließ. Meine Beine bewegten sich, ich setzte einen Fuß vor den anderen, Virág zog mich beiseite, faßte an die Zweige der Bäume, und vielleicht nur, um etwas zu sagen, sagte Virág, sie sehen alle anders aus, findest du nicht.

Ich habe mich gefragt, warum der Frühling in diesem Jahr so schnell gekommen war, warum über Nacht, warum über diese eine Nacht, ohne sich anzukündigen, ohne uns zu warnen. Es paßte nicht, nichts davon paßte, nicht zu uns und nicht zu Isti, den sie wegtrugen – nicht die Sonne über uns, die uns wärmte, zum ersten Mal, nicht der Garten, in dem der Schnee jetzt schmolz, nicht mal wir, die dabei zusehen konnten, ohne Schal und ohne Mantel.

Wir blieben im Garten, vor der Laube. Virág und ich, wir liefen ein bißchen auf und ab, ohne zu reden, und schauten auf unsere Schuhe, die naß und schmutzig wurden, vom schmelzenden Schnee. Mein Vater und die anderen fingen an zu rauchen, hüllten sich und uns in eine Wolke, Ági sagte, es war ein Unfall, und mein Vater erwiderte, was soll das sein, ein Unfall, was redest du. Anikó war die einzige, die es wagte, wieder ins Haus zu gehen, und Zsófi schickte sie hinein, um Kaffee zu kochen, und Anikó ging, kochte Kaffee, brachte ihn in Gläsern auf einem Tablett, und weil auch später keiner ins Haus gehen wollte, auch am Abend nicht, obwohl es zu kalt war, um draußen zu bleiben, ging Anikó immer wieder, kochte Kaffee und brachte ihn auf einem Tablett in den Hof, wo wir standen und warteten und nicht wußten, was tun, was reden.

Jemand schlug ans Tor, und Zsófi ging, um zu öffnen. Éva und Karcsi waren es, die sagten, sie wollten Isti sehen, sie hätten etwas dabei, das sie ihm geben wollten. Zsófi erwiderte, es sei zu spät, und Éva fing an zu weinen, und dann kamen sie über den Hof, Karcsi und Éva, um mit uns vor der Laube zu stehen, ohne zu reden, um Kaffee aus Gläsern zu trinken und zu rauchen. Erst als es Nacht wurde, gingen wir zurück ins Haus, und mein Vater ließ sich aufs Bett fallen, in dem Isti gelegen hatte, und dann tauchte er, aber anders als sonst. Er lag auf der

Seite, hielt das Federbett, mit dem sich Isti zugedeckt hatte, zwischen den Armen, grub sein Gesicht ins Kissen, und wir anderen, wir setzten uns neben ihn, aufs Bett, auf die Stühle, und warteten darauf, daß er irgendwann aufwachen würde, oder, ich weiß nicht, vielleicht warteten wir auch darauf, daß er irgendwann einschlafen würde.

Kata.

Damals hatte Zsófi meiner Mutter ein Telegramm geschickt, auch an Anna und an Großmutter, die in den Tagen und Wochen davor von Isti in schmutzigen Wassern geträumt hatte. Mir hatte Zsófi gesagt, Isti könne uns sehen und hören, und ich versuchte, daran zu glauben, wenn ich über die Felder zum Fluß lief, um dort auf etwas zu warten, das sich im Schilf oder im Wasser, auf den Wellen, zeigen würde, und wenn ich nachts wach blieb, weil ich dachte, Isti könnte ans Fenster klopfen, um mich zu besuchen, so wie Miklós Anna besuchte.

Wenn wir den Tisch deckten, stellte Zsófi auch für Isti einen Teller dazu, wie für Jenő – und ich, ich habe es so beibehalten, ich decke den Tisch heute noch so. Wenn etwas herunterfällt, ohne daß es jemand berührt hat, sage ich, es war Isti, und wenn ich etwas nicht finden kann, meinen Schlüssel, mein Taschentuch oder einen Zettel, auf den ich etwas geschrieben habe, dann sage ich: Isti war hier, er hat es mitgenommen, er spielt ein Spiel mit mir, spielt Verstecken und Finden, so etwas. Und mich beruhigt dieser Gedanke, daß Isti da war und etwas mitgenommen hat. Es ist einer der wenigen Gedanken, die mich beruhigen.

Viel Zeit ist nicht vergangen, seitdem. Es gab Winter, in denen ich bloß auf den Frühling, und Sommer, in denen ich nur auf den Winter wartete, in denen ich nichts anderes tat als warten. Ich habe gearbeitet, erst mit Zsófi an der Zugstation, dann in Gaststätten, Fabriken, in der Stadt und auf dem Land. Mein Vater hat im ersten Sommer, in dem wir ohne Isti waren, bei Anna gelebt, dann bei Éva, aber nur halb, glaube ich, und jetzt sind wir wieder am See, bei Zoltán, Ági und Virág, vielleicht, weil ich es so wollte, weil ich es immer schon so wollte – ich weiß nicht, aber ich möchte es gerne glauben. Seit letztem Sommer sind wir hier, seit den letzten heißen Tagen, als sie die Straße nach Miskolc sperrten, den ganzen Osten, und wir in einem Wagen hierher fuhren, über kleine Wege, abseits, während auf den großen Straßen Panzer rollten. Jedesmal wenn wir ausstiegen, lagen Schnecken am Wegrand, und mein Vater sagte, wenn du Salz auf sie streust, lösen sie sich auf – als ob ich das nicht wüßte.

In diesen Tagen ist der Himmel über uns blau, wie selten um diese Jahreszeit. Heute morgen sind zwei Flugzeuge, klein wie Punkte, durch dieses Blau geflogen und haben ein langes weißes X gezeichnet. Ich habe Wein gepflanzt, er wächst die Mauer hoch, nur an wenigen Stellen etwas dichter, und Virág sagt, es wird dauern. Manchmal sitzen wir unten am See, Virág und ich, dort, wo das Wasser an die Steine schlägt, mit Blick auf die erste Sandbank, und sie weiß, daß ich dann an Isti denke, an nichts anderes, an die Sommer mit ihm, an sein Springen ins Wasser, jederzeit und überall.

An der Anlegestelle erzählen sie, in Prag habe sich jemand angezündet, jetzt, wo alles längst schon vorbei sei, ein halbes Jahr später, und wir, wir wissen nicht, ob wir das glauben sollen. Ági meint, so ein Blödsinn, wer zündet sich an, freiwillig, lebendig, aber Virág hat mir anvertraut, sie glaube es, und Mihály, er glaube es auch.

Mein Vater hat gesagt, wenn du fahren willst, kannst du fahren, schon vor Monaten hat er das gesagt, und seither warte ich darauf, daß man mich läßt. Man hat mir erklärt, es wird dauern, ich werde warten müssen, vielleicht länger, als ich denke, bestimmt länger, und ich habe gesagt, es macht nichts, es macht gar nichts, ich kann warten, und dann habe ich noch einmal gesagt: Ich kann warten, ja.

Inhalt

Zsuzsa Bánk
Heißester Sommer
144 Seiten. Gebunden

Geschichten von Schönheit und Intensität: Zsuzsa Bánks
meisterliche Erzählungen entfalten sich unter der Oberfläche, zwischen den Zeilen, in unseren Köpfen. Der Zauber
dieser Sprache schützt Larry, Lydia und Lisa vor dem Verlorengehen in der Welt – und uns bei der langsamen Rückkehr vom Lesen ins Leben.

»Auf dieses Buch habe ich gespannt gewartet.
Weil es von Zsuzsa Bánk ist, deren Debütroman
›Der Schwimmer‹ so einzigartig war in seinem Ton.
Ich habe diese Melodie der Melancholie geliebt,
die nun auch die zwölf Erzählungen ihres neuen Bandes
›Heißester Sommer‹ trägt ... Es ist die Flüchtigkeit des
Glücks, die einem schmerzhaft bewusst wird,
wenn man in die Schönheit dieser Texte eintaucht.«
Angela Wittmann, Brigitte

S. Fischer